Les oisea... ir

2

COLLEEN McCULLOUGH | *ŒUVRES*

LES OISEAUX SE CACHENT
POUR MOURIR - 1   *J'ai Lu* 1021****
LES OISEAUX SE CACHENT
POUR MOURIR - 2   *J'ai Lu* 1022****
TIM   *J'ai Lu* 1141***
UN AUTRE NOM POUR L'AMOUR   *J'ai Lu* 1534****
LA PASSION DU Dr CHRISTIAN

Colleen McCullough

Les oiseaux se cachent pour mourir

2

traduit de l'anglais par Jacqueline LAGRANGE
et Jacques HALL

Éditions J'ai lu

Ce roman a paru sous le titre original :

THE THORN BIRDS

LIVRE IV (suite)

1933 - 1938

LUKE

12

Chaque mois, fidèle à son devoir, Meggie écrivait à Fee et à ses frères, leur donnant de longues descriptions du Queensland du Nord, s'ingéniant à apporter à ses récits une pointe d'humour, ne faisant jamais la moindre allusion aux différends qui l'opposaient à Luke. Pour sa famille, les Mueller étaient des amis de Luke chez lesquels elle logeait parce que son mari voyageait beaucoup. La réelle affection qu'elle portait au couple se sentait sous chaque mot les concernant; de ce fait, personne ne s'inquiétait à Drogheda où l'on regrettait seulement son éloignement et à peine lui reprochait-on de ne jamais venir les voir. Mais comment aurait-elle pu avouer à sa famille qu'elle ne disposait pas de l'argent nécessaire pour leur rendre visite sans leur dire à quel point son mariage avec Luke O'Neill lui pesait?

De temps à autre, elle trouvait le courage de poser une question banale au sujet de Mgr Ralph mais, la plupart du temps, Bob oubliait de lui transmettre le peu qu'il avait appris de Fee concernant l'évêque. Puis, vint une lettre où il était longuement question de celui-ci.

Un jour, il nous est tombé du ciel. Il nous a paru un peu déconcerté et ennuyé. Il a été stupéfait de ne pas te trouver ici. Il était fou de rage que nous ne lui ayons rien dit au sujet de Luke et toi. Mais quand m'man lui a expliqué qu'il s'agissait d'une de tes lubies et que tu avais refusé de lui faire part de ton mariage, il s'est calmé et n'en a plus jamais soufflé mot. Mais j'ai l'impression que tu lui manquais bien plus que tous les autres membres de la famille, et je suppose que c'est normal puisque tu passais plus de temps avec lui que n'importe lequel d'entre nous, et je crois qu'il t'a toujours considérée comme sa petite sœur. Il errait partout comme une âme en peine; on aurait dit qu'il s'attendait à te voir surgir au détour du chemin. Pauvre type. Nous n'avions pas non plus la moindre photo de toi à lui montrer et c'est seulement quand il m'a demandé de voir les photographies du mariage que je me suis aperçu qu'on en avait pas fait. Il m'a demandé si tu avais des enfants, et je lui ai répondu que je ne le croyais pas. Tu n'en as pas, n'est-ce pas, Meggie? Depuis combien de temps es-tu mariée? Ça doit faire pas loin de deux ans? Sûrement, puisque nous sommes en juillet. Comme le temps passe, hein? J'espère que tu auras bientôt des gosses parce que je crois que l'évêque serait content d'apprendre cette nouvelle. J'ai proposé de lui donner ton adresse, mais il n'en a pas voulu. Il m'a répondu que ce serait inutile parce qu'il partait pour Athènes, en Grèce, où il doit passer quelque temps avec l'archevêque pour lequel il travaille. Un Rital, qui a un nom long comme le bras que je suis incapable de me rappeler. Tu te rends compte, Meggie, ils doivent partir

6

en avion! En tout cas, quand il s'est aperçu que tu n'étais pas à Drogheda pour l'accompagner dans ses promenades, il n'est pas resté longtemps. Il s'est contenté d'une ou deux balades à cheval, a dit la messe pour nous chaque jour et est reparti moins d'une semaine après son arrivée.

Meggie posa la lettre. Il savait, il savait! Enfin, il savait! Qu'avait-il pensé? En avait-il éprouvé du chagrin, et à quel point? Et pourquoi l'avait-il poussée à agir de la sorte? Ça n'avait rien arrangé. Elle n'aimait pas Luke. Elle n'aimerait jamais Luke. Il n'était qu'un substitut, l'homme susceptible de lui donner des enfants qui, physiquement, ressembleraient à ceux qu'elle aurait pu avoir de Ralph de Bricassart. Oh, Dieu, quel gâchis!

L'archevêque di Contini-Verchese préférait descendre dans un hôtel laïque plutôt que profiter de l'appartement qu'on lui offrait au palais épiscopal d'Athènes, résidence de l'évêque orthodoxe. Il devait accomplir une mission très délicate, d'une certaine importance. Plusieurs questions devaient être discutées avec les dirigeants de l'Eglise orthodoxe grecque, le Vatican montrant à l'égard des orthodoxies grecque et russe un intérêt affectueux qu'il ne pouvait vouer au protestantisme. Après tout, les rites d'Orient pouvaient être considérés comme des schismes, pas des hérésies; leurs évêques, comme ceux de Rome, remontaient jusqu'à saint Pierre en une lignée ininterrompue.

L'archevêque savait que sa nomination en vue de cette mission relevait de l'épreuve diplomatique, marchepied pour des travaux plus importants à Rome. Une fois de plus, son don des langues lui servait car sa parfaite connaissance du grec avait fait pencher la balance en sa faveur. On n'avait pas hésité à le faire venir d'Australie par la voie des airs.

Et il était inconcevable qu'il se déplaçât sans Mgr Ralph de Bricassart. Au fil des ans, il s'était habitué à compter de plus en plus sur cet homme étonnant. Un Mazarin, un vrai Mazarin; Mgr di Contini-Verchese vouait plus d'admiration à Mazarin qu'à Richelieu, la comparaison était donc particulièrement flatteuse. Ralph possédait toutes les qualités que l'Eglise aime trouver dans ses hauts dignitaires. Conservateur dans sa théologie et son éthique, il faisait preuve d'une intelligence vive et subtile, son visage ne trahissait jamais ses pensées; il maîtrisait au plus haut point l'art de plaire à tous, que ceux-ci éprouvent pour lui sympathie ou antipathie, qu'ils soient ou non de son avis. Pas de flagornerie chez lui, mais de la diplomatie à l'état pur. Si l'attention était fréquemment appelée sur cet homme d'exception, nul doute qu'il ne parvînt à un poste éminent. Et cela comblerait Sa Grandeur di Contini-Verchese qui tenait à garder le contact avec Mgr de Bricassart.

Il faisait très chaud, mais l'évêque Ralph ne se souciait guère de l'air sec d'Athènes après l'humidité de Sydney. Il marchait rapidement, comme à l'accoutumée, en bottes, culotte de cheval et soutane; il gravit la montée rocheuse menant à l'Acropole, traversa le sombre propylée, dépassa l'Erechtéion, grimpa la pente aux dalles grossières et glissantes débouchant sur le Parthénon, descendit et se retrouva au delà de la muraille.

Là, le vent ébouriffant ses boucles brunes, maintenant parsemées d'un peu de gris près des oreilles, il se dressa et regarda au delà de la cité blanche en direction des collines lumineuses jusqu'au transparent et stupéfiant bleu de la mer Egée. Juste au-dessous de lui, se trouvait la Plaka avec ses cafés aux toits en terrasses, ses colonies de bohémiens et, sur un côté, un grand théâtre léchant la roche. Dans le lointain, se devinaient colonnes romaines, forts des croisés et châteaux vénitiens, mais pas le moindre vestige du passage des Turcs.

Quel peuple étonnant què les Grecs! Haïr la race qui les avait dominés pendant plus de sept cents ans au point qu'une fois libérés ils avaient rasé mosquées et minarets jusqu'au dernier. Et d'une origine tellement ancienne, à l'héritage si riche! Ses ancêtres normands n'étaient que des barbares vêtus de peaux de bêtes quand Périclès constellait de marbre le sommet du rocher et quand Rome n'était qu'un village grossier.

A ce moment seulement, à près de vingt mille kilomètres de distance, il put penser à Meggie sans être tenaillé par l'envie de pleurer. Et même alors, les lointaines collines devinrent floues un instant avant qu'il ne parvînt à maîtriser ses émotions. Comment pouvait-il lui tenir rigueur de ce mariage alors qu'il l'y avait poussée? Il avait immédiatement compris pourquoi elle s'était montrée si résolue à lui taire ses projets; elle ne souhaitait pas qu'il rencontrât son jeune mari ni qu'il fît partie de sa nouvelle vie. Evidemment, il avait supposé que, quel qu'il fût, son époux habiterait à Gillanbone, sinon à Drogheda, qu'elle continuerait à vivre là où il la savait en sûreté, exempte de soucis et de dangers. Mais, en y réfléchissant, il comprit qu'elle voulait à tout prix éviter qu'il s'endormît dans cette quiétude. Non, elle avait été obligée de partir et, aussi longtemps qu'elle et son Luke O'Neill vivraient ensemble, elle ne rentrerait pas à Drogheda. Bob affirmait que le couple économisait pour acheter un domaine dans le Queensland occidental, et cette nouvelle l'avait achevé. Meggie avait l'intention de ne jamais lui revenir.

Mais es-tu heureuse, Meggie? Est-il bon pour toi? L'aimes-tu, ce Luke O'Neill? Quel genre d'homme est-ce pour qu'il t'ait détachée de moi? Qu'avait-il, lui, simple ouvrier agricole, pour que tu l'aies préféré à Enoch Davies, Liam O'Rourke ou à Alastair MacQueen? Serait-ce parce que je ne le connaissais pas, que je ne pouvais faire la comparaison? As-tu agi ainsi pour me torturer, Meggie, me rendre la pareille? Mais pourquoi n'as-tu pas d'enfants? Qu'a donc cet homme qui le pousse à errer comme un vagabond et t'oblige à vivre chez des amis? Pas étonnant que tu n'aies pas d'enfants; il ne reste pas assez longtemps auprès de toi. Meggie, pourquoi? Pourquoi as-tu épousé Luke O'Neill?

Il se retourna et descendit la pente de l'Acropole, déambula dans les rues animées d'Athènes. Il flâna dans le marché autour de la rue Evripidou, fasciné par les gens, les énormes paniers de calmars et de poissons qui sentaient fort sous le soleil; non loin de là, des légumes et des chaussons à sequins voisinaient. Les femmes l'amusèrent, elles lui adressaient des œillades franches et audacieuses, legs d'une culture fondamentalement différente de la sienne, si puritaine. Si leur admiration hardie avait eu un fond lascif (aucun mot plus adéquat ne lui vint à l'esprit), il se serait senti gêné à l'extrême, mais il l'acceptait dans le sens où elle lui était vouée en tant qu'hommage à une extraordinaire beauté physique.

L'hôtel, établissement très luxueux et coûteux, se situait sur le square Omonia. L'archevêque di Contini-Verchese était installé dans un fauteuil près de la porte-fenêtre donnant sur le balcon de son appartement et il réfléchissait; quand Mgr Ralph entra, il tourna la tête, sourit.

— Juste à temps, Ralph. Je voudrais prier.

— Je croyais que tout était arrangé. Y a-t-il des complications de dernière heure, Votre Grandeur?

— Ce n'est pas de cela qu'il s'agit. Je viens de recevoir une lettre du cardinal Monteverdi qui m'expose les souhaits du Saint-Père.

Mgr Ralph sentit le durcissement soudain de ses épaules, un curieux picotement de la peau autour des oreilles.

— Alors, de quoi s'agit-il?

— Dès que les entretiens que je mène seront terminés, et on peut considérer qu'ils le sont... je gagnerai Rome où la barrette de cardinal me sera accordée. Je devrai continuer mon œuvre au Vatican sous la direction même de Sa Sainteté.

— Tandis que moi...?

— Vous deviendrez l'archevêque de Bricassart et vous retournerez en Australie pour y occuper mon poste en tant que légat du pape.

Le picotement de la peau qui lui taquinait les alentours des oreilles se mua en une rougeur brûlante; la tête lui tournait, il chavirait. Lui, un non-Italien, être honoré de la légation pontificale! Décision sans précédent! Oh, on pouvait compter sur lui, il accéderait au cardinalat!

— Evidemment, vous recevrez formation et instruction à Rome au préalable. Ce qui demandera environ six mois au cours desquels je serai près de vous et vous présenterai à ceux qui sont mes amis. Je tiens à ce que vous les connaissiez car le moment viendra où je vous appellerai, mon cher Ralph, pour m'aider à remplir ma tâche au Vatican.

— Monseigneur, je ne pourrais jamais assez vous remercier! C'est à vous que je dois cette distinction exceptionnelle.

— Dieu m'a accordé suffisamment d'intelligence pour que je perçoive les capacités d'un homme qui ne saurait rester dans l'ombre, Ralph. Maintenant, agenouillons-nous et prions. Dieu est bon.

Le chapelet et le missel de Ralph se trouvaient sur une table proche; d'une main tremblante il saisit le rosaire et fit tomber le livre saint qui s'ouvrit, juste aux pieds de l'archevêque. Celui-ci le ramassa et regarda curieusement la forme fine, brune, évoquant du papier de soie, qui avait été une rose.

— Comme c'est curieux! Pourquoi conservez-vous

ceci? Est-ce un souvenir de votre famille... peut-être de votre mère?

Les yeux, qui savaient percer l'artifice et la dissimulation, étaient rivés sur lui et le temps manquait à Ralph pour travestir son émotion, son appréhension.

— Non, dit-il avec une grimace. Je ne veux conserver aucun souvenir de ma mère.

— Mais vous devez attacher beaucoup de valeur à ceci pour le garder avec tant d'amour entre les pages du livre qui vous est le plus cher. Que vous rappellent ces pétales?

— Un amour aussi pur que celui que je porte à Dieu, Vittorio. Ils n'entachent pas ce livre, ils l'honorent.

— Je l'ai tout de suite compris parce que je vous connais. Mais cet amour fait-il courir un danger à celui que vous portez à l'Eglise?

— Non. C'est pour l'Eglise que je l'ai abandonnée, que je l'abandonnerai toujours. Je suis allé si loin au delà d'elle qu'aucun retour n'est possible.

— Ainsi, je comprends enfin votre tristesse! Mon cher Ralph, ce n'est pas aussi terrible que vous le pensez, vraiment pas. Vous vivrez pour rendre service à de nombreuses personnes, vous serez aimé par de nombreuses personnes. Et elle, nantie de l'amour qui est contenu dans ce souvenir si ancien et encore parfumé, n'en sera jamais démunie. Parce que vous avez gardé l'amour en même temps que la rose.

— Je ne pense pas qu'elle le comprenne le moins du monde.

— Oh, si! Si vous l'avez aimée ainsi, elle est suffisamment femme pour comprendre. Sinon, vous l'auriez oubliée et vous auriez abandonné cette relique depuis longtemps.

— A certains moments, seule une longue prosternation m'a empêché d'abandonner ma charge pour courir vers elle.

L'archevêque quitta son fauteuil et vint s'agenouiller à côté de son ami, ce bel homme qu'il aimait comme il avait aimé peu d'êtres en dehors de Dieu et de son Eglise, qui, pour lui, étaient indivisibles.

— Vous n'abandonnerez pas votre charge, Ralph, et vous le savez parfaitement. Vous appartenez à l'Eglise, vous lui avez toujours appartenu et vous lui appartiendrez toujours. Chez vous, la vocation est réelle, profonde. Nous allons prier maintenant, et j'ajouterai la Rose à mes prières pour le restant de mes jours. Notre-Seigneur nous envoie bien des chagrins et des épreuves pour accompagner notre marche vers la vie éternelle. Nous devons apprendre à les supporter, moi tout autant que vous.

A la fin août, Meggie reçut une lettre de Luke lui annonçant qu'il était hospitalisé à Townsville, atteint de la maladie de Weill, mais qu'il ne courait aucun danger et ne tarderait pas à être rétabli.

Aussi, il semble que nous n'ayons pas besoin d'attendre jusqu'à la fin de l'année pour nos vacances. Je ne peux pas retourner dans les plantations tant que je n'aurai pas retrouvé ma forme à cent pour cent. Et je crois que le meilleur moyen, c'est de prendre de bonnes vacances. Alors, dans à peu près une semaine, je passerai te prendre. Nous irons au lac Eacham, sur le plateau d'Atherton, pour y passer quelque temps jusqu'à ce que je puisse reprendre le travail.

Meggie parvenait à peine à y croire et elle se demandait si elle souhaitait ou non être avec lui maintenant que l'occasion s'en présentait. Bien que la douleur morale eût demandé beaucoup plus de temps pour se cicatriser que la douleur physique, le souvenir de l'épreuve qu'avait représenté sa lune de miel dans l'hôtel de Dunny avait été repoussé depuis si longtemps qu'il avait perdu le pouvoir de la terrifier; par ailleurs, ses lectures lui avaient fait comprendre que cet échec était dû à l'ignorance, la sienne et celle de Luke. Oh, Seigneur, je vous supplie que ces vacances me fassent devenir mère! Si seulement, elle pouvait avoir un enfant à aimer, tout serait plus facile. Anne serait enchantée d'avoir un bébé sous son toit, Luddie aussi. Le couple le lui avait répété bien souvent, espérant que Luke viendrait séjourner à Himmelhoch assez longtemps pour modifier l'existence vide et dénuée d'amour de sa femme.

Quand elle leur parla de la lettre, ils se dirent ravis, tout en restant un rien sceptiques.

— Aussi sûr que deux et deux font quatre, ce misérable va trouver une excuse pour partir sans elle, dit Anne à Luddie.

Luke avait emprunté une vieille voiture quelque part, et il vint prendre Meggie tôt un matin. Il était maigre, ridé et jaune, comme s'il avait été confit dans le vinaigre. Epouvantée, Meg lui passa sa valise et grimpa à côté de lui.

— Qu'est-ce que c'est que la maladie de Weill, Luke? Tu m'as dit que tu ne courais aucun danger, mais on dirait pourtant que tu as été très malade.

— Oh! c'est une sorte de jaunisse qui guette tous les coupeurs. Il paraît que les rats qui grouillent dans la canne sont porteurs de germes qu'ils nous refilent par une simple coupure. Je suis costaud et je n'ai pas été aussi touché que bien des copains. Les toubibs assurent que je serai en pleine forme en un rien de temps.

La route serpentait au creux d'une gorge profonde, en pleine jungle, et menait vers l'intérieur des terres; un torrent en crue rugissait et cascadait en contrebas; d'une paroi jaillissait une magnifique chute d'eau qui allait grossir le lit principal. La voiture roulait entre l'escarpement et l'eau, sous une arche humide et scintillante de lumières et d'ombres fantastiques et, au fur et à mesure qu'ils gagnaient de l'altitude, l'atmosphère se faisait plus froide, d'une exquise fraîcheur; Meggie avait oublié la merveilleuse impression dans laquelle la plongeait l'air frais. La jungle se penchait vers eux, si impénétrable que personne n'osait s'y aventurer. Sa masse échappait aux regards, masquée par les pesantes et immenses feuilles des lianes qui retombaient de la cime des arbres en un flot continu et sans fin, comme un rideau de velours vert tiré sur la forêt. Meggie distinguait sous cette protection l'éclair de magnifiques fleurs et papillons, les immenses toiles tissées par les araignées géantes, élégamment mouchetées, immobiles au centre de leurs pièges, de fabuleux champignons qui grignotaient des troncs moussus, des oiseaux à longues queues rouges ou dorées.

Le lac Eacham se nichait au sommet du plateau, idyllique dans ce cadre encore sauvage. Avant la tombée de la nuit, ils sortirent sur la véranda de la pension de famille pour admirer l'eau calme. Meggie voulait observer les énormes chauves-souris frugivores, appelées renards volants qui, par milliers, évoluaient dans le ciel, comme une funeste avant-garde, en route vers les endroits où elles trouvaient leur nourriture. Monstrueuses et répugnantes, elles n'en étaient pas moins curieusement timides et absolument inoffensives. Les voir se détachant sur un ciel mêlé d'ombres avait quelque chose de terrifiant; Meggie ne manquait jamais de les suivre des yeux depuis la véranda d'Himmelhoch.

Et quelle joie sans mélange que de se laisser tomber sur un lit doux et frais, de ne pas avoir besoin de rester étendue, immobile, au même endroit jusqu'à ce que celui-ci fût saturé de transpiration, ni de ramper prudemment jusqu'à une autre place, tout en sachant que la première ne sécherait pas. Luke tira un paquet brun

15

et plat de sa valise, en sortit une poignée de petits objets ronds qu'il aligna sur la table de chevet.

Meggie tendit la main pour en examiner un.

— Qu'est-ce que c'est que ça? s'enquit-elle avec curiosité.

— Une capote anglaise, expliqua-t-il, oubliant que, deux ans auparavant, il s'était promis de ne pas lui avouer qu'il faisait usage de préservatifs. J'en enfile une avant d'entrer dans toi. Sinon, nous risquerions d'avoir un enfant, et ça ficherait tout en l'air avant d'acheter notre domaine.

Assis, nu, sur le bord du lit, il paraissait très maigre avec ses côtes et ses hanches saillantes. Mais ses yeux bleus riaient; il tendit la main pour saisir le préservatif qu'elle tenait toujours entre ses doigts.

— Nous y sommes presque, Meggie, presque! J'estime qu'avec cinq mille livres de plus nous pourrons acheter le plus beau domaine qui soit à l'ouest de Charters Towers.

— Dans ce cas, tu peux considérer qu'il est à toi dès maintenant, déclara-t-elle avec calme. Je peux écrire à Mgr de Bricassart pour lui demander qu'il nous prête de l'argent. Il n'exigera même pas d'intérêts.

— Tu n'en feras rien du tout! aboya-t-il. Bon Dieu, Meg, tu n'as pas d'amour-propre? Nous travaillons pour gagner ce qui sera à nous. Pas question d'emprunter! Je n'ai jamais dû un centime à personne et je ne vais pas commencer.

Elle l'entendit à peine tant elle le regardait à travers un brouillard rouge, éblouissant. Jamais de sa vie, elle n'avait ressenti une telle colère! Tricheur, menteur, égoïste! Comment osait-il se conduire ainsi envers elle, la frustrer d'un enfant, essayer de lui faire croire qu'il avait l'intention de devenir éleveur! Il avait trouvé sa voie avec Arne Swenson et la canne à sucre.

Dissimulant si bien sa hargne qu'elle se surprit elle-même, elle reporta toute son attention sur le petit rond de caoutchouc qu'elle tenait à la main.

— Parle-moi de ces... ces capotes anglaises. Comment empêchent-elles de faire un enfant?

Il vint se tenir derrière elle et le contact de leurs corps la fit frissonner; d'excitation, pensa-t-il; de dégoût, en vérité.

— Tu es vraiment ignorante à ce point?

— Oui, mentit-elle.

En tout cas, elle ignorait tout des préservatifs; elle ne se rappelait pas avoir lu la moindre mention à leur sujet.

Les mains de Luke batifolaient sur ses seins, la chatouillaient.

— Ecoute, quand je jouis, il sort un jet de... oh! je ne sais pas... d'un liquide, et si je suis dans toi sans rien, il reste là. S'il y reste suffisamment longtemps ou s'il y en a assez, il fait un enfant.

Ainsi, c'était ça! Il s'enveloppait de cette chose, comme une peau sur une saucisse. Tricheur!

Il éteignit, l'attira sur le lit, et ne tarda pas à tâtonner à la recherche du préservatif; elle entendit le même bruit que celui qu'elle avait surpris dans la chambre d'hôtel de Dunny, mais maintenant elle savait qu'il enfilait cette enveloppe de caoutchouc. Le tricheur! Mais quel stratagème trouver pour déjouer cette précaution?

S'efforçant de ne pas lui laisser voir à quel point elle avait mal, elle endura l'épreuve. Pourquoi l'acte se révélait-il si douloureux alors qu'il était naturel?

— Ça n'a pas été bon pour toi, hein, Meg? demanda-t-il, un peu plus tard. Tu dois être terriblement étroite pour que ça continue à te faire aussi mal après la première fois. Eh bien, je ne recommencerai plus. Ça ne t'ennuie pas si je te prends le sein?

— Oh! quelle importance? fit-elle d'un ton las. Si ça ne doit pas me faire mal, d'accord.

— Tu pourrais te montrer un peu plus enthousiaste, Meg!

— Pourquoi?

Mais l'érection se manifestait de nouveau; deux ans s'étaient écoulés sans qu'il ait pu consacrer temps et énergie aux jeux de l'amour. Oh! c'était bon d'être avec une femme, excitant, et interdit. Il n'avait pas du tout l'impression d'être marié à Meg; ça ne différait en rien de ses expériences passées, culbuter une fille dans l'enclos derrière le bistrot de Kynuna, ou posséder à la sauvette la toute-puissante et fière miss Carmichael contre le mur du bâtiment de tonte. Meggie avait de beaux seins, rendus fermes par l'équitation, exactement tels qu'il les aimait et, en toute franchise, il préférait prendre son plaisir en lui titillant un téton; il adorait la sensation de sa verge, libre de caoutchouc, comprimée entre leurs ventres. Le préservatif amoindrit beaucoup le plaisir de l'homme, mais s'en passer pour la pénétrer équivalait à courir de gros risques.

A tâtons, il lui agrippa les fesses et l'obligea à s'étendre sur lui, puis il saisit un téton entre les dents, sentit la pointe se gonfler et durcir sous sa langue. Un immense mépris à l'endroit de Luke envahissait Meggie; quelle grotesque créature qu'un homme qui grognait, suçait, s'acharnait, trouvant du plaisir à ça. Il s'excitait de plus en plus, lui malaxait le dos et la croupe, lapant avidement comme un chaton sevré venu se glisser sous le ventre de sa mère. Ses hanches amorcèrent un mouvement rythmé, tressautant en une sorte de reptation maladroite et, trop écœurée pour lui venir en aide, elle sentit l'extrémité du pénis libre de protection lui glisser entre les jambes.

Sa participation à l'acte étant des plus fragmentaires, elle avait tout le loisir de réfléchir. Et c'est alors qu'une idée lui vint. Aussi lentement et discrètement qu'elle le put, elle le manœuvra jusqu'à ce qu'il se trouvât exactement sur la partie la plus douloureuse de son être; retenant son souffle, dents serrées pour garder son courage, elle força le pénis à la pénétrer. Bien qu'elle ressentît une souffrance, celle-ci n'était en rien comparable à ce qu'elle avait connu jusque-là. Démuni de son enveloppe en caoutchouc, le membre glissait mieux, se révélait plus facile à introduire et intimement plus tolérable.

Luke ouvrit les yeux. Il s'efforça de la repousser, mais, oh, Seigneur! Il éprouvait une sensation incroyable, libéré de la gêne du préservatif; n'ayant jamais pénétré une femme sans cet accessoire, il n'avait pu se rendre compte de la différence. Il ressentait à tel point le contact, était si excité qu'il ne parvenait pas à la repousser avec suffisamment de vigueur; finalement, il l'attira plus étroitement à lui, incapable de poursuivre sa succion du sein. Bien qu'il fût peu viril de se laisser aller à exhaler ses émotions, il ne put réfréner le cri qui s'échappa de lui et, ensuite, il l'embrassa tendrement.

— Luke?

— Quoi?

— Pourquoi est-ce que ce n'est pas toujours comme ça? Tu n'aurais pas besoin de mettre ces capotes anglaises.

— On n'aurait pas dû se laisser aller comme ça, Meg. Pas question de recommencer. J'ai joui dans toi.

Elle se pencha sur lui, lui caressa la poitrine.

— Mais tu ne vois pas? Je suis assise! Ça ne reste pas à l'intérieur, ça s'écoule! Oh, Luke, je t'en prie! C'est tellement mieux, ça ne fait pas si mal. Je suis sûre qu'il n'y a pas de risque parce que je sens que ça s'écoule. Je t'en supplie.

Quel être humain pourrait résister à la répétition d'un plaisir parfait lorsqu'il lui est proposé de façon aussi logique? Comme Adam, Luke acquiesça car, à ce stade, il était infiniment moins bien informé que Meggie.

— Il y a probablement du vrai dans ce que tu dis. C'est beaucoup plus agréable pour moi quand tu n'essaies pas de me repousser. D'accord, Meg, à partir de maintenant, nous ferons l'amour comme ça.

Et, dans l'obscurité, elle sourit, satisfaite. Car tout ne s'était pas écoulé. Dès l'instant où elle avait senti le sperme la quitter, elle avait noué ses muscles internes, s'était étendue sur le dos, croisant les genoux le plus haut possible, se rétractant avec toute la détermination dont elle était capable. Oho, mon bon monsieur, je t'aurai! Attends, tu verras, Luke O'Neill! J'aurai un enfant, même s'il doit me tuer.

Loin de la chaleur et de l'humidité de la plaine côtière, Luke se rétablit rapidement. Il mangeait bien et il commença à reprendre du poids; le jaune maladif déserta son teint qui retrouva son hâle. Fasciné par le leurre que représentait une Meggie empressée et tendre au lit, il n'opposa guère de difficultés à se laisser convaincre de prolonger les deux semaines initialement prévues en trois, puis en quatre. Mais, après un mois, il regimba.

— Nous n'avons aucune excuse, Meg. J'ai retrouvé toute ma forme. Nous sommes là à nous prélasser comme des seigneurs, à dépenser de l'argent, et Arne a besoin de moi.

— Tu ne veux vraiment pas reconsidérer la question, Luke? Si tu le souhaites réellement, nous pourrions acheter ton domaine dès maintenant.

— Continuons encore un peu la vie que nous menons, Meg.

Il se refusait à le reconnaître, évidemment, mais la fascination exercée par la canne à sucre le tenait, lui communiquant l'étrange besoin qu'éprouvent certains hommes pour un labeur particulièrement exigeant.

Aussi longtemps que sa vigueur persisterait, Luke demeurerait fidèle à la canne. La seule façon dont Meggie espérait lui forcer la main consistait à lui donner un enfant, un héritier de la propriété proche de Kynuna.

Aussi regagna-t-elle Himmelhoch pour attendre et espérer. Je vous en supplie, Seigneur, je vous en supplie, donnez-moi un enfant! Un enfant résoudrait tout; alors je vous en supplie, donnez-moi un enfant. Et en vint la promesse. Lorsqu'elle l'annonça à Anne et Luddie, ceux-ci laissèrent éclater leur joie. Surtout Luddie qui se dévoila être un trésor. Il exécuta sur la layette des travaux de broderie et de nids d'abeilles véritablement exquis, deux arts que Meggie n'avait jamais eu le temps de maîtriser et, pendant que ses doigts calleux, magiques, plantaient une aiguille minuscule dans le tissu délicat, Meggie aidait Anne à préparer la chambre de l'enfant.

Malheureusement, sa grossesse s'accompagnait de troubles de santé, dus peut-être à la chaleur, à moins que ce ne fût à sa tristesse. Meggie ne parvenait pas à en démêler les raisons. Les malaises matinaux persistaient tout au long de la journée; en dépit de sa légère augmentation de poids, elle continuait à souffrir d'une rétention d'eau et d'une hypertension que le Dr Smith jugea dangereuse. Au début, on évoqua une hospitalisation à Cairns durant le reste de la grossesse mais, après avoir réfléchi à la situation de la jeune femme qui se trouverait dans cette ville éloignée sans mari et sans amis, le médecin décida qu'il serait préférable qu'elle demeurât avec Luddie et Anne qui s'occuperaient d'elle. Pourtant, trois semaines avant terme, il lui faudrait absolument se rendre à Cairns.

— Et tâchez d'obtenir de son mari qu'il aille la voir! rugit le docteur à l'adresse de Luddie.

Meggie avait immédiatement écrit à Luke pour lui

annoncer qu'elle était enceinte, débordant de l'habituelle conviction féminine voulant que, une fois l'enfant non désiré devenu réalité, Luke délirerait d'enthousiasme. La réponse de celui-ci mit fin à de telles illusions. Il était furieux. En ce qui le concernait, le fait de devenir père impliquait simplement qu'il aurait deux bouches inutiles à nourrir. Pilule amère pour Meggie, mais elle l'avala; elle n'avait pas le choix. Maintenant, l'enfant qui allait venir la liait à lui tout aussi étroitement que l'avait fait sa fierté.

Mais elle se sentait malade, impuissante, pas aimée; même l'enfant ne l'aimait pas, il n'avait pas souhaité être conçu, ne désirait pas venir au monde. Elle sentait en elle les faibles protestations de la minuscule créature qui se refusait à être. Si elle avait été en état de supporter le voyage en chemin de fer de trois mille kilomètres, elle n'aurait pas hésité à rentrer chez elle, mais le Dr Smith secouait énergiquement la tête devant un tel projet. Monter dans un train pour une semaine ou plus, même avec des arrêts prolongés, risquait d'occasionner une fausse couche. Aussi déçue et malheureuse qu'elle fût, Meggie se refusait à exposer l'enfant à un danger. Pourtant, au fil du temps, son enthousiasme et son désir d'être mère se fanèrent en elle; l'enfant en gestation devint de plus en plus lourd à porter, se chargea de ressentiment.

Le Dr Smith envisagea de la faire transporter plut tôt à Cairns. Il craignait qu'elle ne pût survivre à un accouchement à Dungloe qui ne disposait que d'un dispensaire rudimentaire. Sa tension artérielle ne cédait pas, la rétention d'eau s'accroissait; il parla de toxémie et d'éclampsie, prononça d'autres mots scientifiques qui effrayèrent Luddie et Anne au point qu'ils acceptèrent ce départ alors qu'ils désiraient ardemment voir le bébé venir au monde à Himmelhoch.

A la fin mai, il ne restait que quatre semaines à courir, quatre semaines avant que Meggie ne fût débarrassée de cet intolérable fardeau, de cet enfant ingrat. Elle apprenait à haïr l'être qu'elle avait tellement souhaité avant de découvrir les maux dont il serait la cause. Pourquoi avait-elle cru que Luke serait heureux de la naissance du bébé quand l'existence de celui-ci serait devenue réalité? Rien dans l'attitude ou la conduite de Luke depuis leur mariage ne lui fournissait la moindre indication dans ce sens.

Par moments, elle reconnaissait que tout ça n'était que désastre; elle renonçait à sa ridicule fierté et essayait de sauver des ruines ce qui pouvait l'être. Ils s'étaient mariés pour de fausses raisons : lui pour l'argent qu'elle avait, elle par dépit, pour échapper à Ralph de Bricassart tout en tentant de garder le reflet de celui-ci. Pas la moindre simulation d'amour entre eux, et seul l'amour aurait pu les aider, elle et Luke, à surmonter les énormes difficultés que créaient les divergences de leurs objectifs et de leurs désirs.

Assez bizarrement, elle ne paraissait pas éprouver de ressentiment envers Luke alors que, de plus en plus, elle s'apercevait qu'elle haïssait Ralph de Bricassart. Pourtant, tout bien considéré, Ralph s'était montré infiniment plus compréhensif et juste à son égard que Luke. Jamais il ne l'avait encouragée à rêver de lui, à le considérer sous un autre jour que celui de prêtre et d'ami car, même lors des deux occasions où il l'avait embrassée, elle avait été responsable de leurs baisers.

Alors, pourquoi lui en vouloir de la sorte? Pourquoi haïr Ralph et pas Luke? Reporter sur le prêtre le blâme de ses peurs et de ses lacunes, l'énorme ressentiment outragé qu'elle éprouvait, uniquement parce qu'il l'avait constamment repoussée alors qu'elle l'aimait et le désirait tant? Et lui reprocher la stupide impulsion qui l'avait poussée à épouser Luke O'Neill? Trahison à l'encontre d'elle-même et de Ralph. Peu importait qu'elle ne pût l'épouser, coucher avec lui, avoir un enfant de lui. Peu importait qu'il la repoussât, et il l'avait repoussée. Il n'en demeurait pas moins celui qu'elle voulait, et elle n'aurait jamais dû se contenter d'un autre.

Mais comprendre les erreurs ne les atténue en rien. Ça n'en était pas moins Luke O'Neill qu'elle avait épousé, l'enfant de Luke O'Neill qu'elle portait. Comment aurait-elle pu se réjouir à la pensée de l'enfant de Luke O'Neill alors que cet embryon d'être n'aspirait pas à la vie? Pauvre petite chose. Au moins, une fois mis au monde, le bébé représenterait sa part d'humanité et pourrait être aimé en tant que tel. Pourtant... Que n'eût-elle donné pour que ce fût l'enfant de Ralph de Bricassart! L'impossible, ce qui ne saurait être. Il était au service d'une institution qui entendait le garder intégralement pour elle, y compris cette partie de lui qui lui était inutile, sa virilité. Sa Sainte Mère l'Eglise l'exigeait de lui en tant que sacrifice à sa puissance, et le gâchait de la sorte, imprimant la négation à son être, s'assurant que, lorsqu'il mourrait, il ne se survivrait en personne. Mais un jour, l'Eglise devrait payer sa cupidité, un jour il n'y aurait plus de prêtres tels que Ralph de Bricassart parce que ceux-ci estimeraient suffisamment leur virilité pour comprendre que ce que l'Eglise exigeait d'eux équivalait à un sacrifice inutile, n'ayant pas le moindre sens...

Soudain, elle se leva et se mit à arpenter la salle de séjour où Anne lisait un exemplaire clandestin du roman interdit de Norman Lindsay, *Redheap,* se délectant manifestement de chacun des mots défendus.

— Anne, je crois que votre vœu sera exaucé.

— Comment ça, ma chérie? demanda Anne en levant distraitement les yeux.

— Appelez le Dr Smith. Je vais avoir ce satané bébé ici, tout de suite.

— Oh! Mon Dieu! Montez dans la chambre et éten-

24

dez-vous... pas dans votre chambre, dans la nôtre.

En maugréant contre les caprices du destin et la détermination des bébés à voir le jour, le Dr Smith quitta rapidement Dungloe au volant de sa voiture bringuebalante, accompagné de sa sage-femme qui transportait tout le matériel dont le dispensaire local pouvait se passer. Inutile d'amener Meggie dans cette foutue infirmerie; elle serait aussi bien à Himmelhoch. Mais c'est à Cairns qu'elle aurait dû se trouver.

— Avez-vous prévenu le mari? demanda-t-il en montant les marches du perron, suivi de la sage-femme.

— Je lui ai télégraphié. Elle est dans ma chambre, j'ai pensé que vous auriez plus de place.

Boitillant dans leur sillage, Anne entra dans la chambre. Meggie était étendue sur le lit, yeux largement ouverts, sans signes apparents de douleurs à part une agitation spasmodique des mains, une rétraction du corps. Elle souleva légèrement la tête pour sourire à Anne et celle-ci lut la peur dans les yeux tournés vers elle.

— Je suis heureuse qu'on ne m'ait pas transportée à Cairns, dit Meggie. Ma mère n'est jamais allée à l'hôpital pour accoucher, et j'ai entendu papa dire qu'elle avait beaucoup souffert pour Hal. Mais elle a survécu, et j'en ferai autant. Nous sommes dures au mal, nous, les femmes Cleary.

Au bout de plusieurs heures, le médecin alla rejoindre Anne sur la véranda.

— L'accouchement s'annonce long et difficile pour cette pauvre petite. Les premiers enfants viennent rarement au monde sans complications, mais celui-ci se présente mal et, malgré tous ses efforts, elle n'arrive à rien. A Cairns, on aurait pratiqué une césarienne mais, ici, c'est hors de question. Il faudra qu'elle l'expulse toute seule.

— A-t-elle toute sa connaissance?

— Oh, oui! C'est une petite âme courageuse; pas un cri, pas une plainte. D'après mon expérience, ce sont toujours les meilleures qui ont le plus de mal à accoucher. Elle me demande continuellement si Ralph est arrivé, et je suis obligé de lui mentir en prétendant que le Johnstone est en crue. Je croyais que son mari s'appelait Luke.

— Oui. C'est bien le cas.

— Hum! Eh bien, c'est peut-être pour ça qu'elle demande après ce Ralph, quel qu'il soit. Luke ne lui apporterait guère de réconfort, n'est-ce pas?

— Luke est un salaud.

Anne se pencha, doigts crispés sur la balustrade de la véranda. Un taxi venait de quitter la route de Dunny et s'engageait sur l'allée menant à Himmelhoch. Son excellente vue lui permit de distinguer à l'arrière du véhicule un homme aux cheveux noirs, et elle laissa échapper un cri de soulagement et de joie.

— Je n'en crois pas mes yeux, mais j'ai l'impression que Luke a fini par se rappeler qu'il avait une femme.

— Je ferais mieux de remonter auprès d'elle et de vous laisser l'affronter, Anne. Je ne parlerai de rien à la pauvre petite au cas où ce ne serait pas son mari. S'il s'agit bien de cet homme, versez-lui une tasse de thé et réservez l'alcool pour plus tard. Il en aura besoin.

Le taxi s'immobilisa; à la grande surprise d'Anne, le chauffeur descendit et alla ouvrir la portière arrière pour aider son passager à descendre. Joe Castiglione, propriétaire de l'unique taxi de Dunny, se montrait généralement moins courtois.

— Himmelhoch, monseigneur, dit-il en s'inclinant très bas.

Un homme en longue soutane noire ceinturée de pourpre descendit. Lorsqu'il se retourna, Anne, éberluée, eut un instant l'impression que Luke O'Neill lui jouait un tour de sa façon. Puis, elle vit qu'il s'agissait

26

d'un homme très différent, ayant au moins dix ans de plus que Luke. Mon Dieu! pensa-t-elle, quand la gracieuse silhouette monta les marches deux à deux. C'est le plus bel homme que j'aie jamais vu! Archevêque, pas moins! Que vient faire un archevêque catholique chez un couple de vieux luthériens comme Luddie et moi?

— Madame Mueller? demanda-t-il, sourire aux lèvres, tout en l'enveloppant d'un regard clair et lointain.

On eût dit qu'il avait vu beaucoup de choses qu'il eût souhaité ne pas voir et que, depuis longtemps, il s'interdisait tout sentiment.

— Oui. Je suis Anne Mueller.

— Je me présente, archevêque Ralph de Bricassart, légat de Sa Sainteté le pape en Australie. J'ai appris qu'une certaine Mme Luke O'Neill demeurait chez vous.

— Oui, monsieur.

Ralph? *Ralph?* Etait-ce là le Ralph qu'appelait Meggie?

— Je suis l'un de ses très vieux amis. Pourrais-je la voir, je vous prie?

— Ma foi... je suis certaine qu'elle en serait enchantée, archevêque... (Non, on ne devait pas dire archevêque, mais monseigneur, comme Joe Castiglione.) Dans des circonstances plus normales... mais en ce moment, Meggie est en train d'accoucher et elle souffre beaucoup.

Elle s'aperçut alors qu'il n'avait pas réussi à s'interdire tout sentiment, qu'il les avait seulement maîtrisés, les repoussant obstinément comme une abjection au tréfonds de lui. Ses yeux étaient si bleus qu'elle avait l'impression de s'y noyer, et ce qu'elle lut en eux l'incita à se demander ce que Meggie représentait pour lui, et ce qu'il représentait pour Meggie.

— Je savais que quelque chose n'allait pas! s'écria-t-il. Je le sentais depuis longtemps mais, ces temps derniers, mon inquiétude s'est muée en obsession. Il me fallait venir et voir par moi-même. Je vous en prie, laissez-moi aller près d'elle. S'il vous faut une raison, je suis prêtre.

Anne n'avait jamais eu l'intention de lui interdire la chambre de Meggie.

— Venez, monseigneur. Par ici, je vous prie.

Tout en avançant lentement entre ses deux cannes, elle ne cessait de se tourmenter : la maison est-elle propre, en ordre? Ai-je bien fait le ménage? Ai-je jeté ce reste de gigot qui sentait fort ou son odeur filtre-t-elle encore de la cuisine? Que le moment est mal choisi pour recevoir un homme de cette importance! Luddie, est-ce que tu vas te décider à sortir ton gros cul de ce tracteur et à venir? Le gosse a dû le prévenir depuis longtemps!

Il passa devant le Dr Smith et la sage-femme comme s'ils n'existaient pas, se laissa tomber à genoux à côté du lit, la main tendue vers elle.

— Meggie!

Elle s'extirpa de l'affreux cauchemar dans lequel elle se débattait et aperçut le visage aimé, proche du sien, les cheveux noirs et drus, ponctués de deux mèches blanches qui tranchaient dans la pénombre. Les traits fins et aristocratiques, un peu plus creusés, exprimaient encore plus de patience, en admettant que ce fût possible, et les yeux bleus, plongés dans les siens, débordaient d'amour, de fiévreuse attente. Comment avait-elle pu confondre Luke avec lui? Personne n'était tout à fait comme lui, personne ne le serait jamais pour elle, et elle avait trahi ce qu'elle ressentait à son endroit. Luke représentait le côté sombre du miroir, Ralph resplendissait comme le soleil, et il était tout aussi lointain. Oh, comme c'était bon de le voir!

— Ralph, aidez-moi, dit-elle.

Il lui embrassa passionnément la main, puis la pressa contre sa joue.

— Toujours, ma Meggie, tu le sais.

— Priez pour moi et pour l'enfant. Si quelqu'un est en mesure de nous sauver, c'est bien vous. Vous êtes beaucoup plus proche de Dieu que nous. Personne ne nous veut, personne ne nous a jamais voulus, pas même vous.

— Où est Luke?

— Je ne sais pas, et ça m'est égal.

Elle ferma les yeux et sa tête oscilla sur l'oreiller, mais ses doigts agrippaient fortement ceux du prêtre, se refusaient à les lâcher.

Puis le Dr Smith lui tapa sur l'épaule.

— Monseigneur, je crois que le moment est venu pour vous de quitter cette chambre.

— Si sa vie est en danger, m'appellerez-vous?

— Immédiatement.

Luddie était enfin revenu de la plantation, affolé, car il n'avait vu personne et n'osait entrer dans la chambre.

— Anne, elle va bien? demanda-t-il à sa femme lorsque celle-ci sortit avec l'archevêque.

— Oui, en tout cas jusqu'ici. Le docteur refuse de se prononcer, mais je crois qu'il a bon espoir. Luddie, nous avons une visite. L'archevêque Ralph de Bricassart, un vieil ami de Meggie.

Plus au courant des usages que son épouse, Luddie mit un genou en terre et baisa l'anneau du prélat.

— Asseyez-vous, monseigneur. Tenez compagnie à Anne, je vais aller mettre une bouilloire sur le feu.

— Ainsi, vous êtes Ralph, dit Anne en appuyant ses cannes contre une table de bambou.

Le prêtre se laissa tomber en face d'elle; les plis de sa soutane laissèrent voir les bottes de cavalier, luisantes et noires, quand il croisa les genoux. Geste presque efféminé pour un homme mais, en tant qu'ecclésiastique, cela n'avait aucune importance; néanmoins, on décelait quelque chose d'intensément masculin chez lui, jambes croisées ou pas. Probablement pas aussi âgé que je l'ai cru tout d'abord, songea-t-elle. Peut-être tout juste la quarantaine. Quel gâchis de voir un homme aussi beau porter soutane!

— Oui, je suis Ralph.

— Depuis que Meggie est dans les douleurs, elle n'a cessé d'appeler un certain Ralph. Je dois avouer que j'étais intriguée. Je ne me rappelle pas l'avoir jamais entendue prononcer le nom de Ralph auparavant.

— Elle s'en serait bien gardée.

— Comment avez-vous connu Meggie, monseigneur? Ça remonte à combien de temps?

Un sourire crispé joua sur le visage du prêtre tandis que les extrémités de ses mains fines et belles se rejoignaient pour former une sorte d'ogive.

— J'ai connu Meggie quand elle avait dix ans, quelques jours seulement après qu'elle eut débarqué en Australie venant de Nouvelle-Zélande. En vérité, on pourrait affirmer que j'ai connu Meggie à travers inondations, incendies, paroxysmes émotionnels, et à travers la mort et la vie. En somme, tout ce que nous devons supporter. Meggie est le miroir dans lequel j'ai été contraint de contempler mon état de mortel.

— Vous l'aimez! laissa tomber Anne d'un ton surpris.

— Depuis toujours.

— C'est une tragédie pour vous deux.

— J'espérais que ce n'en était une que pour moi. Parlez-moi d'elle. Que lui est-il arrivé depuis son mariage? Il y a bien des années que je ne l'ai vue, mais j'éprouvais des craintes à son sujet.

— Je vous le dirai, mais seulement quand vous m'aurez parlé de Meggie. Oh! pas sur un plan personnel, simplement sur le genre de vie qu'elle menait avant de venir à Dunny. Nous ne savons absolument rien d'elle, Luddie et moi, sinon qu'elle habitait quelque part près de Gillanbone. Nous aimerions avoir plus de détails parce que nous lui sommes très attachés. Mais elle ne nous a jamais rien dit... par fierté, probablement.

Luddie entra avec le plateau du thé accompagné de sandwiches et de biscuits. Il s'assit pendant que le prêtre esquissait un tableau de la vie de Meggie avant son mariage avec Luke.

— Jamais je n'aurais pu me douter d'une chose pareille! Penser que Luke a eu l'audace de l'arracher à tout ça et de la forcer à travailler comme bonne à tout faire! Et il a eu le culot de stipuler que ses gages devraient être versés à son propre compte en banque! Savez-vous que cette pauvre petite n'a jamais eu un sou pour ses besoins personnels depuis qu'elle est ici? J'ai demandé à Luddie de lui donner une prime en espèces pour Noël, l'année dernière, mais elle avait besoin de tant de choses qu'elle a épuisé la somme dans la journée, et elle s'est refusée à en accepter davantage de notre part.

— Ne plaignez pas Meggie, dit le prélat avec une certaine rudesse. Je ne pense pas qu'elle s'apitoie sur son sort, et sûrement pas sur son manque d'argent. En définitive, l'aisance lui a apporté bien peu de joies. Elle sait où s'adresser si elle ne peut pas s'en passer. J'ai l'impression que l'indifférence apparente de Luke l'a infiniment plus affectée que le manque d'argent. Ma pauvre Meggie!

Luddie et Anne remplirent à eux deux les vides du tableau de la vie de Meggie pendant que l'archevêque de Bricassart demeurait assis, mains toujours jointes, regard perdu sur la gracieuse courbe d'une palme de cocotier. Pas un seul muscle de son visage ne tressaillait, aucun changement ne se manifesta dans son beau regard détaché et lointain. Il avait beaucoup appris au service de Vittorio Scarbanza, cardinal di Contini-Verchese.

Le récit achevé, il soupira, s'arracha à la contemplation de la palme doucement agitée par le vent et reporta son regard sur ses hôtes dont les visages trahissaient l'anxiété.

— Eh bien, il va falloir que nous l'aidions puisque Luke s'y refuse. Si vraiment il la repousse, elle serait mieux à Drogheda. Je sais que vous ne voulez pas la perdre, mais, dans son propre intérêt, essayez de la convaincre de rentrer. Dès que je serai de retour à Sydney, je vous enverrai un chèque à son intention, ce qui lui évitera la gêne d'avoir à demander de l'argent à son frère. Une fois chez elle, elle expliquera ce qu'elle voudra à sa famille. (Il jeta un regard en direction de la porte de la chambre à coucher et s'agita sur son siège.) Mon Dieu, hâtez la naissance de cet enfant!

Mais l'enfant ne vint au monde que vingt-quatre-heures plus tard, alors que Meggie arrivait aux limites de l'épuisement et de la douleur. Le Dr Smith lui avait administré de fortes doses de laudanum, vieille médication qui, à son avis, convenait mieux que toute autre; elle paraissait dériver, emportée par les tourbillons et maelströms de ses cauchemars au centre desquels tout ce qui était elle, à l'extérieur comme à l'intérieur, se rompait, se déchirait, se lacérait, crachait, hurlait, gémissait. Parfois, le visage de Ralph se précisait un court instant avant d'être emporté par un flot de douleur; mais son souvenir persistait et, tandis qu'il la veillait, elle ne cherchait pas à deviner si la mort aurait raison d'elle ou de l'enfant.

Quand il laissait la sage-femme s'occuper seule de la parturiente pour aller avaler un morceau, boire une gorgée de rhum et s'assurer qu'aucun de ses patients n'aurait l'incongruité d'être à l'article de la mort, le Dr Smith écoutait ce qu'Anne et Luddie estimaient pouvoir lui dévoiler de l'histoire de Meggie.

— Vous avez raison, Anne, convint-il. L'équitation est probablement à l'origine de tous les ennuis que cette petite connaît aujourd'hui. Lorsque la monte en amazone est passée de mode, les femmes en ont beaucoup pâti. La position à califourchon développe des muscles qui n'entrent pas en travail au moment de l'accouchement.

— J'ai toujours cru que c'était une histoire de bonne femme, intervint doucement l'archevêque.

Le Dr Smith l'enveloppa d'un regard malicieux. Il n'éprouvait guère de sympathie à l'endroit des prêtres catholiques qu'il considérait comme des cagots et des radoteurs.

— Libre à vous de croire ce que vous voulez, rétorqua-t-il. Mais, dites-moi, monseigneur, si les choses en arrivaient au point où nous devions choisir entre la vie de Meggie et celle de l'enfant, que vous dicterait votre conscience?

— L'Eglise est inflexible sur ce point, docteur. Aucun choix ne doit jamais être opéré. L'enfant ne peut être sacrifié pour sauver la mère, pas plus que la mère ne doit être sacrifiée pour sauver l'enfant. (Il rendit son sourire au Dr Smith avec tout autant de malice.) Mais si les choses devaient en venir là, docteur, je n'hésiterais pas à vous demander de sauver Meggie, et au diable l'enfant.

Le Dr Smith en eut le souffle coupé; il rit et appliqua au prélat une grande tape dans le dos.

— Un bon point pour vous! Soyez tranquille, je ne répéterai pas vos paroles mais, jusqu'à présent, l'enfant est bien vivant et nous n'aurions rien à gagner en le sacrifiant.

Pourtant, Anne ne put s'empêcher de penser : je me demande quelle aurait été votre réponse si l'enfant avait été de vous, archevêque?

Environ trois heures plus tard, au moment où le soleil glissait tristement du ciel vers la masse brumeuse du mont Bartle Frere, le Dr Smith sortit de la chambre.

— Eh bien, c'est fini, dit-il non sans satisfaction. Meggie a encore un long chemin devant elle, mais tout ira bien si Dieu le veut. Quant à l'enfant, c'est une petite fille maigrichonne, geignarde, d'un peu moins de deux kilos, à la tête énorme et à l'humeur grincheuse assortie aux cheveux du roux le plus agressif qu'il m'ait jamais été donné de voir sur un nouveau-né. On ne réussirait pas à tuer cette petite larve avec une hache; je le sais parce que j'ai presque essayé.

Jubilant, Luddie déboucha la bouteille de champagne gardée pour l'occasion et tous les cinq trinquèrent; prélat, médecin, sage-femme, propriétaire de plantations et infirme souhaitèrent santé et longue vie à la mère et à son bébé braillard et peu commode. C'était le 1er juin, jour marquant le début de l'hiver australien.

Une infirmière arriva pour remplacer la sage-femme; elle resterait sur place jusqu'à ce que Meggie fût considérée comme hors de danger. Le médecin et l'accoucheuse s'en allèrent tandis qu'Anne, Luddie et l'archevêque se rendaient au chevet de Meggie.

Elle paraissait si minuscule et épuisée que l'archevêque se vit obligé d'emmagasiner une nouvelle douleur distincte au tréfonds de lui, douleur qui, plus tard, serait extirpée, examinée, endurée. Meggie, ma Meggie déchirée et battue... Je t'aimerai toujours, mais je ne peux pas te donner ce que Luke O'Neill t'a donné, même à mon corps défendant.

Le reflet d'humanité, pleurnichard, responsable de tout, était couché dans un berceau d'osier, loin du lit, n'appréciant pas le moins du monde l'attention dont il était l'objet de la part des personnes qui l'entouraient et le contemplaient. La petite fille hurlait sa colère, et continuait de hurler. Finalement, l'infirmière la souleva de son berceau, la porta dans la pièce destinée à servir de nursery.

— En tout cas, elle a de bons poumons, commenta l'archevêque avec un sourire.

Il s'assit sur le bord du lit et saisit la main pâle de la jeune accouchée.

— Je ne crois pas qu'elle apprécie beaucoup la vie, rétorqua Meggie en lui rendant son sourire.

Comme il avait vieilli! Aussi alerte et souple que jamais, mais incommensurablement plus vieux. Elle se tourna vers Anne et Luddie, leur tendit sa main libre.

— Mes chers amis, qu'aurais-je fait sans vous? Luke a-t-il donné de ses nouvelles?

— J'ai reçu un télégramme disant qu'il était trop occupé pour venir, mais il vous souhaite bonne chance.

— Comme c'est généreux de sa part, remarqua Meggie.

— Nous allons vous laisser causer avec l'archevêque, ma chérie, dit Anne en se penchant pour lui embrasser la joue. Je suis sûre que vous avez beaucoup de choses à vous dire. (Appuyé sur son mari, elle appela d'un doigt énergique l'infirmière qui restait bouche bée, comme si elle n'en croyait pas ses yeux.) Venez prendre une tasse de thé avec nous, Nettie. Monseigneur vous appellera si Meggie a besoin de vous.

— Comment as-tu appelé ta bruyante petite fille? demanda-t-il dès qu'ils furent seuls.

— Justine.

— C'est un très joli nom. Mais pourquoi l'as-tu choisi?

— Je l'ai lu quelque part et il m'a plu.

— Tu n'es pas heureuse de l'avoir, Meggie?

Dans le visage ravagé, seuls les yeux vivaient, doux, emplis d'une lumière légèrement voilée, sans haine, mais aussi sans amour.

— Si, je suis heureuse de l'avoir. Oui, je le suis. J'ai tant fait pour l'avoir... Mais pendant que je la portais, je ne ressentais rien pour elle, sinon qu'elle ne voulait pas de moi. Je ne crois pas que Justine soit vraiment à moi, ni à Luke ni à personne. Je crois qu'elle ne donnera rien d'elle à qui que ce soit.

— Je dois m'en aller, Meggie, dit-il doucement.

Les yeux gris se firent plus durs, plus brillants; sa bouche esquissa une vilaine moue.

— Je m'y attendais! C'est curieux, on dirait que les hommes qui comptent dans la vie se défilent toujours.

Il accusa le coup.

— Ne sois pas amère, Meggie. Je ne peux pas partir en te laissant dans un tel état d'esprit. Quel que soit ce qui t'est arrivé dans le passé, tu as toujours gardé ta douceur, et c'est ce qui m'est le plus cher chez toi. Ne change pas, ne deviens pas dure à cause de ce que tu as supporté. Je comprends combien ce doit être douloureux de penser que Luke ne se préoccupe même pas de venir, mais ne change pas. Tu ne serais plus ma Meggie.

Elle continuait à le regarder avec une expression ambiguë où la haine tenait sa part.

— Oh, je vous en prie, Ralph! Je ne suis pas votre Meggie, je ne l'ai jamais été! Vous ne vouliez pas de moi et vous m'avez jetée dans les bras de Luke. Pour qui me prenez-vous, pour une sorte de sainte ou une nonne? Eh bien, ce n'est pas le cas. Je suis un être humain, comme les autres, et vous avez gâché ma vie. Pendant toutes ces années, je vous ai aimé et n'ai voulu personne d'autre que vous; je vous attendais... Je me suis tant efforcée de vous oublier... Alors, j'ai épousé un homme dans lequel je croyais trouver une certaine ressemblance avec vous, et lui non plus ne me veut pas; il n'a pas besoin de moi. Est-ce trop demander à un homme d'être désirée, qu'on lui soit nécessaire?

Elle laissa échapper quelques sanglots, maîtrisa sa défaillance. De fines rides de douleur lui creusaient le visage; il ne les avait jamais vues auparavant et il savait que le repos et le retour à la santé ne les effaceraient pas.

— Luke n'est pas mauvais, pas même antipathique, reprit-elle. Simplement un homme. Vous êtes tous les mêmes, de grands papillons velus, attirés par une flamme ridicule, à l'abri d'un verre si clair que vous ne le voyez pas. Et si vous parvenez à vous frayer un chemin à l'intérieur du globe, vous vous heurtez à la flamme et vous retombez, brûlés, morts. Alors que pendant tout ce temps, dans la fraîcheur de la nuit, il y a de quoi vous nourrir, il y a de l'amour et de petits papillons à engendrer. Mais le voyez-vous, le désirez-vous? Non! Vous retournez vers la flamme, vous vous y heurtez jusqu'à ce que vous vous y brûliez, que vous en mouriez!

Il ne savait que lui répondre car il découvrait un aspect de la nature de Meggie qui lui était inconnu. Avait-il toujours existé ou s'était-il développé à la suite des déceptions qu'elle avait éprouvées, à la suite de son abandon? Meggie, dire des choses pareilles? Il avait à peine entendu ses paroles, bouleversé qu'il était qu'elle les proférât, et il ne comprenait pas qu'elles lui étaient inspirées par sa solitude, son impression de culpabilité.

— Te souviens-tu de la rose que tu m'as donnée le soir où je t'ai quittée à Drogheda? demanda-t-il tendrement.

— Oui, je m'en souviens.

La vie avait déserté sa voix, la lueur dure s'effaça de ses yeux. Maintenant, ceux-ci restaient rivés sur lui, émanation d'une âme sans espoir, aussi vides et vitreux que ceux de sa mère.

— Je l'ai toujours dans mon missel. Et chaque fois que je vois une rose de cette teinte, je pense à toi. Meggie, je t'aime. Tu es ma rose, la plus belle image humaine et la pensée de ma vie.

Et les commissures des lèvres s'abaissèrent de nouveau, et le regard de briller avec une violence intense mêlée de haine.

— Une image, une pensée. Une image humaine, et une pensée! railla-t-elle. Oui, c'est ça. C'est bien tout ce que je représente. Vous n'êtes qu'un sot romantique et rêveur, Ralph de Bricassart! Vous n'avez pas plus d'idée de ce qu'est la vie que le papillon allant se griller à la flamme! Pas étonnant que vous soyez devenu prêtre! Vous seriez incapable de mener une existence normale si vous étiez un homme comme les autres, un homme comme Luke!

« Vous dites m'aimer, mais vous n'avez pas la moindre idée de ce qu'est l'amour. Vous proférez simplement des paroles apprises parce que vous avez l'impression qu'elles sonnent bien! Je n'arrive pas à comprendre pourquoi les hommes ne sont pas parvenus à se passer totalement des femmes, puisque c'est ce qu'ils souhaitent. Vous devriez imaginer un moyen de vous marier entre vous, vous seriez divinement heureux!

— Meggie, non! Je t'en supplie!

— Oh, allez-vous-en! Je ne veux plus vous voir! Et vous avez oublié une chose au sujet de vos précieuses roses, Ralph... elles ont de méchantes épines, des épines acérées!

Il quitta la chambre sans se retourner.

Luke ne se donna même pas la peine de répondre au télégramme lui annonçant qu'il était l'heureux père d'une fille de deux kilos nommée Justine. Lentement, la santé de Meggie se rétablit et le bébé commença à profiter. Peut-être que si Meggie avait réussi à la nourrir, elle aurait tissé des liens plus étroits avec cette petite chose maigrichonne et irascible, mais les seins plantureux que Luke aimait tant téter ne contenaient pas une goutte de lait. Ironie du sort, pensa-t-elle. Comme son devoir le lui dictait, elle langeait l'enfant, le nourrissait au biberon, talquait cette bribe d'humanité à la face et au crâne rouges, se conformant simplement à l'usage; elle attendait que jaillisse en elle quelque merveilleuse émotion. Mais celle-ci ne vint jamais; elle ne ressentait pas le désir d'étouffer de baisers le petit visage, de mordiller les doigts minuscules, de bêtifier à l'extrême, ce dont raffolent habituellement les mères. Il ne lui semblait pas qu'il s'agissait de son enfant, et elle ne le voulait pas, n'en avait pas plus besoin que le bébé ne la voulait ou n'avait besoin d'elle.

Il ne vint jamais à l'esprit de Luddie et d'Anne que Meggie n'adorât pas Justine, qu'elle éprouvât moins de tendresse pour sa fille que celle qu'elle avait ressentie pour ses frères les plus jeunes. Chaque fois que Justine pleurait, Meggie était là pour la prendre dans ses bras, chantonner, la bercer. Et jamais fesses de bébé ne furent plus sèches et mieux langées. Curieusement, Justine ne semblait pas souhaiter être prise dans les bras et bercée; elle se calmait beaucoup plus rapidement lorsqu'on la laissait seule.

Au fil du temps, son apparence s'améliora. Sa peau de nourrisson perdit sa rougeur, acquit cette transparence veinée de bleu qui accompagne si souvent les cheveux roux, et ses petits bras et jambes s'étoffèrent pour devenir agréablement dodus. Ses mèches commencèrent à boucler, à s'épaissir et à prendre la flamboyance définitive qui avait été celle de son grand-père, Paddy. Chacun attendit anxieusement pour voir la couleur que prendraient ses yeux; Luddie pariait qu'ils seraient bleus, comme ceux de son père; Anne soutenait qu'ils auraient le gris de sa mère; seule Meggie n'avançait aucune opinion. Mais les yeux de Justine virèrent à une teinte qui lui appartenait en propre, assez déconcertante. A six semaines, ils commencèrent à se transformer et à neuf semaines parvinrent à leur couleur et forme définitives. Personne n'avait jamais rien vu de tel. Le cercle extérieur de l'iris formait un anneau gris foncé, mais l'iris en soi était si pâle qu'on pouvait le qualifier de bleu ou de gris, s'apparentant plutôt à une sorte de blanc cassé. Des yeux perçants, gênants, inhumains, évoquant presque ceux d'un aveugle; mais, peu à peu, il devint évident que Justine jouissait d'une excellente vue.

Bien qu'il n'en eût rien dit, le Dr Smith s'était inquiété de la disproportion de la tête à la naissance, et il la surveilla attentivement au cours des six premiers mois de la vie de l'enfant. Il s'était demandé, surtout après avoir vu ces yeux étranges, si elle n'avait pas de l'eau dans le cerveau, ainsi qu'il le formulait encore alors que, de nos jours, les manuels rangent cette affection sous la rubrique de l'hydrocéphalie. Mais il apparut que Justine ne souffrait d'aucune altération cérébrale ou malformation; elle avait simplement une très grosse tête et, au fur et à mesure de sa croissance, le reste de sa petite personne se développa et combla plus ou moins la disproportion.

Luke continuait à mener une vie errante. Meggie lui avait écrit à plusieurs reprises mais sans recevoir de réponse, et il n'était même pas venu voir son enfant. D'une certaine façon, elle en était heureuse; elle n'aurait su quoi lui dire et elle ne croyait pas qu'il pût se montrer enchanté à la vue de la curieuse petite créature qu'était sa fille. Si à la place de Justine elle avait eu un fils, grand et fort, peut-être aurait-il cédé, mais Meggie préférait de beaucoup qu'il n'en fût rien. L'enfant représentait la preuve vivante que le grand Luke O'Neill n'était pas parfait, sinon il n'aurait pu engendrer que des fils.

Le bébé se portait mieux que Meggie et il se rétablit plus rapidement de l'épreuve de la naissance. Vers quatre mois, Justine cessa de crier aussi souvent et commença à s'amuser dans son berceau, tripotant les rangées de petites boules de couleurs vives tendues à sa hauteur. Mais elle ne souriait jamais à quiconque, même après avoir expulsé son rot.

La pluie vint tôt, en octobre, et elle tomba en averses vraiment diluviennes; le degré d'humidité atteignit cent pour cent et se maintint à ce niveau. Chaque jour, pendant des heures, des cataractes crépitaient en rafales autour d'Himmelhoch, transformant la terre rouge en fondrières, inondant les plantations de cannes, remplissant le large et profond Dungloe, sans pourtant le faire sortir de son lit car son cours était si limité que l'eau se perdait rapidement dans la mer. Tandis que, couchée dans son berceau, Justine contemplait le monde à travers ses yeux étranges, Meggie demeurait tristement assise, observant le Bartle Frere qui disparaissait derrière une muraille de pluie dense et, soudain, redevenait visible.

Le soleil arrivait à percer, extirpant de la terre des spirales de vapeur, faisant briller et scintiller la canne humide en petits prismes de diamant et conférant au fleuve l'aspect d'un grand serpent doré. Puis, suspendu en travers de la voûte céleste, un double arc-en-ciel apparut, parfait sur toute sa courbe, si éclatant dans ses couleurs se profilant sur les lugubres nuages bleu foncé que tout autre paysage que le Queensland du Nord en eût été affadi et rabaissé. Mais rien ne parvenait à délaver la brillance éthérée de cette région, et Meggie crut comprendre pourquoi le paysage de Gillanbone se limitait à un terne brun-gris; le Queensland du Nord lui avait aussi usurpé sa part de la palette.

Un jour, au début de décembre, Anne vint trouver Meggie sur la véranda; elle s'assit à côté d'elle et l'observa. Oh, quelle était maigre et sans vie! Même la ravissante chevelure d'or roux s'était ternie.

— Meggie, je ne sais pas si j'ai bien agi, mais, maintenant, c'est fait. Et je voudrais au moins que vous m'écoutiez avant de dire non.

Meggie s'arracha à la contemplation de l'arc-en-ciel et sourit.

— Vous avez l'air bien solennelle, Anne! Que voulez-vous que j'écoute?

— Luddie et moi sommes très inquiets à votre sujet.

Vous ne vous êtes pas bien remise de la naissance de Justine et, à présent que la saison des pluies est là, vous avez encore plus mauvaise mine. Vous ne mangez pas et vous maigrissez. Je me suis toujours doutée que le climat d'ici ne vous convenait pas, mais tant que rien ne vous mettait à bas, vous vous en accommodiez. Maintenant, nous avons l'impression que vous êtes mal en point et, si on ne prend pas des mesures, vous allez tomber réellement malade.

Elle prit une longue inspiration.

— Aussi, il y a une quinzaine de jours, j'ai écrit à un ami qui tient une agence de voyages et je vous ai organisé des vacances. Ne protestez surtout pas pour les frais; ça n'entamera en rien le capital de Luke ou le vôtre. L'archevêque nous a adressé un très gros chèque pour vous, et votre frère nous en a envoyé un autre à votre intention et à celle de l'enfant. J'ai l'impression que toute votre famille souhaiterait vous voir à Drogheda. Après en avoir parlé, Luddie et moi avons jugé que nous devrions dépenser une partie de cet argent pour vos vacances. Je ne pense pas qu'aller à Drogheda vous conviendrait pour le moment; par contre, nous croyons que vous avez essentiellement besoin d'un certain temps de réflexion. Sans Justine, sans nous, sans Luke, sans votre famille. Avez-vous jamais été livrée à vous-même, Meggie? Il est grand temps que vous le soyez. Nous vous avons loué un bungalow dans l'île de Matlock pour deux mois, du début janvier au début mars. Luddie et moi nous nous occuperons de Justine. Vous savez qu'il ne lui arrivera rien ici, mais, si nous avions la moindre inquiétude à son sujet, je vous jure que nous vous préviendrions immédiatement. L'île est reliée au continent par téléphone et il ne vous faudrait pas longtemps pour revenir.

Les arcs-en-ciel avaient disparu, le soleil aussi; il allait de nouveau pleuvoir.

— Anne, sans vous et Luddie et l'affection dont vous m'avez entourée pendant ces trois dernières années, je crois que je serais devenue folle. Vous le savez. Parfois, la nuit, je me réveille et je me demande ce qui me serait arrivé si Luke m'avait placée chez des gens moins bons. Vous vous êtes beaucoup plus occupés de moi que Luke.

— Balivernes! Si Luke vous avait placée chez des gens antipathiques, vous seriez retournée à Drogheda et cela aurait peut-être mieux valu.

— Non. Cette expérience avec Luke n'a pas été agréable, mais il était infiniment préférable que je reste et que je tienne le coup.

La pluie commençait à gagner le long des plantations, estompant la canne, effaçant tout derrière son rideau, paysage sectionné comme par un couperet gris.

— Vous avez raison, je ne vais pas bien, reprit Meggie. Je me suis mal portée depuis que Justine a été conçue. J'ai essayé de me ressaisir, mais je suppose qu'à certains moments on atteint un point où on ne dispose plus de l'énergie suffisante pour y parvenir. Oh, Anne, je suis si lasse et découragée! Je ne suis même pas une bonne mère pour Justine et pourtant je le lui dois. C'est à cause de moi et de moi seule qu'elle est venue au monde, elle ne l'a pas demandé. Mais je suis surtout découragée parce que Luke ne me donne pas l'occasion de le rendre heureux. Il refuse de vivre avec moi ou de me laisser lui préparer un foyer; il ne veut pas de l'enfant. Je ne l'aime pas. Je ne l'ai jamais aimé à la façon dont une femme doit aimer l'homme qu'elle épouse, et peut-être l'a-t-il compris dès le départ. Peut-être aurait-il agi différemment si je l'avais aimé. Alors comment puis-je lui en vouloir? Je suis la seule à blâmer, je crois.

— C'est l'archevêque que vous aimez, n'est-ce pas?

— Oh, depuis le moment où j'étais une toute petite

fille! J'ai été dure avec lui quand il est venu. Pauvre Ralph! Je n'avais pas le droit de le traiter de la sorte parce qu'il n'a jamais encouragé l'élan qui me portait vers lui, vous savez. J'espère qu'il a eu le temps de comprendre que j'étais malade, épuisée, et terriblement malheureuse. Je ne pensais qu'à une chose... que, normalement, l'enfant aurait dû être le sien, qu'il ne le serait jamais, qu'il ne pourrait jamais l'être. Oh, ce n'est pas juste! Les pasteurs protestants peuvent se marier, pourquoi pas les prêtres catholiques? Et ne me dites pas que les pasteurs ne s'occupent pas aussi bien des fidèles que les prêtres parce que je ne vous croirai pas. J'ai connu des prêtres sans cœur et de merveilleux pasteurs. Mais à cause du célibat des prêtres, j'ai dû m'éloigner de Ralph, fonder un foyer et faire ma vie avec quelqu'un d'autre. Et je vais vous dire quelque chose, Anne. C'est là un péché tout aussi infâme que si Ralph rompait ses vœux, et peut-être même plus ignoble. J'en veux à l'Eglise d'estimer que mon amour pour Ralph ou celui qu'il me porte est méprisable.

— Partez un certain temps, Meggie. Reposez-vous, mangez, dormez, et cessez de vous tourmenter. Alors, quand vous reviendrez, vous parviendrez peut-être à convaincre Luke d'acheter ce domaine au lieu de se contenter d'en parler. Je sais que vous ne l'aimez pas, mais je crois que s'il vous en donnait la moindre possibilité vous pourriez être heureuse avec lui.

Les yeux gris épousaient la couleur de la pluie qui tombait en rafales autour de la maison; elles avaient élevé la voix, presque jusqu'à crier, pour se faire entendre sous l'incroyable crépitement des trombes d'eau.

— Mais toute la question est là, Anne! Quand j'ai accompagné Luke à Atherton, j'ai enfin compris qu'il ne renoncerait à la canne à sucre que lorsqu'il n'aurait plus la force de la couper. Il adore cette vie. Il aime être avec des hommes aussi vigoureux et indépendants que lui. Il aime errer d'un endroit à un autre. Il a toujours eu une âme de vagabond, je m'en rends compte. Quant à éprouver le besoin d'une femme, ne serait-ce que pour le plaisir, il n'en est pas question tant il est épuisé par la canne. Comment pourrais-je vous expliquer? Luke est le genre d'homme qui ne voit aucun inconvénient à manger à même la boîte de conserve qu'il vient d'ouvrir et à dormir directement sur le sol. Ne comprenez-vous pas? On ne peut le tenter par des choses agréables parce qu'il ne s'en soucie pas. Parfois, j'ai même l'impression qu'il méprise les choses agréables, belles. Elles sont douces, elles risqueraient de l'amollir. Je ne dispose d'aucun moyen de pression suffisamment puissant pour l'arracher à son mode de vie actuel.

Elle leva les yeux avec impatience vers le toit de la véranda, irritée du perpétuel crépitement sur la tôle.

— Je ne sais pas si je suis assez forte pour admettre la solitude, le manque de foyer pendant les dix ou quinze ans à venir, Anne, ou plus exactement pendant le temps qu'il faudra à Luke pour perdre sa vigueur actuelle. C'est merveilleux d'être ici avec vous; je ne voudrais pas que vous me considériez comme une ingrate, mais je veux un chez-moi! Je veux que Justine ait des frères et des sœurs, je veux astiquer mes propres meubles, coudre des rideaux pour mes propres fenêtres, cuisiner sur mon propre réchaud, pour mon homme à moi. Oh, Anne! Je ne suis qu'une femme comme les autres; je ne suis ni ambitieuse, ni intelligente, ni bien éduquée, vous le savez. Je ne demande qu'un mari, des enfants, un chez-moi. Et que quelqu'un me porte un peu d'amour!

Anne sortit son mouchoir, s'essuya les yeux et essaya de rire.

— Quelle belle paire de pleurnichardes nous faisons! Mais je vous comprends, Meggie, je vous comprends parfaitement. Je suis mariée avec Luddie depuis dix ans, les seules années réellement heureuses de ma vie. J'ai été frappée de paralysie infantile à cinq ans, et ça m'a laissée dans cet état. J'étais persuadée que personne ne me regardait, et Dieu sait que c'était bien le cas. Quand j'ai connu Luddie, j'avais trente ans et j'enseignais pour gagner ma vie. Il avait dix ans de moins que moi; je ne pouvais donc pas le prendre au sérieux quand il prétendait m'aimer et déclarait vouloir m'épouser. Quelle chose affreuse, Meggie, que de briser la vie d'un très jeune homme! Pendant cinq ans, je me suis montrée aussi odieuse qu'il est possible de l'être, mais il m'est toujours revenu. Alors, je l'ai épousé, et j'ai été heureuse. Luddie prétend qu'il l'est aussi, mais je n'en suis pas sûre. Il lui a fallu renoncer à beaucoup de choses, notamment aux enfants, et il paraît plus vieux que moi ces temps-ci, pauvre diable.

— C'est la vie, Anne, et le climat.

La pluie s'arrêta aussi soudainement qu'elle avait commencé; le soleil apparut, les arcs-en-ciel miroitèrent, lisses dans la vapeur ambiante. Le mont Bartle Frere se profila, vêtu de lilas sur fond de nuages effilochés.

— Je vais partir, reprit Meggie. Je vous suis très reconnaissante d'y avoir pensé; c'est probablement ce dont j'ai besoin. Mais êtes-vous certaine que Justine ne vous causera pas trop d'ennuis?

— Grand Dieu, non! Luddie a tout prévu. Anna Maria, qui travaillait pour nous avant votre arrivée, a une jeune sœur, Annunziata, qui a l'intention de devenir infirmière à Townsville. Elle n'aura que seize ans en mars et elle termine ses études dans quelques jours. Elle viendra pendant votre absence; elle est déjà une petite mère accomplie. Le clan des Tesoriero compte des hordes d'enfants.

— L'île Matlock... où est-ce?

— Tout près du passage de la Pentecôte, sur la

Grande Barrière. C'est très tranquille et l'intimité doit y être préservée. J'ai l'impression qu'il s'agit surtout d'un endroit prévu pour les lunes de miel. Vous voyez ce que je veux dire... des bungalows disséminés un peu partout au lieu d'un hôtel. Vous ne serez pas obligée de dîner dans une salle à manger pleine de monde ou de vous montrer aimable avec toutes sortes de gens auxquels vous préféreriez ne pas adresser la parole. A cette époque de l'année, l'île est à peu près déserte en raison du danger des cyclones de l'été. Il n'y pleut pas, mais personne ne semble vouloir séjourner à proximité de la Barrière de Corail à cette saison. Probablement parce que la plupart des gens qui s'y rendent viennent de Sydney ou de Melbourne, que l'été est très agréable dans ces villes et qu'il est inutile d'en partir. Pour juin, juillet et août, les gens du Sud retiennent leurs bungalows trois ans à l'avance.

13

Le 31 décembre 1937, Meggie prit le train pour Townsville. Bien que ses vacances fussent à peine commencées, elle se sentait déjà beaucoup mieux car elle laissait derrière elle la puanteur de la mélasse, particulière à Dunny. La plus importante agglomération du Queensland du Nord, Townsville, comptait plusieurs milliers d'habitants vivant dans des maisons de bois, construites sur pilotis et toutes blanches. La correspondance entre le train et le bateau ne lui laissa pas le temps nécessaire pour visiter cette ville prospère. Mais, en un sens, Meggie ne regretta pas d'avoir à se précipiter vers le port, échappant ainsi à toute réflexion. Après cet atroce voyage à travers la mer de Tasmanie seize ans auparavant, elle redoutait les trente-six heures de mer qui l'attendaient à bord d'un bateau beaucoup plus petit que le *Wahine*.

Mais l'expérience se révéla très différente, un glissement doux sur une eau vitreuse, et elle avait vingt-six ans, pas dix. L'atmosphère s'apaisait entre deux cyclones, la mer était épuisée. Bien qu'il ne fût que midi, Meggie alla s'étendre et s'abîma dans un sommeil sans rêves jusqu'à ce que le steward la réveillât à 6 heures, le lendemain matin, en lui apportant une tasse de thé et des biscuits.

Sur le pont, elle découvrit une nouvelle Australie, encore différente. Dans un ciel clair, sans couleur, une lueur rose et perlée s'éleva lentement dans l'est jusqu'à ce que le soleil crevât l'horizon et que la lumière perdît son ton d'aurore, devînt jour. Silencieusement, le bateau fendait une eau sans teinte, si transparente que, du bord, le regard plongeait, s'enfonçait sur plusieurs brasses jusqu'à des grottes de pourpre, striées des formes scintillantes des poissons évoluant dans les parages. Dans le lointain, la mer se paraît d'une couleur bleu-vert, parsemée de taches lie-de-vin, là où végétation et coraux revêtaient les fonds et, de tous côtés, on eût dit que des îles de sable blanc aux grèves hérissées de palmiers en jaillissaient spontanément, tels des cristaux émergeant d'une gangue de silice — îles couvertes de jungle et de montagnes, îlots plats, à la végétation buissonneuse crevant à peine la surface des eaux.

— Les îles à fleur d'eau sont de véritables récifs de coraux, lui expliqua un homme d'équipage. Lorsqu'elles forment un anneau et se referment sur un lagon, ce sont des atolls; ici, on appelle cayes les masses rocheuses plus émergées. Les îles accidentées sont des sommets montagneux, mais des récifs de corail les entourent et forment des lagons.

— Où est l'île Matlock?

Le matelot la considéra avec curiosité; une femme seule partant en vacances sur une île de lune de miel telle que Matlock avait quelque chose d'incongru.

— En ce moment, nous venons d'embouquer la passe de la Pentecôte; ensuite, nous mettrons le cap sur la côte Pacifique du récif. La grève de Matlock donnant sur l'océan est battue par de grands rouleaux qui arrivent de cent milles au large à la vitesse d'un train express, en rugissant si fort qu'on ne s'entend plus penser. Vous vous rendez compte de ce que ça donnerait si on se laissait porter par la même lame sur une distance de cent milles? (Il poussa un soupir assez dubitatif.) Nous toucherons Matlock avant le coucher du soleil, madame.

Et une heure avant le coucher du soleil, le petit bateau se fraya un chemin à travers des remous dont l'écume jaillissait, créant une muraille d'embruns en direction de l'est. Une jetée avançait vers le large sur près d'un kilomètre, soutenue par des piliers branlants enfoncés dans le récif émergé à marée basse; à l'arrière-plan se découpait une côte déchiquetée qui ne correspondait pas à l'idée que Meggie se faisait de la splendeur tropicale. Un homme âgé l'attendait; il l'aida à débarquer et se chargea de ses bagages que lui passait un matelot.

— Vous avez fait un bon voyage, madame O'Neill? demanda-t-il en la saluant. Je suis Rob Walter. J'espère que votre mari vous rejoindra bientôt. Il n'y a pas beaucoup de monde à Matlock à cette époque de l'année; c'est surtout une station d'hiver.

Ensemble, ils avancèrent sur les planches disjointes; le corail émergé accrochait les derniers rayons de soleil et la mer redoutable reflétait un tumultueux embrasement d'écume rouge.

— Heureusement que nous sommes à marée basse, sinon votre débarquement aurait été plus mouvementé.

Vous voyez la brume, là-bas, dans l'est? C'est la limite de la Grande Barrière. Ici, à Matlock, nous y sommes rattachés par la peau des dents; vous sentirez l'île trembler constamment sous les coups de boutoir qui nous en viennent. (Il l'aida à monter en voiture.) Ici, nous sommes sur la côte au vent... un peu sauvage et inhospitalier, hein? Mais attendez de voir la côte sous le vent. Ah! ça, c'est autre chose!

Ils roulèrent sans se préoccuper de la vitesse puisqu'ils se trouvaient dans l'unique voiture de Matlock, descendirent l'étroite route taillée dans le corail crissant, à travers les palmiers et une épaisse végétation que coiffait une haute colline s'étirant sur une longueur de cinq kilomètres et formant l'épine dorsale de l'île.

— Oh, comme c'est beau! s'écria Meggie.

Ils venaient de déboucher sur une autre route qui serpentait le long de la grève sablonneuse délimitant le lagon en forme de croissant. Dans le lointain, se distinguait encore de l'écume blanche, là où la mer se brisait en une dentelle scintillante sur le récif protecteur, mais à l'intérieur de l'enceinte corallienne, l'eau restait unie et calme, miroir d'argent veiné de bronze.

Ils passèrent devant un bâtiment blanc, assez hétéroclite, à la véranda profonde dont les fenêtres épousaient la forme de vitrines.

— Le grand magasin, annonça le conducteur avec une fierté de propriétaire. C'est là que j'habite avec la patronne. Et ça lui plaît pas beaucoup de voir une femme seule venir ici, ça, je vous le garantis. Elle prétend que je risque de me laisser séduire. Heureusement que l'agence de voyages précisait que vous insistiez pour un calme complet, ça a un peu calmé la bourgeoise quand je vous ai donné le bungalow le plus éloigné que nous ayons. Il n'y a pas une âme dans ce coin. Le seul autre couple qui habite Matlock en ce moment a un cottage de l'autre côté. Vous pouvez vous balader toute nue si ça vous chante; personne ne vous verra. La patronne m'aura à l'œil pendant votre séjour. Quand vous aurez besoin de quelque chose, vous n'aurez qu'à décrocher votre téléphone et je vous l'apporterai. Inutile de vous déranger et de faire un aussi long trajet. Et, patronne ou pas, je passerai vous voir tous les jours vers le coucher du soleil, simplement pour m'assurer que vous allez bien. Vaudrait mieux que vous soyez à la maison à ce moment-là... et que vous portiez une robe, au cas où la bourgeoise profiterait de la balade.

Le bungalow de trois pièces, toutes de plain-pied, bénéficiait de sa courbe privée de plage blanche entre deux dents de la colline qui plongeait dans la mer, et la route se terminait là. L'intérieur en était très simple, mais confortable. L'île fabriquait son propre courant et, en conséquence, la maison était équipée d'un petit réfrigérateur, de la lumière électrique, du téléphone, et même d'une T.S.F.; les toilettes comportaient une chasse d'eau et de l'eau douce alimentait la baignoire. Commodités plus modernes que celles dont Drogheda et Himmelhoch peuvent se prévaloir, songea Meggie, amusée. Evidemment, la plupart des clients venant de Sydney ou de Melbourne exigeaient un confort dont ils ne sauraient se passer.

Laissée seule tandis que Rob allait précipitamment retrouver sa soupçonneuse épouse, Meggie défit ses valises et inspecta son domaine. Le grand lit était infiniment plus confortable que ne l'avait été sa couche nuptiale, mais il fallait tenir compte du fait qu'elle se trouvait dans un paradis conçu pour les lunes de miel; les clients exigeaient donc avant tout un bon lit, alors que ceux de l'hôtel-bistrot de Dunny étaient généralement trop soûls pour trouver à redire aux ressorts perfides des sommiers. Le réfrigérateur et les placards de la cuisine regorgeaient de nourriture. Sur la table attendait un grand panier rempli de bananes, d'ananas et de mangues. Aucune raison pour qu'elle ne dormît pas bien, pour qu'elle ne mangeât pas bien.

Pendant la première semaine, la seule préoccupation de Meggie consista à manger et à dormir; elle ne s'était pas rendu compte de son épuisement ni combien le climat de Dungloe avait affecté son appétit. Dès qu'elle s'étendait dans le beau lit, elle sombrait dans le sommeil et dormait dix à douze heures d'affilée; les aliments lui paraissaient plus appétissants qu'ils ne l'avaient jamais été depuis son départ de Drogheda. Elle mangeait dès l'instant où elle se réveillait, allant même jusqu'à emporter des mangues sur la plage pour les déguster en prenant son bain. En vérité, c'était l'endroit le plus logique, à part une baignoire, pour manger des mangues, tant ce fruit est juteux. Sa petite plage à l'intérieur du lagon bénéficiait d'une mer plate comme un miroir, sans le moindre courant, et de faible profondeur, ce qui la comblait car elle ne savait pas nager. Mais l'eau salée semblait la soutenir et elle s'exerça à quelques brasses; lorsqu'elle parvenait à flotter pendant dix secondes de suite, elle était enchantée. La sensation d'être libérée de l'attraction terrestre l'incitait à progresser rapidement et il lui tardait de pouvoir évoluer avec l'aisance d'un poisson.

Aussi, s'il lui arrivait de regretter sa solitude, c'était uniquement parce qu'elle aurait aimé que quelqu'un lui apprît à nager. Autrement, se sentir seule, livrée à soi-même, tenait du paradis. Comme Anne avait eu raison! Jamais, de toute sa vie, elle n'avait connu une telle impression. Se retrouver seule représentait un tel soulagement, une sérénité totale. Sa solitude ne lui pesait en rien; Anne, Luddie, Justine et Luke ne lui manquaient pas et, pour la première fois depuis trois ans, elle ne regrettait pas Drogheda. Le vieux Rob ne la dérangeait jamais; il se contentait de descendre le long de la route chaque jour au coucher du soleil afin de s'assurer que le geste amical de la main qu'elle lui adressait depuis la véranda n'était pas un signal de détresse, puis il faisait faire un demi-tour à sa voiture et disparaissait au détour du chemin, souvent accompagné de sa « bourgeoise » étonnamment jolie. A une occasion, il téléphona à Meggie pour lui annoncer qu'il comptait emmener le couple de vacanciers qui habitait de l'autre côté de l'île pour une promenade dans son bateau à fond transparent; pourquoi ne se joindrait-elle pas à eux?

En regardant à travers le fond transparent du bateau, il sembla à Meggie qu'elle découvrait une planète insoupçonnée, un monde grouillant, d'une exquise fragilité, où des formes délicates palpitaient, soutenues par le contact amoureux de l'eau. Elle s'aperçut que le corail vivant n'était pas violemment teinté comme celui qui était proposé dans les comptoirs de souvenirs. Il était d'un rose doux, ou beige, ou gris-bleu et, autour de chaque protubérance et branche oscillait un merveilleux arc-en-ciel de couleurs, sorte d'aura visible. Les tentacules des grandes anémones de mer tressaillaient, flottaient en stries bleues, rouges, orange ou pourpres; des coquilles ondulées, aussi grandes que des rochers, invitaient les explorateurs imprudents à jeter un coup d'œil dans leur intimité laissant deviner des gammes de couleurs sans cesse agitées entre leurs valves plumeuses; des éventails de dentelle rouge se balançaient sous les pulsations de la mer; des serpentins d'algues vertes dansaient librement, dérivaient. Aucun des quatre occupants du bateau n'aurait été le moins du monde surpris devant l'apparition d'une sirène : scintillement d'une gorge polie, luisance d'une torsion de queue, paresseux nuage effiloché d'une chevelure, sourire ensorceleur, propre à damner les marins. Et les poissons! Autant de joyaux vivants quand ils filaient, rapides comme des flèches, par milliers et par milliers, ronds comme des lanternes chinoises, acérés comme des stylets, rayés de couleurs brillantes de vie encore exaltées par la propriété qu'a l'eau de casser la lumière; certains s'apparentant à une flamme avec leurs écailles d'or et de pourpre, d'autres tout de fraîcheur et de bleu argenté, d'autres encore striant l'eau comme des oripeaux bariolés aux tons plus criards que ceux des perroquets. Orphies au nez en aiguille, baudroies au mufle aplati, barracudas aux grands crocs, mérous à la gueule béante entrevus à l'orée d'une caverne et, à une occasion, requin gris et effilé qui parut prendre une éternité pour passer sous le bateau.

— N'ayez pas peur, dit Rob. Nous sommes à une latitude beaucoup trop sud pour redouter le venin des vives, mais ne vous aventurez jamais pieds nus sur le corail.

Oui, Meggie fut heureuse de cette promenade; mais elle ne souhaita pas la renouveler ni se lier d'amitié avec le couple que lui avait présenté Rob. Elle se baignait dans le lagon, marchait et s'étendait au soleil. Assez bizarrement, la lecture ne lui manquait pas car il semblait toujours y avoir quelque chose d'intéressant à observer.

Ayant suivi les conseils de Rob, elle ne portait plus de vêtements. Au début, elle avait tendance à se conduire comme un lapin percevant le relent d'un dingo que lui apportait la brise, elle se précipitait à couvert au moindre craquement de buisson ou lorsqu'une noix de coco tombait de sa branche comme un boulet de canon mais, après plusieurs jours d'indéniable solitude, elle se rassura; effectivement, comme le lui avait dit Rob, elle jouissait d'un domaine totalement privé. La pudeur n'était pas de mise et, en suivant les sentiers, étendue sur le sable, ou barbotant dans l'eau tiède et salée, elle commença à éprouver la sensation que peut avoir un animal né et élevé en cage, subitement lâché dans un monde aimable, ensoleillé, vaste et hospitalier.

Loin de Fee, de ses frères, de Luke, de l'asservissement inconscient de toute une vie, Meggie découvrait l'oisiveté à l'état pur; tout un kaléidoscope de modes de pensée qui se tissaient, se défaisaient en dessins nouveaux dans son esprit. Pour la première fois, son existence, son moi conscient, n'était pas absorbée par l'obsession d'un travail quelconque. Avec surprise, elle s'aperçut que l'activité physique consciente constituait la défense la plus efficace que puissent ériger les êtres humains contre l'activité uniquement mentale.

Plusieurs années auparavant, le père Ralph lui avait demandé à quoi elle pensait, et elle avait répondu : papa et m'man, Bob, Jack, Hughie, Stu, les petits, Frank, Drogheda, la maison, le travail, la pluie. Elle n'avait pas cité son nom, mais il figurait en tête de liste, toujours. A présent, il lui fallait ajouter Justine, Luke, Luddie et Anne, la canne à sucre, la nostalgie d'un foyer, la pluie. Et toujours, évidemment, l'évasion salvatrice de la lecture. Mais tout était venu et reparti de façon si embrouillée, par bribes et par chaînons sans rapport entre eux; aucune possibilité, aucune formation qui lui permît de s'asseoir tranquillement et de réfléchir à ce qu'était exactement Meggie Cleary, Meggie O'Neill. Que voulait-elle? Pourquoi pensait-elle qu'elle avait été mise sur terre? Elle déplorait le manque de formation car il s'agissait là d'une lacune qu'elle ne pourrait jamais combler. Cependant, ici, elle disposait du temps, de la paix, voire de la paresse engendrée par l'oisiveté et le bien-être physique; elle pouvait s'étendre sur le sable et tenter de résoudre ses problèmes.

Eh bien, il y avait Ralph. Un rire crispé, désespéré. Mauvais point de départ mais, en un sens, Ralph ressemblait à Dieu : tout commençait et s'achevait avec lui. Depuis le jour où il s'était agenouillé dans la poussière de la gare de Gilly, nimbée de crépuscule, pour la prendre entre ses bras, il y avait eu Ralph, et même si elle ne devait jamais le revoir, elle imaginait que sa dernière pensée en ce bas monde serait pour lui. Quel effroi de s'apercevoir qu'une seule et même personne pût revêtir une telle importance!

Qu'avait-elle dit à Anne? Que ses besoins étaient très ordinaires... un mari, des enfants, un foyer à elle. Quelqu'un à aimer. Ce n'était pas trop demander. Après tout, la plupart des femmes possédaient tout cela. Mais combien étaient réellement satisfaites? Meggie pensa qu'à leur place elle le serait parce que, pour elle, ces besoins ordinaires se révélaient affreusement difficiles à combler.

Accepte, Meggie Cleary, Meggie O'Neill. Celui que tu veux est Ralph de Bricassart, et tu ne peux tout simplement pas l'avoir. Pourtant, en tant qu'homme, il semble t'avoir anéantie, face à tout autre. Bon, eh bien, d'accord. Admettons que l'homme, le quelqu'un à aimer, ne puisse être. Ce sera les enfants qu'il te faudra aimer, et l'amour que tu attends viendra d'eux. Ce qui, une fois de plus, te ramène à Luke et aux enfants de Luke.

Oh, doux Seigneur! Doux Seigneur! Non, pas doux Seigneur! Qu'a fait le Seigneur pour moi, sinon me priver de Ralph? Nous n'éprouvons guère de tendresse l'un pour l'autre, le Seigneur et moi. Et sache-le, mon Dieu, tu ne me fais plus peur comme autrefois. Combien je te craignais. Ton châtiment! Toute ma vie, j'ai suivi la voie droite et étroite par crainte de toi. Et qu'est-ce que ça m'a rapporté? Pas la moindre parcelle de satisfaction de plus que si j'avais enfreint toutes les règles. Tu es un imposteur, Dieu, un démon de peur. Tu nous traites comme des enfants, brandissant le châtiment. Mais tu ne me fais plus peur. Parce que ce n'est pas Ralph que je devrais détester, mais toi. Tout cela est ta faute, pas celle de Ralph. Il vit seulement dans la crainte de toi comme je l'ai toujours fait. Qu'il puisse t'aimer m'est incompréhensible. Je ne vois pas en quoi tu es aimable.

Pourtant, comment puis-je cesser d'aimer un homme qui aime Dieu? J'ai beau essayer de toutes mes forces je ne semble pas y parvenir. Il est aussi inaccessible que la lune, et je pleure pour l'avoir. Eh bien, il faut que tu cesses de pleurer, Meggie O'Neill, c'est tout. Tu devras te contenter de Luke et des enfants de Luke. En allant droit au but ou par ruse, tu vas arracher Luke à cette satanée canne à sucre, et vivre avec lui là où ne poussent même pas les arbres. Tu vas prévenir le directeur de la banque de Gilly qu'à l'avenir tes revenus doivent être portés à ton propre compte, et tu les utiliseras pour apporter confort et commodités à ton foyer sans arbres, ce que Luke ne songerait jamais à te procurer. Tu les emploieras pour éduquer les enfants de Luke et t'assurer qu'ils ne seront jamais dans le besoin.

Et il n'y a plus rien à ajouter, Meggie O'Neill. Je suis Meggie O'Neill, pas Meggie de Bricassart. D'ailleurs, ça sonne mal, Meggie de Bricassart. Il faudrait que je sois Meghann de Bricassart, et j'ai toujours détesté Meghann. Oh! parviendrai-je jamais à cesser de regretter qu'ils ne soient pas les enfants de Ralph? Toute la question est là, n'est-ce pas? Répète-le-toi sans trêve : ta vie t'appartient, Meggie O'Neill, et tu ne vas pas la gâcher en rêvant d'un homme et d'enfants qui te sont interdits.

Voilà! Voilà qui est entendu! Inutile de s'appesantir sur le passé, sur ce qui doit être enseveli. Seul compte l'avenir et l'avenir appartient à Luke, aux enfants de Luke; il n'appartient pas à Ralph de Bricassart. Lui, c'est le passé.

Meggie se retourna dans le sable et pleura, comme elle n'avait plus pleuré depuis l'âge de trois ans, en gémissements bruyants, et seuls les crabes et les oiseaux entendirent sa désolation.

Anne Mueller avait choisi Matlock délibérément avec l'intention bien arrêtée d'y envoyer Luke dès qu'elle le pourrait. Après le départ de Meggie, elle télégraphia à Luke, lui disant que Meggie avait désespérément besoin de lui, le suppliant de venir. Sa nature ne la portait pas à se mêler des affaires des autres, mais elle aimait Meggie et avait pitié d'elle, elle adorait le petit bout capricieux et difficile porté par Meggie et engendré par Luke. Il fallait que Justine eût un foyer, et son père, et sa mère. Ce serait douloureux de la voir partir, mais préférable à la situation actuelle.

Luke arriva deux jours plus tard. Il était en route pour la raffinerie de Sydney et venir à Himmelhoch ne l'avait guère détourné de son chemin. Il était temps qu'il voie l'enfant; s'il s'était agi d'un garçon, il serait venu dès sa naissance, mais il avait cédé à une vive déception en apprenant qu'il avait une fille. Si Meggie tenait à avoir des enfants, que ceux-ci puissent au moins un jour continuer à diriger le domaine de Kynuna. Les filles n'avaient pas la moindre utilité; elles vous mangeaient la laine sur le dos et, une fois grandes, elles quittaient la maison et partaient travailler pour un autre au lieu de rester tranquilles comme les garçons pour aider leur père pendant ses vieux jours.

— Comment va Meg? demanda-t-il en arrivant sur la véranda. Pas malade, j'espère?

— Vous espérez. Non, elle n'est pas malade. Je vous parlerai d'elle dans un instant. Mais avant tout, venez voir votre ravissante petite fille.

Il considéra l'enfant, amusé et intéressé, mais sans émotion, pensa Anne.

— Ah ça, j'ai jamais vu des yeux pareils, dit-il. Je me demande de qui elle les tient.

— Pour autant qu'elle le sache, Meggie prétend que ça ne vient pas de son côté.

— Ni du mien. Ça a peut-être sauté plusieurs générations. C'est une drôle de petite chose; elle n'a pas l'air heureux, hein?

— Comment pourrait-elle avoir l'air heureux? demanda Anne en s'efforçant de garder son calme. Elle n'a jamais vu son père, elle n'a pas de vrai foyer et bien peu de chances d'en connaître un avant d'être adulte, si vous continuez à couper de la canne par monts et par vaux.

— J'économise, Anne! protesta-t-il.

— Balivernes! Je sais combien vous avez d'argent. J'ai des amis à Charters Towers qui m'envoient le journal local de temps à autre. J'ai lu des annonces proposant à la vente des propriétés dans l'Ouest beaucoup plus proches que Kynuna et beaucoup plus fertiles. La crise se fait encore sentir, Luke! Vous pourriez trouver un domaine splendide pour beaucoup moins que ce que vous avez en banque, et vous le savez parfaitement.

— Vous avez mis le doigt dessus! La crise continue et dans l'Ouest sévit une terrible sécheresse qui ruine tout, de Junee à Isa. Ça fait deux ans qu'elle dure, et pas la moindre pluie, pas une goutte d'eau. En ce moment même, je parie que Drogheda en souffre aussi. Alors, qu'est-ce que vous croyez que ça donne dans la région de Winton et de Blackall? Non, je crois qu'il vaut mieux attendre.

— Attendre que le prix des terres monte après une bonne saison de pluie? Allons donc, Luke! C'est maintenant qu'il faut acheter. Avec les deux mille livres qui vous tombent chaque année, vous pouvez vous permettre de supporter une sécheresse de deux ans. Il vous suffit de ne pas avoir de bétail. Vivez sur les revenus de Meggie jusqu'à ce que la pluie vienne et, ensuite, achetez votre cheptel.

— Je ne suis pas encore prêt à abandonner la coupe de la canne, riposta Luke avec obstination, sans cesser de considérer les étranges yeux clairs de sa fille.

— Voilà enfin la vérité, hein? Pourquoi ne pas l'avouer, Luke? Vous ne voulez pas mener la vie d'un homme marié, vous préférez continuer votre existence actuelle, travailler dur avec des types de votre espèce, suer sang et eau, exactement comme un sur deux des Australiens que j'ai connus! Qu'y a-t-il dans ce putain de pays qui pousse les hommes à préférer vivre entre eux plutôt que de mener une vie de famille, chez eux, avec leur femme et leurs enfants? S'ils tiennent vraiment à une existence de célibataire, pourquoi diable se marient-ils? Savez-vous combien il y a d'épouses délaissées uniquement à Dunny, qui se débattent pour gagner leur vie et essayer d'élever leurs enfants qui ne voient jamais leur père? Oh! il est en train de couper de la canne; il reviendra, vous savez, ce n'est qu'une absence provisoire. Ah! Et à l'heure du courrier, elles s'attardent sur le pas de la porte, attendant le facteur, espérant que le salaud leur aura envoyé un peu d'argent. Mais la plupart du temps, ça n'est pas le cas... il arrive qu'il envoie quelque chose, mais pas suffisamment, juste un peu pour le courant!

Elle tremblait de rage; ses doux yeux bruns étincelaient.

— Vous savez, j'ai lu dans le *Brisbane Mail* que l'Australie compte le plus fort pourcentage de femmes abandonnées du monde civilisé. C'est le seul domaine dans lequel nous battons tous les autres pays. Il y a vraiment de quoi être fier de ce record!

— Calmez-vous, Anne! Je n'ai pas abandonné Meg; elle est en sûreté et elle ne meurt pas de faim. Qu'est-ce qui vous prend?

— Je suis malade de voir la façon dont vous traitez votre femme, voilà ce qui me prend! Pour l'amour de Dieu, Luke, conduisez-vous en adulte; assumez vos responsabilités! Vous avez une femme et un enfant! Vous devriez leur constituer un foyer, être un mari et un père pour elles, pas un étranger.

— Je le ferai, je le ferai! Mais je ne peux pas encore. Il me faut continuer à couper de la canne pendant encore quelques années pour être plus à l'aise aux entournures. Je ne veux pas vivre sur l'argent de Meg, et je serais obligé d'en arriver là tant que les choses ne s'amélioreront pas.

— Oh, bobards que tout ça! s'exclama Anne avec un rictus méprisant. Vous l'avez épousée pour son argent, non?

Une rougeur marbra le visage hâlé de Luke. Son regard se détourna d'Anne.

— Je reconnais que l'argent a joué un rôle, mais je l'ai épousée parce qu'elle me plaisait mieux que toutes les autres.

— Elle vous plaisait! Et que diriez-vous de l'aimer?

— L'amour? Qu'est-ce que c'est que l'amour? Une invention de bonne femme, c'est tout. (Il se détourna du berceau et de ce regard déconcertant, sans trop savoir si un enfant doté de tels yeux n'était pas capable de comprendre tout ce qui se disait.) Maintenant, si vous avez fini de me faire la leçon, dites-moi où est Meg?

— Elle n'était pas bien et je l'ai obligée à prendre des vacances. Oh, ne vous affolez pas! Pas avec votre argent. J'espérais pouvoir vous convaincre d'aller la rejoindre, mais je m'aperçois que c'est impossible.

— C'est hors de question. Arne et moi partons pour Sydney ce soir.

— Que dois-je dire à Meggie quand elle reviendra?

Il haussa les épaules, grillant de s'en aller.

— Ce que vous voudrez. Oh! dites-lui de tenir le coup encore un peu. Maintenant qu'elle a commencé à avoir des gosses, je ne verrais pas d'inconvénient à ce qu'elle me fasse un fils.

S'appuyant au mur pour se soutenir, Anne se pencha sur le berceau d'osier, souleva l'enfant, puis parvint à se traîner jusqu'au lit et à s'asseoir. Luke n'esquissa pas un geste pour l'aider ni pour prendre le bébé; il semblait avoir peur de sa fille.

— Allez-vous-en, Luke. Vous ne méritez pas ce que vous avez. Vous m'écœurez. Retournez à votre fameux copain Arne, à la canne à sucre et à votre travail éreintant.

Il s'immobilisa sur le seuil.

— Comment est-ce qu'elle l'a appelée? J'ai oublié son nom.

— Justine, Justine, Justine!

— Quel nom idiot, grommela-t-il, et il sortit.

Anne posa Justine sur le lit et éclata en sanglots. Dieu damne tous les hommes, à part Luddie! Dieu les damne! Etait-ce la fibre douce, sentimentale, presque féminine recelée par Luddie qui le rendait capable d'amour? Luke avait-il raison? L'amour n'était-il qu'une invention de bonne femme? Ou s'agissait-il d'un sentiment que seules les femmes ou les hommes ayant une certaine proportion de féminité en eux étaient capables de ressentir? Aucune femme ne pourrait retenir Luke, aucune n'y était jamais parvenue. Aucune ne pourrait jamais lui donner ce qu'il voulait.

Mais le lendemain matin, calmée, elle ne ressentait plus l'impression d'avoir enregistré un échec. Une carte postale de Meggie, arrivée au courrier, délirait d'enthousiasme sur l'île Matlock et exaltait les bienfaits qu'elle retirait de son séjour. C'était là un résultat positif. Meggie se sentait mieux. Elle reviendrait vers la fin de la mousson et serait en mesure de faire face à sa vie. Mais Anne résolut de ne rien lui dire au sujet de Luke.

Nancy, diminutif d'Annunziata, porta Justine sur la véranda tandis qu'Anne la suivait en boitillant, tenant entre ses dents un petit panier qui contenait quelques menus objets pour l'enfant : lange propre, boîte de talc et jouets. Elle s'installa dans un fauteuil de rotin, prit le bébé des mains de Nancy et lui donna le biberon tiède. C'était plaisant; une vie agréable. Elle s'était efforcée de faire entendre raison à Luke et, si elle avait échoué, elle aurait au moins l'avantage de voir Meggie et Justine demeurer encore un peu à Himmelhoch. Elle ne doutait pas qu'en fin de compte Meggie s'apercevrait qu'il n'y avait aucun espoir de sauver son mariage et qu'elle retournerait à Drogheda. Mais Anne appréhendait ce jour.

Une voiture de sport rouge, de marque anglaise, quitta la route de Dunny dans un vrombissement et s'engagea sur la longue allée en pente; il s'agissait d'un modèle récent et coûteux, au capot maintenu par des courroies de cuir, aux tuyaux d'échappement chromés, à la peinture rutilante. Tout d'abord, elle ne reconnut pas l'homme qui enjambait la portière basse car il portait l'uniforme des habitants du Queensland du Nord, rien d'autre qu'un short. Mon Dieu, quel beau type! songea-t-elle en le voyant grimper les marches deux à deux. Si seulement Luddie mangeait un peu moins, il aurait quelques chances d'avoir une forme comparable à celle de cet homme. Mais il n'est pas si jeune... regarde ces merveilleuses tempes argentées — pourtant, je n'ai jamais vu de coupeur de cannes plus fringant.

Lorsque les yeux calmes et lointains plongèrent dans les siens, elle reconnut le visiteur.

— Grand Dieu! s'exclama-t-elle en laissant échapper le biberon.

Il le récupéra, le lui tendit et s'appuya à la balustrade de la véranda, lui faisant face.

— Ça ira, dit-il. La tétine n'a pas touché le sol. Vous pouvez continuer à lui donner son biberon.

Tenaillé par la faim, le bébé commençait à s'agiter. Anne lui glissa la tétine entre les lèvres et retrouva assez de souffle pour parler.

63

— Eh bien, en voilà une surprise, monseigneur! dit-elle en le considérant d'un regard amusé. Je dois avouer que vous ne ressemblez pas du tout à l'idée qu'on se fait d'un archevêque. Mais, chez vous, ça n'est jamais le cas, même avec l'accoutrement de votre état. Je me suis toujours imaginé les archevêques, quelle que soit leur religion, comme des individus gras et suffisants.

— Momentanément, je ne peux être considéré comme un archevêque; je ne suis qu'un prêtre qui prend des vacances bien gagnées, alors, vous pouvez m'appeler Ralph. Est-ce là le petit être qui a causé tant de difficultés à Meggie au moment où je venais la voir? Pouvez-vous me passer l'enfant? Je crois que je réussirai à tenir le biberon comme il faut.

Il s'installa dans un fauteuil à côté d'Anne, prit le biberon et le bébé qu'il continua de nourrir, jambes croisées avec désinvolture.

— Finalement, Meggie l'a-t-elle appelée Justine?

— Oui.

— C'est un joli nom. Seigneur, regardez la couleur de ses cheveux! Son grand-père tout craché!

— C'est ce que prétend Meggie. J'espère que cette pauvre petite gosse ne sera pas marquée de millions de taches de rousseur en grandissant, mais je crois que c'est inévitable.

— Ma foi, Meggie est une rousse dans son genre, et elle n'a pas la moindre tache de son. Mais son teint est différent, plus opaque.

Il posa le biberon vide, jucha le bébé sur son genou, face à lui, le pencha en avant comme pour un salut et lui frotta vigoureusement le dos.

— Parmi les devoirs qui m'incombent, je dois rendre visite à des orphelinats catholiques, aussi suis-je très au courant de la façon d'opérer avec les nourrissons. La mère Gonzague, qui dirige l'une des crèches où je vais fréquemment, prétend que c'est la seule façon de faire expulser son rot à un bébé. Si l'on se contente de le tenir contre l'épaule, le petit corps ne fléchit pas suffisamment en avant; l'éructation ne peut se faire aussi aisément et, lorsqu'elle a lieu, elle entraîne un renvoi de lait. Tandis qu'ainsi le bébé est plié en deux, ce qui retient le lait tout en laissant échapper les gaz.

Comme pour prouver la justesse de ce raisonnement, Justine émit plusieurs rots retentissants sans que la moindre trace de lait apparût sur ses lèvres. Il rit, lui frotta encore le dos et, quand rien de nouveau ne se produisit, nicha confortablement l'enfant dans le creux de son bras.

— Quels yeux stupéfiants, magnifiques! reprit-il. Vous ne trouvez pas? Vous pouvez faire confiance à Meggie... son enfant ne pouvait que sortir du commun.

— Dans cet ordre d'idée, quel père vous auriez fait, mon père!

— J'aime les nourrissons et les enfants; je les ai toujours aimés. Il m'est beaucoup plus facile d'apprécier leur compagnie puisque aucun des pénibles devoirs d'un père ne m'incombe.

— Non, c'est parce que vous ressemblez à Luddie. Vous avez une fibre féminine en vous.

Apparemment, Justine, qui d'ordinaire restait sur son quant-à-soi, lui rendait sa sympathie; elle venait de s'endormir. Ralph l'installa encore plus confortablement et tira un paquet de cigarettes de la poche de son short.

— Passez-les-moi, je vais vous en allumer une.

— Où est Meggie? s'enquit-il en prenant la cigarette allumée qu'Anne lui tendait. Merci. Excusez-moi. Je vous en prie, prenez-en une.

— Elle n'est pas là. Elle ne s'est jamais réellement remise de l'accouchement, et la saison des pluies n'a rien arrangé. Luddie et moi l'avons envoyée en vacances pour deux mois. Elle sera de retour vers le 1er mars, dans sept semaines.

Dès qu'elle eut parlé, Anne se rendit compte du changement qui intervenait en lui, comme si tous ses projets s'évaporaient soudainement en même temps que le plaisir infini qu'il comptait en tirer.

Il prit une longue inspiration.

— C'est la deuxième fois que je viens lui faire mes adieux sans la trouver... Avant de partir pour Athènes et maintenant. Je suis resté absent un an à cette époque et mon voyage aurait pu se prolonger bien davantage; je ne savais pas combien de temps je serais loin de l'Australie à ce moment-là. Je n'étais pas retourné à Drogheda depuis la mort de Paddy et de Stu; pourtant, j'avais compris qu'il me serait impossible de quitter l'Australie sans revoir Meggie. Et elle s'était mariée; elle était partie. J'envisageais d'entreprendre le voyage pour aller la voir, mais j'ai jugé que ce ne serait pas correct ni envers elle ni envers Luke. Cette fois, je suis venu parce que je savais que je ne pourrais contribuer à détruire ce qui n'existe pas.

— Où allez-vous?

— A Rome, au Vatican. Le cardinal di Contini-Verchese a repris la charge du cardinal Monteverdi, décédé depuis peu. Et, fidèle à sa promesse, il m'a demandé de venir le seconder. C'est un grand honneur, mais c'est aussi bien davantage. Je ne peux refuser.

— Combien de temps serez-vous absent?

— Oh! très longtemps, je pense. Il y a des bruits de guerre en Europe, bien qu'ici un conflit nous paraisse très lointain. L'Église a besoin de tous les diplomates dont elle dispose et, grâce au cardinal di Contini-Verchese, je suis considéré comme tel. Mussolini s'est allié à Hitler; ils s'entendent comme larrons en foire et, d'une façon quelconque, le Vatican doit s'employer à concilier deux idéologies opposées, catholicisme et fascisme. Ce ne sera pas facile. Je parle très bien allemand; j'ai appris le grec quand j'étais à Athènes et l'italien pendant mon séjour à Rome. Je parle aussi couramment le français et l'espagnol. (Il soupira.) J'ai toujours été doué pour les langues, et j'ai délibérément cultivé ce don. Dans les circonstances présentes, il était inévitable que je sois transféré à Rome.

— Eh bien, monseigneur, à moins que vous ne partiez dès demain, vous pouvez encore voir Meggie.

Elle proféra ces paroles sans s'accorder le temps de la réflexion : pourquoi Meggie ne le verrait-elle pas encore une fois avant qu'il ne parte, surtout si, ainsi qu'il semblait le croire, il devait être absent très longtemps?

Il tourna la tête vers elle. Ses beaux yeux lointains reflétaient une vive intelligence, et il n'était certainement pas de ceux auxquels on en contait. Oh, oui, c'était un diplomate-né! Il comprenait exactement ce qu'elle entendait et les raisons qui la poussaient. Le souffle suspendu, Anne attendait sa réponse mais, un long instant, il garda le silence, les yeux fixés sur les plantations de cannes émeraude et le fleuve gonflé, le nourrisson oublié au creux de son bras. Fascinée, elle étudia son profil — la courbe d'une paupière, le nez étroit, la bouche secrète, le menton résolu. A quelles forces faisait-il appel en contemplant le paysage? A quelle balance avait-il recours pour soupeser amour, désir, devoir, opportunité, volonté, espoir, et quel plateau l'emportait? Il porta la cigarette à ses lèvres; Anne vit les doigts trembler et, sans bruit, elle exhala son souffle. Donc, il n'était pas indifférent.

Pendant près de dix minutes, il ne dit mot; Anne lui alluma une autre cigarette, la lui tendit, et il la fuma aussi posément que la précédente, sans détourner le regard des montagnes lointaines et des nuages de mousson qui pesaient sur le ciel.

— Où est-elle? demanda-t-il d'une voix parfaitement normale en jetant le deuxième mégot par-dessus la balustrade de la véranda.

De ce qu'elle répondrait dépendrait la décision de cet homme; à présent, c'était à elle qu'il appartenait de réfléchir. Avait-on le droit de pousser des êtres humains sur une voie sans savoir sur quoi elle débouchait? Sa fidélité allait évidemment à Meggie; elle se moquait éperdument de ce qui arriverait à cet homme. En un sens, il ne valait pas mieux que Luke. Voué de son plein gré à une lutte essentiellement masculine, sans le temps ni le désir de voir une femme l'entraver dans sa course, hanté par quelque rêve qui n'existait probablement que dans la confusion de son esprit... Pas plus de substance que la fumée de l'usine de broyage qui se perdait dans l'atmosphère lourde, chargée de mélasse. Mais c'était là ce qu'il voulait, et il se débattrait, passerait sa vie à poursuivre son rêve.

Il n'avait pas perdu son bon sens, quel que fût ce que Meggie représentait pour lui. Même pour elle — et Anne commençait à croire qu'il aimait Meggie plus que tout, à part cet étrange idéal — il ne compromettrait pas sa chance d'atteindre le but qu'il s'était fixé. Non, pas même pour elle. Aussi, si elle répondait que Meggie se trouvait dans quelque station balnéaire, surpeuplée à cette période de l'année, où il risquait d'être reconnu, il s'abstiendrait de la rejoindre. Personne ne savait mieux que lui qu'il n'était pas le genre d'homme susceptible de se perdre dans l'anonymat de la foule. Elle se passa la langue sur les lèvres, retrouva sa voix.

— Meggie a loué un bungalow dans l'île Matlock.

— Où ça?

— L'île Matlock. Elle est située près du passage de la Pentecôte; un endroit tout spécialement aménagé pour l'intimité. D'ailleurs, à cette époque de l'année, elle est pratiquement déserte. (Elle ne put résister à l'envie d'ajouter une remarque ironique.) N'ayez aucune inquiétude, personne ne vous verra.

— Très rassurant, marmonna-t-il en tendant avec

douceur le bébé endormi à Anne. Merci, dit-il en gagnant les marches. (Puis il se retourna, une supplique pathétique dans l'œil.) Vous vous trompez complètement. Je veux seulement la voir, sans plus. Jamais je ne compromettrai Meggie en quoi que ce soit ni lui ferai courir un danger qui puisse mettre en péril son âme immortelle.

— Ou la vôtre, hein? Dans ce cas, je vous conseille de vous rendre là-bas sous le nom de Luke O'Neill. Sa visite est attendue. Ainsi, vous serez assuré que ni Meggie ni vous ne risquez d'être éclaboussés par un scandale.

— Et si Luke se manifestait?

— Impossible. Il est parti pour Sydney et ne sera de retour qu'en mars. J'étais la seule à pouvoir lui apprendre que Meggie se trouvait à Matlock, et je ne lui ai rien dit, monseigneur.

— Meggie s'attend-elle à la visite de Luke?

— Oh, grand Dieu non! répondit Anne avec un pâle sourire.

— Je ne lui ferai aucun mal, insista-t-il. Je veux seulement la voir, c'est tout.

— J'en ai parfaitement conscience, monseigneur. Mais, sans aucun doute, vous lui feriez moins de mal si vous vous montriez plus exigeant, riposta Anne.

Quand la vieille voiture de Rob s'essouffla le long de la route, Meggie était à son poste sur la véranda du bungalow, main levée pour signaler que tout allait bien et qu'elle n'avait besoin de rien. Il s'arrêta à l'endroit habituel pour faire demi-tour mais, auparavant, un homme en short, chemise et sandales sauta du véhicule, une valise à la main.

— 'voir, monsieur O'Neill! cria Rob en embrayant.

Mais jamais plus Meggie ne confondrait Luke O'Neill et Ralph de Bricassart. Ce n'était pas Luke; mais à cette distance, dans la lumière qui baissait rapidement, elle ne pouvait s'y tromper. Elle resta plantée là, bêtement, et attendit pendant qu'il descendait le sentier menant vers elle, lui, Ralph de Bricassart. Il avait enfin opéré son choix; il la voulait. Il ne pouvait y avoir aucune autre raison susceptible d'expliquer qu'il la rejoignît dans un endroit tel que celui-ci en se faisant passer pour Luke O'Neill.

Tout semblait paralysé en elle, jambes, esprit, cœur. Ralph venait revendiquer son bien; pourquoi n'éprouvait-elle aucune sensation? Pourquoi ne se précipitait-elle pas sur le sentier pour se jeter dans ses bras, si totalement heureuse de le voir que rien d'autre ne comptait? C'était Ralph, celui qu'elle avait toujours demandé à la vie; ne venait-elle pas de passer plus d'une semaine à essayer de chasser cette réalité de son esprit? Dieu le damne! Dieu le damne! Pourquoi diable devait-il venir au moment où elle commençait enfin à l'écarter de son esprit, sinon de son cœur? Oh, tout allait recommencer! Hébétée, en sueur, hargneuse, plantée comme un morceau de bois, elle attendait, observant la forme gracieuse qui se précisait.

— Bonjour, Ralph, dit-elle, les dents serrées, sans le regarder.

— Bonjour, Meggie.

— Apportez votre valise à l'intérieur. Voulez-vous une tasse de thé bien chaud?

Tout en parlant, elle le précéda dans la salle de séjour, toujours sans le regarder.

— Volontiers, répondit-il, aussi figé qu'elle.

Il la suivit dans la cuisine et l'observa tandis qu'elle branchait la prise d'une bouilloire électrique, remplissait la théière d'eau chaude sur l'évier et sortait tasses et soucoupes d'un placard. Lorsqu'elle lui tendit la grosse boîte de biscuits, il en prit quelques-uns et les posa sur une assiette. La bouilloire chanta, elle en vida le contenu dans la théière dont elle se chargea ainsi que de l'assiette de biscuits; il la suivit dans la salle de séjour avec les tasses et les soucoupes.

Les trois pièces avaient été construites en enfilade, la chambre donnant sur un côté de la salle de séjour, et la cuisine sur l'autre avec la salle de bains attenante. Ainsi, le bungalow bénéficiait de deux vérandas, l'une sur le sentier, l'autre sur la plage. Cette disposition fournissait une excuse à chacun d'eux; ils pouvaient regarder dans des directions opposées sans que leurs yeux se rencontrent. L'obscurité était tombée avec l'habituelle soudaineté tropicale, mais l'air entrant par les portes-fenêtres coulissantes s'emplissait du bruissement des vaguelettes mourant sur la grève, du grondement amorti des lointains rouleaux se brisant sur le récif, du souffle de la brise tiède.

Ils burent leur thé sans mot dire, mais aucun d'eux ne put avaler un biscuit, et le silence se prolongea après qu'il eurent reposé leurs tasses; lui reportant son regard sur elle, elle gardant le sien rivé sur les facéties d'un minuscule palmier se tordant sous la brise.

— Qu'y a-t-il, Meggie? demanda-t-il enfin.

Il s'exprima avec tant de douceur et de tendresse que Meggie sentit son cœur lui cogner dans la poitrine, s'arrêter sous le coup de la douleur qui lui causait la vieille question de l'adulte à la petite fille. Il n'était pas venu à Matlock pour voir la femme. Il était venu voir l'enfant. C'était l'enfant qu'il aimait, pas la femme. Il avait haï la femme dès la minute où elle était sortie de l'enfance.

Elle déplaça la tête à l'horizontale, puis leva les yeux vers lui, les plongea vers les siens, stupéfaite, outragée, furieuse; maintenant encore, encore maintenant! Le temps s'arrêta, et elle le considéra ainsi, et il fut obligé de voir, souffle suspendu, la femme dans les yeux clairs, brillants. Les yeux de Meggie. Oh, Dieu, les yeux de Meggie!

Il avait été sincère envers Anne Mueller, il souhaitait seulement la voir, rien de plus; bien qu'il l'aimât, il n'était pas venu à elle en amant; seulement pour la voir, lui parler, être son ami, dormir sur le divan de la salle de séjour, tout en essayant une fois de plus d'extirper la racine de cette éternelle fascination qu'elle exerçait sur lui, imaginant que s'il pouvait regarder le pivot arraché en pleine lumière, il parviendrait à trouver le moyen spirituel de le détruire.

Il lui avait été difficile de s'adapter à une Meggie pourvue de seins, d'une taille, de hanches, mais il y était parvenu parce que, lorsqu'il plongeait dans ses yeux, il y voyait une lumière comparable à celle que déversait une lampe de sanctuaire. Un cerveau et un esprit dont le pouvoir d'attraction avait été tel qu'il n'avait jamais pu s'en libérer depuis qu'il l'avait vue pour la première fois, toujours inchangés à l'intérieur de ce corps douloureusement transformé; mais tout en ayant la preuve de leur persistance dans les yeux de la femme il ne parvenait pas à accepter le corps modifié, ni à maîtriser l'attirance que celui-ci exerçait sur lui.

Et, transposant ses propres souhaits et rêves, il n'avait jamais douté qu'elle entretînt les mêmes jusqu'à ce qu'elle se jetât sur lui, toutes griffes dehors, au moment de la naissance de Justine. Même alors, après que colère et peine se furent apaisées en lui, il avait attribué son attitude à la douleur qu'elle avait endurée, spirituelle, plus encore que physique. Maintenant, la voyant enfin telle qu'elle était, il pouvait déterminer à une seconde près l'instant où elle s'était dépouillée des écailles de l'enfance pour revêtir sa peau de femme; l'instant se situait dans le cimetière de Drogheda après la réception d'anniversaire donnée par Mary Carson. Quand il lui avait expliqué pourquoi il ne pouvait lui accorder trop d'attention, parce que les gens risquaient de croire qu'il s'intéressait à elle en tant qu'homme.

Elle l'avait alors regardé, les yeux emplis d'une expression qu'il n'avait pas su lire, puis elle s'était détournée, et quand son regard s'était de nouveau posé sur lui l'étrange expression avait disparu. A partir de ce moment, il le comprenait maintenant, elle l'avait considéré sous un jour différent; elle ne l'avait pas embrassé dans un instant de faiblesse passagère, pour revenir à un mode de pensée antérieur, comme ça avait été le cas pour lui. Il avait entretenu ses illusions, les avaient nourries, rangées du mieux qu'il pouvait dans son mode de vie inchangé, les avait portées comme un cilice. Alors que, pendant tout ce temps, elle avait meublé son amour pour lui de désirs de femme.

Il lui fallait le reconnaître, il l'avait désirée physiquement depuis leur premier baiser, mais ce besoin charnel n'avait été qu'accessoire par rapport à l'amour qu'il lui vouait; il les scindait, les considérait comme distincts, non comme les facettes d'un même sentiment. Elle, pauvre créature incomprise, n'avait jamais succombé à cette folie.

A cet instant, s'il y avait eu un moyen quelconque de quitter l'île, il l'aurait fuie, tel Oreste devant les Erinyes. Mais il ne le pouvait, et il valait mieux qu'il eût le courage de demeurer devant elle plutôt que de passer la nuit à errer. Que puis-je faire? Comment pourrais-je réparer? Je l'aime! Et si je l'aime, je dois l'aimer telle qu'elle est maintenant, non pour le souvenir d'un stade juvénile de son existence. C'est pour les aspects féminins de sa nature que je l'ai toujours aimée; le poids du fardeau. Alors, Ralph de Bricassart, ôte tes œillères, vois-la telle qu'elle est, non telle qu'elle était il y a longtemps. Seize ans, seize longues et incroyables années... J'ai quarante-quatre ans et elle en a vingt-six. Aucun de nous n'est un enfant mais, de nous deux, c'est moi qui suis le plus puéril.

Tu as considéré les choses sous cet angle dès l'instant

où je suis descendu de la voiture de Rob, n'est-ce pas, Meggie? Tu as supposé que j'avais enfin cédé. Et avant de te laisser seulement la possibilité de reprendre ton souffle, j'ai dû te montrer à quel point tu te trompais. J'ai lacéré le tissu de ton illusion comme s'il s'agissait d'un vieux chiffon. Oh, Meggie, que t'ai-je fait? Comment ai-je pu être aveugle à ce point, tellement enfermé dans mon égocentrisme? Je ne suis parvenu à rien en venant te voir, sinon à te briser. Au cours de toutes ces années, nous nous sommes aimés dans le malentendu.

Elle continuait à le regarder fixement, les yeux emplis de honte, d'humiliation mais, tandis que les expressions se succédaient sur le visage de Ralph pour aboutir à la dernière faite de pitié désespérée, elle parut prendre conscience de l'énormité, de l'horreur de son erreur. Et, plus encore, du fait qu'il avait percé son erreur.

Pars, vite! Cours, Meggie, va-t'en d'ici avec la bribe de fierté qu'il t'a encore laissée. Dès l'instant où cette pensée la traversa, elle bondit hors de son fauteuil et s'enfuit.

Il la rattrapa avant qu'elle eût atteint la véranda; l'élan imprimé à sa fuite la fit pivoter contre lui avec une telle force qu'il chancela. Tout cela n'avait aucune importance, pas plus sa lutte épuisante pour conserver l'intégrité de son âme que le long étouffement du désir par la volonté; en quelques instants, il avait vécu plusieurs existences. Toute la puissance assoupie, maintenue en sommeil, ne demandait qu'un choc pour déclencher un chaos dans lequel l'esprit était subordonné à la passion, la volonté de l'esprit anéantie par la volonté du corps.

Et elle de lever les bras pour lui enlacer le cou, et lui de sentir les siens, crispés, la presser contre lui. Il pencha la tête, sa bouche chercha la sienne, la trouva; cette bouche qui n'était plus un souvenir inopportun, redouté, mais une réalité. Elle le retenait de toutes ses forces comme si elle ne pouvait supporter l'idée de le voir se détacher d'elle; elle semblait perdre toute consistance; elle était sombre comme la nuit, enchevêtrement de souvenirs et de désirs, souvenirs importuns, désirs redoutés. Que d'années au cours desquelles il avait attendu cet instant, la désirant, niant le pouvoir qu'elle exerçait sur lui, allant même jusqu'à s'interdire de penser à elle en tant que femme!

La porta-t-il sur le lit ou leurs pas les y conduisirent-ils? Il pensa qu'il avait dû la porter, mais il n'en était pas sûr; seulement qu'elle était là, étendue, qu'il était là, étendu, la peau de Meggie sous ses mains, les mains de Meggie sur sa peau. Oh, Dieu! Ma Meggie! Comment m'a-t-on élevé depuis l'enfance pour voir en toi un sacrilège?

Le temps arrêta ses pulsations pour s'écouler en un flot qui le submergea jusqu'à ne plus avoir de sens, seulement une dimension démesurée, plus réelle que le temps réel. Il la sentait sans pouvoir la percevoir en tant qu'entité distincte, souhaitant faire enfin d'elle et à jamais une partie de lui-même, un greffon qui devienne lui, non une symbiose qui la reconnaîtrait en tant qu'être distinct. Jamais plus il n'ignorerait le déchaînement de ses seins, du ventre, des fesses, les plis et replis s'ouvrant entre eux. En vérité, elle était faite pour lui car il l'avait faite; pendant seize ans, il l'avait façonnée et moulée sans en avoir conscience et sans se douter de la raison qui l'animait. Et il oublia qu'elle l'avait abandonné, qu'un autre homme lui avait montré la fin pour laquelle il l'avait toujours préparée à sa propre intention, car elle était sa chute, sa rose, sa création. C'était un rêve dont il ne s'éveillerait jamais, pas tant qu'il serait un homme doué d'un corps d'homme. Oh, mon Dieu! Je sais, je sais! Je sais pourquoi je l'ai abritée en moi en tant que notion et en tant qu'enfant longtemps après qu'elle eut dépassé ces deux stades, mais pourquoi dois-je en prendre conscience de cette façon?

Parce qu'enfin il comprenait que l'objectif qu'il avait visé impliquait de n'être pas un homme. Pas un homme, jamais un homme; quelque chose d'infiniment plus grand, au delà du destin d'un homme comme les autres. Et pourtant, en fin de compte, son destin était là, sous ses mains, frissonnant et illuminé par lui, par son homme à elle. Un homme, à jamais un homme. Doux Seigneur, pourquoi ne pas m'avoir évité cette épreuve? Je suis un homme, je ne pourrai jamais être Dieu. C'était une illusion que cette vie en quête de divinité. Les prêtres sont-ils les mêmes, aspirant à être Dieu? Nous renonçons à l'unique acte qui prouve irréfutablement notre condition d'homme.

Il l'enveloppa de ses bras et regarda les yeux pleins de larmes, le visage inerte, à peine lumineux, observa la bouche en bouton de rose qui s'ouvrit, exhala un soupir de plaisir étonné. Elle le retenait de ses bras, de ses jambes, corde vivante qui le liait à elle, soyeuse, douce, tourmentante; il nicha le menton au creux de l'épaule nacrée et sa joue rencontra la sienne; et de s'abandonner au besoin affolant, exaspérant de l'homme se colletant avec son destin. Emporté par un tourbillon, il se laissait glisser, plongeait dans une obscurité dense que suivait une lumière aveuglante; un instant, il se noyait dans le soleil, puis la brillance s'estompait, virait au gris et disparaissait. C'était cela être homme. Il ne pouvait être davantage. Mais ce n'était pas là la source de la douleur. Celle-ci se manifestait à l'ultime moment, limité, avec le vide, une perception désolée : l'extase est fugitive. Il ne pouvait supporter l'idée de se séparer d'elle, maintenant qu'il la possédait; il l'avait faite pour lui. Aussi s'accrocha-t-il à elle comme un noyé s'accroche à un espar sur une mer déserte et, bientôt, léger, il refit surface, s'élevant sur une marée devenue rapidement familière, et succomba à l'impénétrable destin qui est celui de l'homme.

Qu'est-ce que le sommeil? se demandait Meggie. Une bénédiction, un répit accordé par la vie, un écho de la mort, un exigeant tourment? Quel qu'il fût, Ralph s'y était abandonné et demeurait étendu, un bras reposant sur elle; la tête contre son épaule dans une attitude encore possessive. Elle aussi était fatiguée, mais elle refusait de céder au sommeil. Elle avait l'impression que si elle relâchait sa vigilance il ne serait plus là quand elle retrouverait sa conscience. Plus tard, elle pourrait dormir, après qu'il se serait éveillé et que la bouche belle et secrète aurait prononcé ses premiers mots. Que lui dirait-il? Regretterait-il? Avait-il retiré un plaisir qui justifiât ce à quoi il avait renoncé? Il avait combattu cet élan pendant tant d'années, l'avait obligée, elle, à le combattre avec lui; elle parvenait difficilement à croire qu'il avait enfin baissé les bras, mais certaines des paroles qu'il avait prononcées au cours de la nuit, exaltées par sa douleur, effaçaient le long désaveu qu'il lui avait opposé.

Elle était souverainement heureuse, plus heureuse qu'elle ne l'avait jamais été. Dès l'instant où il l'avait entraînée vers la couche avait débuté un poème charnel où tout se mêlait, bras, mains, peau et plaisir total. J'étais faite pour lui et seulement pour lui... C'est pour ça que je ressentais si peu de choses avec Luke! Emportée au delà des limites de l'endurance dans la marée qui submergeait son corps, elle ne pensait qu'à lui dispenser tout ce qu'elle pouvait receler, ce qui lui paraissait plus important que la vie en soi. Il ne devrait jamais regretter leur étreinte, jamais. Oh, comme il avait souffert! A certains instants, elle avait eu l'impression de ressentir sa douleur comme s'il s'était agi de la sienne propre. Ce qui ne faisait que contribuer à son bonheur. Il y avait une part de justice dans la peine qui l'avait torturé.

Il s'éveillait. Elle lut dans le bleu de ses yeux le même amour qui l'avait réchauffée, lui donnant un but depuis l'enfance; et elle perçut aussi l'ombre d'une immense lassitude, pas du corps, mais de l'âme.

Il songeait que jamais au long de sa vie il ne s'était réveillé auprès d'une femme; en quelque sorte, ce moment se chargeait de plus d'intimité que l'acte sexuel qui le précédait, indication délibérée de liens sentimentaux, d'attachement. Léger et fluide comme l'air chargé de senteurs marines et végétales s'exhalant sous le soleil, il se laissa emporter un instant sur l'aile d'une nouvelle liberté : le soulagement de l'abandon après avoir tant combattu, la paix mettant un terme à une longue guerre incroyablement sanglante, et la perception du fait que la reddition est infiniment plus douce que les batailles. Ah, je t'ai livré un rude combat, ma Meggie! Pourtant, en fin de compte, ce ne sont pas tes fragments que je dois recoller, mais les miens.

Tu as été placée sur mon chemin pour me montrer à quel point est fausse et présomptueuse la fierté d'un prêtre tel que moi; comme Lucifer, j'ai aspiré à ce qui n'appartient qu'à Dieu et, comme Lucifer, j'ai été déchu. Je pouvais me prévaloir de chasteté, d'obéissance, même de pauvreté avant Mary Carson. Mais, jusqu'à ce matin, je n'avais jamais connu l'humilité. Seigneur, si elle ne m'était pas si chère, mon fardeau serait moins pénible, mais parfois il m'arrive de penser que je lui porte infiniment plus d'amour qu'à vous, et cela aussi fait partie de la punition que vous m'infligez. D'elle, je ne doute pas. Vous? Un artifice, un fantôme, un symbole. Comment puis-je aimer un symbole? Et pourtant, c'est le cas.

— Si j'avais suffisamment de courage, j'irais faire quelques brasses et, ensuite, je préparerais le petit déjeuner, murmura-t-il, en proie à un impérieux besoin de dire quelque chose.

Il sentit contre sa poitrine les lèvres de Meggie esquisser un sourire.

— Va te baigner pendant que je préparerai le petit déjeuner. Inutile de passer un maillot, personne ne vient ici.

— Un vrai paradis! (Il sauta à bas du lit et s'étira.) Quel temps magnifique! Je me demande si c'est un présage.

Déjà la douleur de la séparation, du seul fait qu'il eût quitté le lit; étendue, elle l'observa pendant qu'il gagnait la porte-fenêtre donnant sur la plage; avant de passer le seuil, il s'immobilisa, se retourna et tendit la main.

— Tu viens avec moi? Nous préparerons le petit déjeuner ensemble, tout à l'heure.

La marée était haute, les écueils immergés, le soleil chaud mais rafraîchi par la brise d'été; des touffes d'herbes acérées agitaient leurs antennes sur le sable où crabes et insectes menaient une sarabande.

— J'ai l'impression de découvrir le monde, dit-il en regardant autour de lui.

Meggie lui saisit la main, elle se sentait fautive et jugeait cette matinée ensoleillée plus inconcevable encore que la réalité rêveuse de la nuit. Elle posa les yeux sur lui, douloureusement. Le temps demeurait suspendu sur un monde différent.

— Comment pourrais-tu découvrir ce monde? demanda-t-elle. Ce monde est à nous, uniquement à nous pour le temps qu'il durera.

— Comment est Luke? s'enquit-il pendant le petit déjeuner.

Elle pencha la tête sur le côté, réfléchit.

— Physiquement, il ne te ressemble pas autant que je le croyais parce que, à cette époque, tu me manquais davantage : je ne m'étais pas habituée à me passer de toi. Je crois l'avoir épousé parce qu'il avait quelque chose de toi. En tout cas, j'étais décidée à me marier et il était nettement mieux que les autres. Je ne parle pas de sa valeur ou de sa gentillesse, ou des qualités que les femmes sont censées rechercher chez un mari. Il m'est difficile de démêler de quoi il s'agissait exactement, sinon, peut-être, qu'il est bien comme toi. Lui non plus n'a pas besoin de femme.

— C'est sous ce jour que tu me considères, Meggie? s'enquit-il avec une grimace.

— Franchement? Je le crois. Je ne comprendrai jamais pourquoi, mais je le crois. Il y a quelque chose chez Luke et chez toi qui estime que le besoin de femme est une faiblesse. Je ne parle pas seulement de coucher, mais d'avoir besoin, réellement besoin de la femme.

— Et, le sachant, nous ne te rebutons pas?

Elle haussa les épaules, sourit avec une pointe de pitié.

— Oh, Ralph! Je ne prétends pas que ça n'ait pas d'importance et ça m'a certainement causé beaucoup de peine, mais les choses sont ainsi, et je serais folle de le nier. Le mieux que je puisse faire est d'exploiter cette faiblesse, non d'ignorer son existence. Moi aussi, j'ai mes besoins, mes exigences. Et, apparemment, ils me conduisent à des hommes tels que toi et Luke, sinon je ne me serais jamais préoccupée de vous deux comme je l'ai fait. J'aurais épousé un être bon, aimable et simple comme mon père, quelqu'un qui aurait eu besoin de moi. Il y a du Samson dans chaque homme, je crois. Mais chez Luke et toi, cet aspect est plus prononcé.

Il ne se jugeait pas le moins du monde insulté; il souriait.

— Ma sage Meggie!

— Ce n'est pas de la sagesse, Ralph, simplement du bon sens. Je ne suis pas une personne particulièrement avisée, tu le sais. Mais considère le cas de mes frères. Je doute que les aînés se marient jamais ou même qu'ils aient des petites amies. Ils sont terriblement timides et craignent le pouvoir qu'une femme pourrait exercer sur eux, et ils restent sous l'emprise de m'man.

Les jours suivaient les jours, les nuits succédaient aux nuits. Même les fortes pluies d'été se paraient de beauté, permettant de se promener nu, d'écouter les crépitements sur le toit de tôle, elles se déversaient, aussi chaudes et caressantes que le soleil. Et quand celui-ci faisait son apparition, ils marchaient dans l'île, lézardaient sur la plage, se baignaient; et il lui apprenait à nager.

Quelquefois, quand il ne se savait pas observé, Meggie le regardait intensément, s'efforçant de graver chacun de ses traits dans sa mémoire, se rappelant combien, en dépit de l'amour qu'elle avait porté à Frank, l'image de celui-ci s'était estompée avec le temps. Il y avait les yeux, le nez, la bouche, les tempes argentées tranchant sur les boucles noires, le grand corps vigoureux qui avait gardé la minceur et la tonicité de la jeunesse, tout en ayant perdu un peu de sa souplesse. Et s'il se tournait, il s'apercevait qu'elle l'observait, et il savait qu'il lui offrait alors un regard plein d'une sourde douleur, d'un devenir affligeant. Elle comprenait le message implicite, ou croyait le comprendre; il lui fallait partir, retourner à l'Eglise, aux devoirs de sa charge. Plus jamais dans le même état d'esprit, peut-être, mais plus apte encore à servir. Car seuls ceux qui ont glissé et chu connaissent les vicissitudes du chemin.

Un jour, alors que le soleil était suffisamment bas à l'horizon pour ensanglanter la mer et consteller de jaune le sable de corail, ils étaient tous deux étendus sur la plage et il se tourna vers elle.

— Meggie, je n'ai jamais été aussi heureux, ou malheureux.

— Je sais, Ralph.

— Oui, je le crois. Est-ce pour cela que je t'aime? Tu

n'as rien de très particulier, Meggie, et pourtant, tu ne ressembles à nulle autre. En ai-je eu le sentiment depuis tout ce temps? Probablement. Ma passion pour le blond vénitien! J'étais loin de me douter où elle me conduirait. Je t'aime, Meggie.

— Tu vas partir?

— Demain. Il le faut. Mon bateau appareillera pour Gênes dans moins d'une semaine.

— Gênes?

— Oui, je dois me rendre à Rome. Pour longtemps. Peut-être pour le restant de mes jours. Je ne sais pas.

— Ne t'inquiète pas, Ralph. Je n'essaierai pas de te retenir. Pour moi aussi, le séjour ici touche à sa fin. Je vais quitter Luke et retourner à Drogheda.

— Oh, Meggie! Pas à cause de ce qui s'est passé, pas à cause de moi?

— Non, bien sûr que non, affirma-t-elle en un pieux mensonge. Luke n'a pas besoin de moi. Je ne lui manquerai pas le moins du monde. Mais moi j'ai besoin d'un foyer, d'une maison et, à partir de maintenant, je crois que Drogheda remplira toujours cet office. Il serait injuste que la pauvre Justine grandisse sous un toit qui m'abrite aussi en tant que servante, bien qu'Anne et Luddie ne me considèrent pas comme telle. Mais il n'empêche que moi je me considère comme telle : Justine me verra aussi sous ce jour quand elle sera suffisamment grande pour comprendre qu'elle ne vit pas dans un foyer normal. Evidemment, d'une certaine façon, ce ne sera jamais le cas, mais je dois faire tout ce que je peux pour elle; aussi vais-je retourner à Drogheda.

— Je t'écrirai, Meggie.

— Non, surtout n'en fais rien. Crois-tu que j'aie besoin de lettres après ce que nous avons été l'un pour l'autre? Je ne veux pas te faire courir le moindre risque et tes lettres pourraient tomber entre des mains peu scrupuleuses. Alors ne m'écris pas. Si jamais tu viens en Australie, il sera normal que tu nous rendes visite à Drogheda, mais je te préviens, Ralph, tu devras réfléchir avant de t'y décider. Il n'y a que deux endroits au monde où j'ai priorité sur Dieu... ici, à Matlock, et à Drogheda.

Il l'attira à lui, caressa ses cheveux.

— Meggie, je souhaiterais de tout cœur pouvoir t'épouser, n'être jamais plus séparé de toi. Je ne veux pas te quitter... Et, d'une certaine façon, je ne serai plus jamais libéré de toi. Je souhaiterais n'être jamais venu à Matlock. Mais nous ne pouvons rien changer à ce que nous sommes, et peut-être est-ce mieux ainsi. J'ai découvert certains aspects de moi qui ne m'auraient pas été dévoilés et auxquels je n'aurais jamais eu à faire face si je n'étais pas venu. Il est préférable de se colleter avec le connu qu'avec l'inconnu. Je t'aime. Je t'ai toujours aimée, et je t'aimerai toujours. Ne l'oublie pas.

Le lendemain, Rob se manifesta pour la première fois depuis qu'il avait amené Ralph et il attendit patiemment pendant qu'ils se faisaient leurs adieux. Il ne s'agissait certainement pas d'un couple de jeunes mariés puisqu'il était arrivé après elle et repartait le premier. Pas des amants non plus. Ils étaient mariés, ça se devinait rien qu'à les regarder. Mais ils s'aimaient, ils s'aimaient beaucoup. Comme lui et sa bourgeoise; une grande différence d'âge, ce qui faisait les bons ménages.

— Au revoir, Meggie.

— Au revoir, Ralph.

— Prends bien soin de toi.

— Oui. Et toi aussi.

Il se pencha pour l'embrasser; en dépit de sa résolution, elle s'accrocha à lui mais, quand il détacha les mains qui lui entouraient le cou, elle les ramena derrière son dos et les y garda.

Il monta dans la voiture et, tandis que Rob faisait marche arrière, il regarda droit devant lui à travers le pare-brise sans un seul coup d'œil vers le bungalow. Rares sont les hommes capables d'agir ainsi, songea Rob qui n'avait jamais entendu parler d'Orphée. Ils roulèrent en silence à travers le rideau de pluie et débouchèrent enfin de l'autre côté de Matlock où s'amorçait la longue jetée. Quand ils se serrèrent la main, Rob considéra le visage de son client avec un certain étonnement. Jamais il ne lui avait été donné de voir des yeux aussi humains, aussi tristes. La hauteur lointaine avait à jamais disparu du regard de l'archevêque Ralph de Bricassart.

Lorsque Meggie rentra à Himmelhoch, Anne sut immédiatement qu'elle allait la perdre. Oui, c'était la même Meggie, mais si différente pourtant. Quelles qu'aient été les résolutions de l'archevêque avant de se rendre à Matlock, sur l'île, les choses avaient enfin tourné à la satisfaction de Meggie. Il n'était que temps.

Meggie prit Justine dans ses bras comme si, maintenant seulement, elle comprenait ce que représentait sa fille. Elle berça la petite créature en regardant autour d'elle, un sourire aux lèvres. Ses yeux rencontrèrent ceux d'Anne, si vivants, si brillants d'émotion qu'elle sentit des larmes de joie perler à ses paupières.

— Jamais je ne pourrais assez vous remercier, Anne.

— Peuh! Pour quoi?

— Pour m'avoir envoyé Ralph. Vous deviez vous douter qu'ensuite je quitterais Luke et je vous en suis d'autant plus reconnaissante. Oh! vous n'avez aucune idée de ce que cela a représenté pour moi. J'avais décidé de rester avec Luke, vous savez. Maintenant, je vais retourner à Drogheda que je ne quitterai plus jamais.

— Je suis désolée de vous voir partir et encore plus triste de voir partir Justine, mais je suis heureuse pour vous deux, Meggie. Luke ne vous apportera jamais rien de bon.

— Savez-vous où il est?

— Il est rentré de la raffinerie. Il coupe de la canne près d'Ingham.

— Il faudra que j'aille le trouver, que je le voie et que je lui parle. Et, Dieu sait si cette perspective me coûte, il faudra que je couche avec lui.

— Quoi?

— J'ai deux semaines de retard alors que j'ai toujours été réglée au jour près, expliqua-t-elle, les yeux brillants. La seule autre occasion a été au moment où j'attendais Justine. Je suis enceinte, Anne, je le sais!

— Mon Dieu! s'exclama Anne qui regardait Meggie comme si elle ne l'avait jamais vue. C'est peut-être une fausse alerte, bredouilla-t-elle après s'être passé la langue sur les lèvres.

Mais Meggie secoua la tête avec assurance.

— Oh, non! Je suis enceinte, affirma-t-elle. Il y a des choses que l'on sent.

— Alors, vous allez vous retrouver dans un sérieux pétrin, marmonna Anne.

— Oh, Anne, ne soyez pas aveugle! Ne voyez-vous pas ce que ça signifie? Je ne pourrai jamais avoir Ralph, j'ai toujours su que je ne pourrais jamais l'avoir. Mais je l'ai, je l'ai! (Elle rit, pressa Justine contre elle avec tant de véhémence qu'Anne craignit que l'enfant ne pleurât mais, curieusement, le bébé n'en fit rien.) J'ai de Ralph la part que l'Eglise n'aura jamais, la part de lui qui se perpétuera de génération en génération. A travers moi, il continuera de vivre parce que je sais que ce sera un garçon! Et ce garçon aura des garçons qui engendreront des garçons à leur tour... Je battrai Dieu sur son propre terrain. J'aime Ralph depuis l'âge de dix ans, et je suppose que je l'aimerais encore si je devais vivre jusqu'à cent ans. Mais il n'est pas à moi, alors que son enfant le sera. A moi, Anne, à moi!

— Oh, Meggie! s'exclama Anne, désarmée.

Tombèrent la passion, l'exaltation; elle redevint une fois de plus la Meggie habituelle, tranquille et douce, mais abritant en elle un fragment d'acier, la capacité de beaucoup supporter. Maintenant, Anne avançait avec précaution, se demandant ce qu'elle avait fait au juste en envoyant Ralph de Bricassart à Matlock. Etait-il possible que quelqu'un changeât à ce point? Anne ne le croyait pas. Cet aspect avait toujours dû être présent en elle, si bien caché qu'il restait insoupçonnable. Meggie recelait infiniment plus qu'un fragment d'acier; en fait, elle était toute de métal.

— Meggie, si vous avez un peu d'affection pour moi, je voudrais que vous vous rappeliez quelque chose.

— J'essaierai, dit Meggie dont les paupières battirent sur les yeux gris.

— Au fil des ans, j'ai lu la plupart des ouvrages de Luddie, notamment ceux qui se rapportent à la Grèce antique dont les histoires me fascinent. On prétend que les Grecs ont un mot pour tout et qu'il n'existe pas de situations humaines que leurs auteurs n'aient dépeintes.

— Je sais. Moi aussi, j'ai lu certains des livres de Luddie.

— Alors, vous ne vous rappelez pas? Les Grecs prétendent que c'est pécher contre les dieux que d'aimer au delà de la raison. Et vous ne vous souvenez pas qu'ils disent que, lorsque quelqu'un est aimé de la sorte, les dieux en deviennent jaloux et le fauchent à la fleur de l'âge? Il y a une leçon à tirer de tout ça, Meggie. C'est un sacrilège que d'aimer trop.

— Un sacrilège, Anne, voilà le mot clef! Mais il n'y aura pas sacrilège dans mon amour pour l'enfant de Ralph, je l'aimerai avec toute la pureté que la Sainte Vierge portait à son fils.

Les yeux bruns d'Anne exprimaient une infinie tristesse.

— Oui, mais l'amour qu'elle lui portait était-il vraiment pur? L'objet de son amour a été fauché à la fleur de l'âge.

Meggie posa Justine dans son berceau.

— Ce qui doit être sera. Je ne peux pas avoir Ralph, mais son enfant, si. J'ai l'impression... oh! qu'enfin je peux assigner un but à ma vie... C'est ce qui a été le pire pour moi au cours des trois ans et demi qui viennent de s'écouler, Anne; il me semblait que ma vie n'avait aucun but. (Ses lèvres se tirèrent en un sourire brusque, résolu.) Je protégerai cet enfant de toutes les façons possibles, quel qu'en soit le prix pour moi. Et la première chose dans cet ordre d'idées est que personne, y compris Luke, ne puisse jamais prétendre qu'il n'a pas droit au seul nom que je sois en mesure de lui donner. La seule pensée de coucher avec Luke me rend malade, mais je m'y résoudrai. Je coucherais avec le diable en personne si cela pouvait assurer l'avenir de l'enfant. Puis je retournerai à Drogheda et j'espère que je ne reverrai jamais Luke. (Elle se tourna, abandonnant le berceau.) Est-ce que Luddie et vous viendrez nous voir? Drogheda a toujours des chambres pour les amis.

— Une fois l'an, aussi longtemps que vous le voudrez. Luddie et moi tenons à voir grandir Justine.

Seule la pensée de l'enfant de Ralph galvanisait le courage chancelant de Meggie tandis que le petit train tanguait et bringuebalait sur la voie menant à Ingham. Sans la nouvelle vie qu'elle était certaine d'abriter, coucher avec Luke eût représenté l'ultime péché contre elle-même; mais pour l'enfant de Ralph, elle aurait effectivement signé un pacte avec le diable.

Sur le plan pratique, les choses ne seraient pas faciles non plus, elle le savait. Mais elle avait établi ses plans avec soin et, bizarrement, Luddie l'avait aidée en ce sens. Il n'avait pas été possible de lui cacher grand-chose; il était trop avisé, trop proche d'Anne. Il avait regardé Meggie avec tristesse, secoué la tête, puis lui avait donné d'excellents conseils. Le véritable objet de la mission de Meggie n'avait pas été mentionné, évidemment, mais Luddie était trop au fait de la nature humaine pour ne pas comprendre à mi-mot.

— Il ne faut pas dire à Luke que vous allez le quitter au moment où il sera épuisé après avoir passé une journée à couper la canne, expliqua Luddie, non sans délicatesse. Il serait infiniment préférable que vous profitiez d'un jour où il sera de bonne humeur. Le mieux serait que vous le voyiez le samedi soir ou le dimanche qui suit la semaine où il aura été à la cuisine. La rumeur publique prétend que Luke est le meilleur cuisinier de l'équipe... il a fait son apprentissage quand il suivait les tondeurs et ceux-ci se montrent beaucoup plus pointilleux sur ce chapitre que les coupeurs de cannes. Autrement dit, la cuisine ne lui est pas pénible; il la considère probablement comme une activité de tout repos. Alors, voilà comment il faut procéder, Meggie. Apprenez-lui la nouvelle au moment où il sera en grande forme après une semaine passée dans la cuisine du baraquement.

Depuis quelque temps, il semblait que Meggie eût laissé très loin derrière elle le temps où elle rougissait; elle regarda fixement Luddie sans que la moindre roseur ne lui vînt aux joues.

— Vous serait-il possible de savoir quand Luke sera affecté à la cuisine, Luddie? Ou s'il y a une façon dont je pourrais le découvrir si vous n'êtes pas en mesure de l'apprendre?

— Oh! ne vous inquiétez pas, dit-il joyeusement. Je n'ai qu'à faire agir le téléphone arabe.

L'après-midi était déjà bien avancé quand Meggie s'inscrivit, ce samedi, à l'hôtel-bistrot d'Ingham qui lui parut le plus respectable. Toutes les villes du Queensland du Nord s'enorgueillissent de posséder des débits de boisson aux quatre angles de chaque pâté de maisons. Elle posa sa petite valise dans la chambre et regagna le hall dans l'espoir d'y découvrir un téléphone. Une équipe de rugby se trouvait en ville pour un match d'entraînement précédant la saison et les couloirs regorgeaient de joueurs à demi nus et totalement ivres qui, à sa vue, explosèrent en ovations et lui distribuèrent d'affectueuses tapes sur les fesses. Quand elle parvint enfin au téléphone, elle tremblait de peur; tout dans son aventure tenait du supplice mais, en dépit du tapage et des visages d'ivrognes qui se profilaient, elle réussit à appeler la ferme Braun où travaillait l'équipe de Luke. Elle demanda qu'on prévînt Luke O'Neill que sa femme était à Ingham et désirait le voir. Après quoi, devant l'effroi manifesté par sa cliente, le patron l'accompagna jusqu'à sa chambre et attendit qu'elle eût donné deux tours de clef.

Meggie s'adossa à la porte, bras et jambes coupés par le soulagement; même si elle ne devait pas prendre un seul repas jusqu'à son retour à Dunny, elle ne s'aventurerait pas dans la salle à manger. Par chance, sa chambre se trouvait à côté des toilettes des dames, ce qui devait lui permettre de s'y rendre chaque fois que ce serait nécessaire sans courir trop de risques. Dès qu'elle eut retrouvé l'usage de ses jambes, elle s'approcha du lit et s'y laissa tomber, tête baissée, le regard rivé sur ses mains tremblantes.

Tout au long du voyage, elle avait réfléchi à la meilleure façon de procéder, et tout en elle lui criait de faire vite, vite! Avant de vivre à Himmelhoch, elle n'avait jamais lu la description d'une scène de séduction et, maintenant encore, bien qu'éclairée par de tels récits, elle n'était pas très sûre de ses capacités dans ce domaine. Mais il lui fallait s'y résoudre car elle savait que lorsqu'elle aurait commencé à parler à Luke, tout serait consommé. La langue lui démangeait de lui dire ce qu'elle pensait réellement de lui, mais plus encore elle était tenaillée par la hâte de se retrouver à Drogheda avec l'enfant de Ralph auquel son sacrifice aurait donné un nom.

Frissonnante dans l'air sirupeux, elle se dévêtit et s'étendit sur le lit, yeux clos, s'efforçant de ne penser qu'à la sauvegarde de l'enfant de Ralph.

Les rugbymen n'inquiétèrent pas le moins du monde Luke quand il pénétra seul dans l'hôtel à 9 heures. La plupart d'entre eux cuvaient leur alcool et leurs camarades encore sur pied étaient trop ivres pour remarquer quoi que ce soit en dehors de leurs verres de bière.

Luddie avait vu juste; à la fin de sa semaine de cuisine, Luke était reposé, heureux d'un dérivatif et débordant de bonne volonté. Lorsque le fils de Braun avait apporté le message de Meggie au baraquement, il finissait la vaisselle du soir et envisageait de se rendre à bicyclette à Ingham afin de rejoindre Arne et les copains pour la fiesta habituelle du samedi soir. Il accueillit la perspective de retrouver Meggie comme un changement agréable; depuis leurs vacances à Atherton, il s'était surpris à la désirer de temps à autre en dépit de son épuisement physique. Seule, sa répugnance à entendre sa femme entonner la rengaine maison-foyer-famille l'avait empêché d'aller à Himmelhoch chaque fois qu'il se trouvait dans les parages de Dunny. Mais aujourd'hui, puisqu'elle s'était dérangée, il se réjouissait à l'idée de coucher avec elle. Il acheva rapidement la vaisselle et eut la chance d'être ramassé par un camion après avoir à peine pédalé sur cinq cents mètres. Pourtant, alors qu'il poussait sa bicyclette pour gagner l'hôtel où Meggie était descendue, une partie de son enthousiasme fondit. Toutes les pharmacies étaient fermées et il n'avait pas de préservatifs. Il s'immobilisa, regarda une vitrine emplie de chocolats piquetés de vermine, ramollis par la chaleur et constellés de mouches mortes, puis haussa les épaules. Ma foi, c'était un risque à courir. Une nuit seulement et, s'il y avait un enfant, avec un peu de chance ce serait peut-être un garçon cette fois.

Meggie sursauta nerveusement quand elle l'entendit frapper. Elle sauta à bas du lit et s'approcha de la porte.

— Qui est là?

— Luke.

Elle tourna la clef, entrouvrit la porte et passa derrière le battant quand Luke le repoussa. Dès qu'il fut entré, elle referma soigneusement et le considéra. Il la regardait; ses seins étaient plus gros, plus ronds, plus appétissants que jamais. Les tétons avaient perdu leur teinte rose pâle pour se parer d'un rouge soutenu depuis la naissance de l'enfant. S'il avait eu besoin du moindre stimulant, cette poitrine aurait largement suffi. Il s'avança, empoigna Meggie, la souleva et la porta sur le lit.

Lorsque vint le jour, elle ne lui avait pas encore adressé la parole, bien que le contact de cette peau satinée lui eût fait atteindre un degré de fièvre qu'il n'avait encore jamais connu jusque-là. Maintenant, étendue au bord du lit, elle lui paraissait curieusement lointaine.

Il s'étira paresseusement, bâilla, s'éclaircit la gorge.

— Alors, qu'est-ce qui t'amène à Ingham, Meg? s'enquit-il.

Elle tourna la tête, le considéra avec des grands yeux débordants de mépris.

— Alors, qu'est-ce qui t'amène? répéta-t-il, un rien irrité.

Pas de réponse, seulement le même regard fixe, vénéneux, comme si elle ne voulait même pas se donner la peine de parler. Ridicule après la nuit qu'ils venaient de passer.

Ses lèvres s'ouvrirent, elle sourit.

— Je suis venue t'annoncer que je retournais à Drogheda, laissa-t-elle tomber.

Un instant, il ne la crut pas, puis il la regarda avec plus d'attention et se rendit compte qu'elle ne badinait pas.

— Pourquoi? demanda-t-il.

— Je t'avais prévenu de ce qui arriverait si tu ne m'emmenais pas à Sydney, dit-elle.

L'étonnement qu'il manifesta n'était pas feint.

— Mais, Meg, ça remonte à dix-huit mois, et je t'ai offert des vacances! Quatre semaines à Atherton, elles m'ont coûté assez cher! Je ne pouvais pas me permettre de t'emmener à Sydney en plus!

— Depuis, tu es allé à Sydney à deux reprises, deux fois sans moi, dit-elle avec obstination. La première fois, je peux le comprendre puisque j'attendais Justine, mais Dieu sait que je serais volontiers partie en vacances au moment de la saison des pluies, en janvier.

— Oh, grand Dieu!

— Quel grippe-sou tu fais, Luke, continua-t-elle plus gentiment. Tu es à la tête de vingt mille livres, de l'argent qui m'appartient de plein droit, et tu lésines sur les quelques malheureuses livres que t'aurait coûtées mon voyage à Sydney. Toi et ton argent! Tu me rends malade!

— Je n'y ai pas touché! s'écria-t-il. Il est à la banque, tout, jusqu'au dernier sou, et j'en ajoute toutes les semaines.

— Oui, c'est bien ça. A la banque, là où il sera toujours. Tu n'as pas la moindre intention de le dépenser, n'est-ce pas? Tu veux seulement l'adorer, comme le veau d'or. Reconnais-le, Luke. Tu es avare. Et, qui plus est, un fieffé imbécile! Traiter ta femme et ta fille plus mal que des chiens, ignorer jusqu'à leur existence, sans parler de leurs besoins! Espèce d'égoïste, de bellâtre à la manque, de salaud!

Blême, tremblant, il cherchait ses mots; que Meg se dressât contre lui, surtout après la nuit qu'ils venaient de passer, lui paraissait aussi incongru que d'être mortellement mordu par un papillon. L'injustice des accusations qu'elle proférait le confondait, mais il semblait que rien ne saurait la convaincre de la pureté de ses intentions. Typiquement femme, elle ne voyait que l'apparence, incapable d'apprécier le grand dessein que masquait celle-ci.

— Oh, Meg! s'exclama-t-il d'un ton qui laissait percer stupéfaction, désespoir et résignation. Je ne t'ai jamais maltraitée. Non, absolument pas! Personne ne pourrait prétendre que j'ai été cruel envers toi. Personne! Tu as eu suffisamment à manger, un toit au-dessus de ta tête, tu as eu chaud...

— Oh, oui! coupa-t-elle. Ça, je te l'accorde; je n'ai jamais eu si chaud de ma vie! (Elle secoua la tête, éclata de rire.) A quoi bon? C'est comme si je parlais à un mur.

— Je pourrais en dire autant!

— Ne t'en prive surtout pas, rétorqua Meggie, glaciale, en sautant à bas du lit pour enfiler sa culotte. Je ne compte pas demander le divorce, reprit-elle. Je n'ai pas l'intention de me remarier. Si, de ton côté, tu voulais divorcer, tu saurais où me trouver. Légalement parlant, c'est moi qui suis fautive, n'est-ce pas? Je t'abandonne... ou tout au moins, c'est ainsi que la justice considérera les choses. Toi et le juge, vous pourrez pleurer dans le giron l'un de l'autre sur les perfidies et l'ingratitude des femmes.

— Meg, je ne t'ai jamais abandonnée, insista-t-il.

— Tu peux garder mes vingt mille livres, Luke. Mais tu n'obtiendras plus jamais un sou de moi. Mes revenus me serviront à élever Justine et peut-être un autre enfant si j'ai de la chance.

— Alors, c'était ça! s'emporta-t-il. Tout ce que tu cherchais, c'était encore un satané moutard, hein? C'est pour ça que tu es venue ici... un chant du cygne, un petit cadeau de moi que tu pourras ramener à Drogheda! Une autre saloperie de mouflet, pas moi! Ça n'a jamais été moi, n'est-ce pas? Pour toi, je ne suis qu'un étalon! Bon Dieu, quelle farce!

— C'est sous cet angle que la plupart des femmes considèrent les hommes, dit-elle non sans malice. Tu exaspères tout ce qu'il y a de mauvais en moi, Luke, et plus que tu ne le comprendras jamais. Sois beau joueur! Je t'ai gagné plus d'argent en trois ans et demi que tu n'en as obtenu de la canne à sucre. S'il y a un autre enfant, tu n'auras pas à t'en préoccuper. A partir de cet instant, je ne veux plus jamais te revoir, aussi longtemps que je vivrai.

Elle s'était rhabillée; elle saisit son sac et la petite valise près de la porte, se retourna, la main sur la poignée.

— Laisse-moi te donner un petit conseil, Luke. Il pourra t'être utile si un jour tu mets la main sur une autre femme, quand tu seras trop vieux et trop fatigué pour continuer à te donner à la canne... Sache que tu embrasses comme un sagouin. Tu ouvres trop grand la bouche, tu veux avaler la femme en entier, comme un python. C'est très joli la salive, mais trop, ça devient de la bave. (Elle s'essuya la bouche d'un revers de la main.) Tu me fais vomir, Luke O'Neill! Luke O'Neill, le grand c'est-moi-que! Tu n'es rien du tout!

Après son départ, il demeura assis sur le bord du lit, le regard fixé sur la porte close. Puis il haussa les épaules et commença à s'habiller. Opération rapide dans le Queensland du Nord. Seulement un short à enfiler. Et, s'il se dépêchait, il pourrait attraper un camion pour retourner au baraquement en compagnie d'Arne et des copains. Ce bon vieil Arne. Ce bon vieux camarade. L'homme est idiot. S'envoyer une femme, c'est bien joli, mais les copains, c'est autre chose!

LIVRE V

1938 - 1953

FEE

14

Préférant n'avertir personne de son retour, Meggie rentra à Drogheda par le camion postal en compagnie du vieux Bluey Williams, Justine dans un panier posé sur le siège à côté d'elle. Bluey se montra enchanté de la revoir et vivement intéressé par ses faits et gestes au cours des quatre dernières années; pourtant, quand ils se rapprochèrent du domaine, il garda le silence comprenant qu'elle souhaitait rentrer chez elle dans une atmosphère de paix.

Retour au brun et argent, retour à la poussière, retour à cette merveilleuse pureté et à cette austérité qui manquaient tant au Queensland du Nord. Pas de débauche végétale ici, pas de décomposition accélérée pour faire place à de nouvelles plantes, seulement une constance lente comme le cycle des constellations. Plus que jamais, des kangourous. Ravissants petits wilgas symétriques, ronds comme des matrones, presque timides. Galahs aux ventres roses planant en grandes vagues au-dessus du camion. Emeus en pleine course. Lapins bondissant avec effronterie hors de la route dans une bouffée poudreuse et blanche. Squelettes d'arbres morts, décolorés, tranchant sur l'herbe. Mirages de bosquets se découpant sur le lointain horizon incurvé, entrevus en traversant la plaine de Dibban-Dibban, alors que seules les lignes bleues et miroitantes de leurs bases indiquaient la réalité des arbres. Le bruit qui lui avait tant manqué, sans jamais imaginer qu'il pût lui manquer : le croassement désolé des corbeaux. Les voiles vaporeux et bruns de la poussière fouettée par le vent sec de l'automne évoquant des rideaux de pluie sale. Et l'herbe, l'herbe beige argenté du grand Nord-Ouest, s'étendant jusqu'au ciel comme une bénédiction.

Drogheda, Drogheda! Eucalyptus et poivriers géants, assoupis, bourdonnant d'abeilles. Parcs à bestiaux et bâtiments de grès jaunes, crémeux; insolites pelouses vertes entourant la grande maison, fleurs automnales des jardins, giroflées et zinnias, asters et dahlias, soucis et chrysanthèmes, roses, et encore des roses. Le gravier de l'arrière-cour, Mme Smith se dressant sur le seuil, bouche bée, puis riant, pleurant, Minnie et Cat arrivant en courant, vieux bras noueux comme des chaînes autour de son cœur. Car Drogheda était son foyer, et là était son cœur, à jamais.

Fee sortit pour voir ce qui causait un tel tapage.

— Bonjour, m'man. Je rentre à la maison.

Rien n'altéra les yeux gris mais, éclairée par la maturité qui lui était venue, Meggie comprit. M'man était heureuse; seulement, elle ne savait pas comment le montrer.

— As-tu quitté Luke? s'enquit Fee, estimant que Mme Smith et les servantes avaient tout autant qu'elle le droit d'être au courant.

— Oui. Je ne retournerai jamais auprès de lui. Il ne voulait pas d'un foyer, ni de ses enfants, ni de moi.

— Ses enfants?

— Oui. J'en attends un autre.

Un concert de oh! et de ah! de la part des servantes, et Fee donnant son opinion de cette voix mesurée sous laquelle perçait de la joie.

— S'il ne veut pas de toi, alors tu as eu raison de rentrer. Nous nous occuperons de toi ici.

Son ancienne chambre donnant sur l'enclos central, les jardins, et une chambre contiguë pour Justine, et pour l'autre enfant quand il arriverait. Oh, comme c'était bon d'être chez soi!

Bob aussi fut heureux de la voir. Il ressemblait de plus en plus à Paddy, un peu voûté et noueux, la peau cuite par le soleil, desséchée jusqu'aux os. Il avait la même et douce force de caractère mais, peut-être parce qu'il n'avait pas engendré une grande famille, il lui manquait l'attitude toute paternelle de Paddy, et il ressemblait aussi à Fee. Serein, maître de lui, peu enclin à exprimer ses sentiments et opinions. Il doit avoir à peu près trente-cinq ans, songea Meggie, soudain surprise, et il n'est toujours pas marié. Puis, Jack et Hughie se manifestèrent, répliques de Bob, sans son autorité; leurs sourires timides lui souhaitaient la bienvenue à Drogheda. Ce doit être ça, pensa-t-elle; s'ils sont timides, c'est à cause de la terre car la terre n'a que faire de faconde et de mondanités. Elle n'a besoin que de ce qu'ils apportent, un amour silencieux et une soumission sans faille.

Ce soir-là, tous les Cleary étaient à la maison afin de décharger un camion de céréales que Jims et Patsy étaient allés chercher à la coopérative de Gilly.

— Je n'ai jamais vu une telle sécheresse, Meggie, expliqua Bob. Pas de pluie depuis deux ans, pas une seule goutte d'eau, et ces satanés lapins causent encore plus de dégâts que les kangourous. Un vrai fléau. Ils mangent plus d'herbe que les moutons et les kangourous réunis! Il va falloir apporter des aliments dans les enclos, mais tu connais les moutons.

Meggie ne les connaissait que trop bien; des bêtes idiotes, incapables de comprendre de moins du monde où se trouvaient des éléments de survie. Le peu de cervelle que l'animal d'origine avait dû posséder était pratiquement anéanti à la suite des sélections opérées chez ces aristocrates de la laine. Les moutons se refusaient à manger autre chose que de l'herbe, à la rigueur des broussailles provenant de leur environnement naturel. Mais Drogheda ne disposait pas de suffisamment de main-d'œuvre pour couper les broussailles en vue d'alimenter un troupeau de cent mille bêtes.

— Si je comprends bien, je pourrai t'être utile, dit Meggie.

— Et comment! Si tu peux de nouveau surveiller les enclos les plus proches, tu libéreras un homme qui sera mieux employé à couper des broussailles.

Fidèles à leur parole, les jumeaux étaient rentrés définitivement. A quatorze ans, ils avaient abandonné Riverview pour hanter les plaines de terre noire. Déjà, ils évoquaient Bob, Jack et Hughie à leur période juvénile, portant les vêtements qui, progressivement, remplaçaient le vieux drap gris et la flanelle en tant qu'uniforme de l'éleveur du grand Nord-Ouest : culotte de velours côtelé, chemise blanche, feutre gris à calotte plate et à large bord, bottines de cheval s'arrêtant au-dessus de la cheville et à talons plats. Seule, la poignée de métis aborigènes, qui logeaient dans les bas-quartiers de Gilly, imitait les cow-boys de l'Ouest américain en bottes fantaisies à hauts talons et immenses chapeaux. Pour les habitants des plaines de terre noire, un tel accoutrement relevait d'une affectation ridicule, s'apparentant à une tout autre culture. On ne pouvait marcher à travers les broussailles en bottes à hauts talons, et on était souvent obligé de mettre pied à terre. Quant aux feutres démesurés, ils étaient infiniment trop lourds et trop chauds.

La jument alezane et le hongre noir étaient morts; vides, les écuries. Meggie affirma qu'elle se contenterait d'un cheval de travail, mais Bob alla trouver Martin King pour lui acheter deux demi-sang — une jument blanche à crinière et queue noires et un hongre alezan haut de jambes. Assez curieusement, la perte de la jument alezane causa un choc plus violent à Meggie que sa séparation d'avec Ralph, réaction à retardement, comme si le fait du départ de ce dernier s'en trouvait plus nettement sanctionné. Mais c'était si bon de hanter de nouveau les enclos, de chevaucher accompagnée des chiens, de manger la poussière soulevée par les troupeaux de moutons bêlants, d'observer les oiseaux, le ciel et la terre.

Il faisait terriblement sec. L'herbe de Drogheda avait toujours réussi à survivre aux périodes de sécheresse dont Meggie se souvenait mais, cette fois, il en allait différemment. Il ne subsistait que des touffes d'herbe entre lesquelles on distinguait le sol noir, craquelé en un fin réseau de fissures, béantes comme des bouches assoiffées. La responsabilité de cet état de choses incombait essentiellement aux lapins. Au cours des quatre annnées d'absence de Meggie, ceux-ci s'étaient démesurément multipliés, bien qu'ils eussent vraisemblablement constitué un fléau depuis longtemps. Mais en un laps de temps très court, leur nombre avait dépassé le point de saturation. Ils pullulaient, partout, et dévoraient l'herbe précieuse.

Elle apprit à poser les pièges à lapins. En dépit de l'horreur qu'elle ressentait à voir les charmantes petites créatures broyées par les dents d'acier, elle n'en était pas moins trop proche de la terre pour reculer devant une tâche indispensable. Tuer au nom de la survie ne relevait pas de la cruauté.

— Que le diable emporte le salaud qui avait le mal du pays et a trouvé le moyen d'importer les premiers lapins d'Angleterre! ne cessait de répéter Bob avec hargne.

Les lapins n'étaient pas originaires d'Australie et leur importation sentimentale avait totalement bouleversé l'équilibre écologique du continent, contrairement aux moutons et aux bovins, ceux-ci ayant fait l'objet d'un élevage scientifique dès leur introduction dans le pays. Il n'existait aucun prédateur naturel pour contrôler le nombre des lapins, et les renards importés ne s'acclimataient pas. L'homme devait donc s'ériger en prédateur; mais il y avait trop peu d'hommes et beaucoup trop de lapins.

Quand sa grossesse fut suffisamment avancée pour qu'elle ne pût plus se tenir en selle, Meggie resta à la maison où, en compagnie de Mme Smith, Minnie et Cat, elle s'occupa à coudre et à tricoter à l'intention du petit être qui s'agitait en elle. Il (elle était sûre que ce serait un garçon) s'incorporait à elle plus étroitement que Justine ne l'avait jamais fait; elle ne souffrait pas de malaises ni de dépression et envisageait sa mise au monde avec joie. Peut-être Justine était-elle la cause involontaire de cet état de choses; à présent que le bébé aux yeux pâles se transformait en une petite fille d'une vive intelligence, Meggie cédait à une véritable fascination devant le processus de changement et l'enfant elle-même. Il y avait bien longtemps que son indifférence à l'égard de Justine était tombée et elle désirait ardemment dispenser de l'amour à sa fille, l'étreindre, l'embrasser, rire avec elle. Certes, le fait d'essuyer une rebuffade polie la glaçait, mais c'est ainsi que Justine réagissait devant toute démonstration d'affection.

Quand Jims et Patsy étaient revenus à Drogheda, Mme Smith avait cru pouvoir les reprendre sous son aile et elle éprouva une vive déception en constatant qu'ils lui préféraient les chevauchées dans les enclos. Aussi Mme Smith se tourna-t-elle vers la petite Justine et se trouva-t-elle tout aussi énergiquement écartée que Meggie. Il semblait que Justine ne voulait pas être étreinte, embrassée, amusée.

Elle marcha et parla tôt, à neuf mois. Une fois capable de se déplacer sur ses petites jambes et même de s'exprimer avec beaucoup de précision, elle traça sa voie comme elle l'entendait et fit exactement tout ce qu'elle voulait. Non qu'elle fût bruyante ou effrontée, elle était simplement constituée d'un métal réellement très dur. Meggie ignorait tout des gènes, sinon, elle aurait peut-être réfléchi à ce qui pouvait résulter d'un mélange de Cleary, Armstrong et O'Neill. Brassage ne pouvant que créer un puissant bouillonnement humain.

Mais ce qui déroutait surtout chez Justine était son refus obstiné de sourire ou de rire. Chacun des habitants de Drogheda mit tout en œuvre pour tenter d'arracher un sourire à la fillette, mais en vain. Sur le plan de la solennité innée, Justine surpassait sa grand-mère.

Le 1er octobre, alors que Justine avait exactement seize mois, le fils de Meggie vint au monde à Drogheda. Il avait presque quatre semaines d'avance sur les prévisions et n'était donc pas attendu. Après deux ou trois vives contractions, la poche des eaux se rompit, et il fut libéré par Mme Smith et Fee quelques minutes après que le docteur eut été appelé par téléphone. Meggie eut à peine le temps de se dilater. Les douleurs étant réduites à un minimum, l'épreuve arriva si rapidement à conclusion qu'elle put être jugée pratiquement inexistante; en dépit des points de suture qui se révélèrent indispensables tant la venue de l'enfant avait été précipitée, Meggie se sentait merveilleusement bien. Totalement secs pour Justine, ses seins étaient gonflés à l'extrême. Cette fois, inutile d'avoir recours aux biberons et aux boîtes de lait.

Et il était si beau! Un corps long, fin, des cheveux blonds couronnant son petit crâne parfait, des yeux bleu clair qui ne laissaient présager aucun changement ultérieur. Comment auraient-ils pu virer d'ailleurs? C'étaient les yeux de Ralph. Et il avait les mains de Ralph, le nez, la bouche, et même les pieds de Ralph. L'amoralité de Meggie lui permettait d'être heureuse à l'idée que Luke eût à peu près la même stature, le même teint et des traits relativement proches de ceux de Ralph. Mais les mains du bébé, la façon dont ses sourcils se rejoignaient, ses petites mèches déjà rebelles, la forme de ses doigts et de ses orteils s'apparentaient tant à Ralph et si peu à Luke... Mieux valait que personne ne se souvînt des caractéristiques propres à chacun de ces deux hommes.

— Lui as-tu choisi un nom? s'enquit Fee qui paraissait fascinée par l'enfant.

Meggie observa sa mère qui tenait le bébé dans ses bras et elle en éprouva de la joie. M'man allait de nouveau aimer. Oh! peut-être pas de la façon dont elle avait aimé Frank mais, au moins, un sentiment l'habiterait.

— Je vais l'appeler Dane.

— Quel nom bizarre! Pourquoi? Est-ce un prénom courant dans la famille O'Neill? Je croyais pourtant que tu en avais fini avec les O'Neill.

— Ça n'a rien à voir avec Luke. C'est *son* nom que je lui donne, pas celui de quelqu'un d'autre. J'ai horreur des prénoms en usage dans une famille, c'est un peu comme si on souhaitait accoler un morceau d'individu existant déjà à la personnalité d'un nouveau-né. J'ai appelé ma fille Justine simplement parce que ce prénom me plaisait, et j'appelle mon fils Dane pour la même raison.

— Ma foi, ça sonne bien, reconnut Fee.

Les traits de Meggie se tirèrent en une grimace; ses seins gorgés de lait la lancinaient.

— Tu ferais bien de me le donner, M'man. Oh, j'espère qu'il a faim, très faim! Pourvu que le vieux Bluey n'oublie pas le tire-lait! Autrement, tu seras obligée d'aller à Gilly pour en rapporter un.

Il avait faim; il aspira avec tant de force que les petites gencives serrées sur le bout de sein communiquèrent une douleur à la jeune mère. En contemplant le bébé, yeux clos aux cils sombres pailletés d'or, sourcils duveteux, minuscules joues goulues, Meggie sentit monter en elle un amour si violent qu'elle en éprouva une sorte de souffrance, plus vive que ne pourraient jamais lui causer les tétées.

Il me comble; il faut qu'il me comble puisque je ne pourrai jamais avoir rien d'autre. Mais, par Dieu! Ralph de Bricassart, en raison même de ce Dieu que tu aimes plus que moi, tu ne sauras jamais ce que je t'ai volé — et ce que je lui ai volé. Je ne te parlerai jamais de Dane. Oh, mon enfant! Elle le déplaça sur les oreillers pour l'installer plus confortablement au creux de son bras, pour mieux voir le parfait petit visage. Mon enfant! Tu es à moi, et je ne te confierai jamais à qui que ce soit, surtout pas à ton père qui est prêtre et ne peut te reconnaître. N'est-ce pas merveilleux?

Le bateau accosta à Gênes au début d'avril. L'archevêque de Bricassart débarqua dans une Italie embrasée par le printemps méditerranéen et il prit le train à destination de Rome. S'il en avait formulé le désir, le Vatican lui aurait envoyé une voiture avec chauffeur pour le conduire à Rome. Mais il craignait de sentir l'Eglise se refermer de nouveau sur lui et il souhaitait repousser le moment de l'épreuve aussi longtemps que possible. La Ville éternelle. Elle porte bien son nom, songea-t-il en regardant, à travers la glace du taxi, campaniles et dômes, places émaillées de pigeons, fontaines majestueuses, colonnes romaines dont les bases s'enfonçaient profondément dans les siècles. Pour lui, tout cela présentait peu d'intérêt. Seul lui importait le Vatican avec ses somptueuses salles de réception, ses austères appartements privés.

Un moine dominicain, vêtu de bure blanche et noire, le précéda le long des grands halls de marbre, à travers moult statues de bronze et de pierre qui n'auraient pas déparé un musée, se détachant sur de grandes fresques s'apparentant à Giotto, Raphaël, Botticelli et Fra Angelico. Il traversa la salle de réception d'un grand cardinal et, sans aucun doute, la riche famille di Contini-Verchese s'était montrée libérale pour rehausser le décor des appartements de son auguste rejeton.

Dans une pièce ivoire et or qui mettait en valeur les couleurs des tapisseries et des tableaux, les meubles et les tapis venus de France ainsi que les touches de pourpre qui se détachaient çà et là, se tenait Vittorio Scarbanza, cardinal di Contini-Verchese. La petite main lisse, ornée du scintillant rubis, se tendit vers Ralph en un geste de bienvenue; heureux de pouvoir baisser les yeux, l'archevêque de Bricassart traversa la salle, s'agenouilla et saisit les doigts pour embrasser l'anneau. Et il pressa sa joue contre la main, sachant qu'il ne pourrait mentir, bien qu'il en ait eu l'intention jusqu'à l'instant où ses lèvres avaient effleuré ce symbole de pouvoir spirituel, d'autorité temporelle.

Le cardinal di Contini-Verchese posa son autre main sur l'épaule courbée, congédia le moine d'un signe de tête puis, tandis que la porte se refermait doucement, ses doigts quittèrent l'épaule, se posèrent sur les cheveux fournis, les caressèrent tendrement. Les boucles avaient subi l'épreuve du temps; bientôt, elles ne seraient plus noires et leur couleur rejoindrait celle du

fer. L'échine courbée se raidit, les épaules se redressè-
rent et l'archevêque de Bricassart leva les yeux vers le
visage de son maître.

Ah, il y avait bien eu changement! La bouche s'était
étirée; elle avait connu la douleur et se révélait plus
vulnérable; les yeux, toujours aussi beaux de couleur et
de forme, n'en étaient pas moins très différents de ceux
qu'il se rappelait. Le cardinal di Contini-Verchese avait
toujours imaginé les yeux de Jésus bleus et, comme
ceux de Ralph, calmes, allant au-delà de ce qu'il voyait
et donc en mesure de tout englober, de tout comprendre. Mais peut-être s'agissait-il d'une fantaisie de son
imagination. Comment pourrait-on percevoir les souffrances de l'humanité et souffrir soi-même sans que
cela ne se reflète dans les yeux?

— Venez vous asseoir, Ralph.

— Votre Eminence, je voudrais me confesser.

— Plus tard, plus tard! Tout d'abord, nous avons à
parler, et en anglais. De nos jours, les murs ont des
oreilles mais, grâces en soient rendues à notre doux
Jésus, peu d'oreilles entendent l'anglais. Asseyez-vous,
Ralph, je vous en prie. Oh, comme c'est bon de vous
voir! Vos sages conseils, votre logique, votre conception
parfaite de l'amitié m'ont manqué. On ne m'a jamais
adjoint qui que ce soit pour lequel je puisse éprouver
ne serait-ce qu'une infime parcelle de la sympathie que
je vous porte.

Il pouvait percevoir le mécanisme de son cerveau en
train de se plier, déjà, au cérémonial; même ses pensées
revêtaient un tour plus guindé. Mieux que la plupart
des individus, Ralph de Bricassart savait combien un
être change selon la compagnie, jusque dans sa façon
de parler. Pas, pour les oreilles en question, l'anglais
populaire et courant. Et il s'assit dans un fauteuil proche, juste en face de la forme menue, vêtue de pourpre
moirée à la couleur changeante et pourtant immuable,

d'une propriété telle que les bords se fondaient au cadre ambiant plutôt qu'ils ne s'en détachaient.

L'atroce lassitude qu'il avait connue depuis des semaines semblait lui peser un peu moins sur les épaules; il se demandait pourquoi il avant tant redouté cette rencontre alors qu'au fond du cœur il devait savoir qu'il serait compris, pardonné. Mais là n'était pas la question, pas du tout. Il se débattait contre sa propre culpabilité, le fait d'avoir failli, de se révéler moindre que ce qu'il avait aspiré à être, de décevoir un homme qui s'était intéressé à lui, se montrant extraordinairement bon, un ami véritable. Il se sentait coupable en affrontant cette présence pure alors que lui-même n'était plus un pur.

— Ralph, nous sommes prêtres, mais pas seulement prêtres; nous ne pouvons échapper à notre destin en dépit de notre soif d'absolu. Nous sommes des hommes avec les faiblesses et les défauts des hommes. Rien de ce que vous pourriez me dire ne saurait altérer l'image que je me suis faite de vous au cours des années que nous avons passées ensemble; rien de ce que vous pourriez me dire ne saurait vous amoindrir à mes yeux et ternir l'amitié que je vous porte. De nombreuses années durant, j'ai su que vous n'aviez pas pris conscience de notre faiblesse intrinsèque, de notre condition d'homme, mais je savais que vous y viendriez car nous y venons tous. Même le Saint-Père qui est le plus humble et le plus humain de nous tous.

— J'ai rompu mes vœux, Votre Eminence. Ce n'est pas aisément pardonnable. C'est un sacrilège.

— Vous avez rompu le vœu de pauvreté il y a bien des années, quand vous avez accepté le legs de Mary Carson. Cela nous laisse la chasteté et l'obéissance, n'est-ce pas?

— Alors, tous trois sont rompus, Votre Eminence.

— Je souhaiterais que vous m'appeliez Vittorio comme autrefois! Je ne suis pas choqué, Ralph, ni déçu.

Telle était la volonté de Dieu, et je crois que vous aviez peut-être une grande leçon à apprendre qui ne pouvait être assimilée de façon moins destructrice. Les voies du Seigneur sont impénétrables. Mais je pense que vous n'avez pas agi à la légère, que vous n'avez pas rejeté vos vœux sans lutter. Je vous connais bien. Je sais que vous êtes fier, très imbu de votre état de prêtre, très conscient de votre soif d'absolu. Il est possible que vous ayez eu besoin de la leçon en question pour rabaisser votre orgueil, vous faire comprendre que vous êtes avant tout un homme et, en conséquence, pas aussi pétri d'absolu que vous le pensiez. N'est-ce pas le cas?

— Si. Il me manquait l'humilité, et j'ai l'impression que, d'une certaine façon, j'aspirais à être Dieu. J'ai péché gravement et sans la moindre excuse. Je ne peux me pardonner, alors comment pourrais-je espérer le pardon divin?

— Encore l'orgueil, Ralph, l'orgueil! Il ne vous appartient pas de pardonner, ne le comprenez-vous pas encore? Seul Dieu peut pardonner. Dieu seulement! Et il pardonnera si le repentir est sincère. Il a pardonné des péchés beaucoup plus graves à de grands saints comme à de grands scélérats. Croyez-vous que Lucifer ne soit pas un pardonné? Il l'a été dès l'instant de sa rébellion. Son destin, en tant que prince de l'enfer, est son œuvre, pas celle de Dieu. Ne l'a-t-il pas déclaré? « Mieux vaut régner en enfer que servir au ciel! » Car il ne pouvait vaincre son orgueil, il ne pouvait supporter l'idée de soumettre sa volonté à la volonté de quelqu'un d'autre, même si ce quelqu'un était Dieu. Je ne veux pas vous voir commettre la même erreur, mon très cher ami. L'humilité était la seule qualité qui vous manquait, et c'est la qualité essentielle d'un grand saint... ou d'un grand homme. Tant que vous n'aurez pas abandonné le pardon à Dieu, vous n'aurez pas acquis l'humilité véritable.

Le visage énergique se crispa.

— Oui, je sais que vous avez raison. Je dois accepter ce que je suis sans question, m'efforcer simplement de m'améliorer sans éprouver l'orgueil de ce que je suis. Je me repens; je me confesserai donc et attendrai le pardon. Je me repens réellement, amèrement.

Il soupira; ses yeux trahissaient le conflit qui l'agitait mieux que ses paroles mesurées ne pouvaient l'exprimer, tout au moins dans cette pièce.

— Et pourtant, Vittorio, en un sens, je ne pouvais agir autrement. Ou je la détruisais, ou je prenais sur moi la destruction. Sur le moment, il m'a semblé ne pas avoir le choix parce que je l'aime sincèrement. Ce n'était pas sa faute si je m'étais toujours refusé à prolonger l'amour sur le plan physique. Son sort devenait plus important que le mien, voyez-vous. Jusqu'à cet instant, je m'étais toujours placé au-dessus d'elle parce que j'étais prêtre et que je la considérais comme un être de moindre importance. Mais j'ai compris que j'étais responsable de ce qu'elle est... J'aurais dû me détourner d'elle quand elle était enfant, mais je n'en ai rien fait. Je l'abritais dans mon cœur et elle le savait. Si je l'en avais sincèrement arrachée, elle l'aurait su aussi, et j'aurais perdu toute influence sur elle. (Il sourit.) Vous voyez que j'ai tout lieu de me repentir. Je me suis essayé à une petite création personnelle.

— C'était la Rose?

L'archevêque de Bricassart rejeta la tête en arrière; ses yeux se fixèrent sur le plafond aux moulures dorées, tourmentées, s'accrochèrent au lustre baroque en verre de Murano.

— Aurait-il pu s'agir de quelqu'un d'autre? Elle est mon unique tentative de création.

— Et n'en souffrira-t-elle pas, la Rose? Ne lui avez-vous pas causé plus de mal ainsi qu'en la repoussant?

— Je ne sais pas, Vittorio. Comme je voudrais le

savoir! Sur le moment, il m'a semblé impossible d'agir autrement. Je ne suis pas doué de la prescience de Prométhée, et l'émotion dont on est l'objet en de tels instants influe sur le jugement. D'ailleurs, c'est simplement... arrivé! Mais je crois que je lui ai peut-être donné ce dont elle avait le plus besoin, la reconnaissance de son identité en tant que femme. Je ne veux pas dire qu'elle ne savait pas qu'elle était femme mais, moi, je ne le savais pas. Si je l'avais rencontrée en tant que femme la première fois, les choses auraient peut-être été éclairées d'un jour différent, mais je l'ai connue en tant qu'enfant.

— Vous paraissez faire preuve de suffisance, Ralph, et ne pas être encore prêt au pardon. C'est douloureux, n'est-ce pas? Douloureux de vous être montré suffisamment humain pour céder à une faiblesse humaine. Avez-vous réellement agi dans un tel esprit de noble sacrifice?

Avec un sursaut, il regarda dans les yeux sombres et s'y vit reflété en deux minuscules figures aux proportions insignifiantes.

— Non, reconnut-il. Je suis homme et en tant qu'homme j'ai découvert avec elle un plaisir insoupçonné. J'ignorais que le contact d'une femme fût tel, ou qu'il pût être source d'une joie aussi profonde. Je ne voulais jamais la quitter, pas seulement à cause de son corps, mais simplement parce que j'aimais être avec elle... lui parler, ne pas lui parler, manger la nourriture qu'elle préparait, lui sourire, partager ses pensées. Elle me manquera aussi longtemps que je vivrai.

Quelque chose apparut dans le visage ascétique, au teint brouillé, qui, assez inexplicablement, lui rappela les traits de Meggie au moment de leur séparation; le reflet d'un fardeau spirituel dont un autre se charge, la fermeté d'un caractère capable d'aller de l'avant en dépit de sa douleur, de ses chagrins, de sa peine. Que savait-il, le cardinal vêtu de soie pourpre dont le seul penchant humain semblait se limiter à sa langoureuse chatte abyssinienne?

— Je suis incapable de me repentir de ce qu'elle m'a apporté, reprit Ralph devant le silence de Son Eminence. Je me repens d'avoir rompu des vœux solennels et irrévocables. Jamais je ne pourrai aborder les devoirs de ma charge sous le même jour, avec le même zèle. De cela, je me repens amèrement. Mais en ce qui concerne Meggie...?

L'expression de son visage en proférant le nom incita le cardinal di Contini-Verchese à se détourner pour se colleter avec ses propres pensées.

— Me repentir en ce qui concerne Meggie elle-même équivaudrait à l'assassiner, poursuivit Ralph en portant à ses yeux une main lasse. Je ne sais pas si je suis très clair ni même si mes paroles reflètent fidèlement ma pensée. Il me paraîtra toujours impossible d'exprimer par des mots ce que je ressens pour Meggie.

Il se pencha légèrement dans son fauteuil quand le cardinal reporta les yeux sur lui et observa ses images jumelles qui semblaient s'amplifier quelque peu. Les yeux de Vittorio évoquaient des miroirs; ils reflétaient ce qu'ils voyaient sans autoriser le moindre regard sur ce qu'ils recelaient profondément. Les yeux de Meggie, au contraire, accueillaient le regard qui pouvait la sonder jusqu'à l'âme.

— Pour moi, Meggie est une bénédiction, laissa-t-il tomber. Elle représente un vase sacré, une autre sorte de sacrement.

— Oui, je comprends, acquiesça le cardinal avec un soupir. Il est bon que vous éprouviez un tel sentiment. Je crois qu'aux yeux de Notre-Seigneur cela atténuera la faute. Pour votre bien, je vous conseille de vous confesser au père Giorgio, pas au père Guillermo. Le père Giorgio ne se méprendra pas sur vos sentiments et vos raisons. Il décèlera la vérité. Le père Guillermo est moins intuitif, et il risquerait de juger discutable votre véritable repentir. (Un sourire léger joua sur ses lèvres fines comme une ombre fugitive.) Eux aussi sont des hommes, mon cher Ralph, des hommes qui entendent les confesssions des grands. Ne l'oubliez jamais. Ce n'est que dans le cadre de leur prêtrise qu'ils agissent comme les réceptacles de Dieu. Pour tout le reste, ce sont des hommes. Et le pardon qu'ils accordent vient de Dieu, mais les oreilles qui écoutent et jugent appartiennent à des hommes.

Un coup discret fut frappé à la porte; le cardinal di Contini-Verchese garda le silence et observa le plateau du thé que l'on venait déposer sur une table Boulle.

— Vous voyez, mon cher Ralph, depuis mon séjour en Australie, je m'adonne à l'habitude du thé de l'après-midi. On le prépare très bien dans nos cuisines, mais ce n'était pas le cas au début. (Il leva la main lorsque l'archevêque de Bricassart esquissa un geste vers la théière.) Non, laissez. Je le servirai moi-même. Ça m'amuse de jouer les maîtresses de maison.

— J'ai aperçu un grand nombre de chemises noires dans les rues de Gênes et de Rome, remarqua Ralph en regardant son supérieur verser le thé.

— Les cohortes du Duce. Nous devrons faire face à une époque très difficile, mon cher Ralph. Le Saint-Père exige qu'il n'y ait aucune rupture entre l'Eglise et le gouvernement séculier de l'Italie, et il a raison, comme en toutes choses. Quel que soit le déroulement des événements, nous devons rester libres afin de prendre soin de tous nos fidèles, même si ceux-ci devaient être séparés par une guerre et se combattre les uns les autres, au nom d'un même dieu. Quel que soit le penchant de notre cœur et de nos sentiments, nous devons toujours nous efforcer de garder l'Eglise au-dessus de la mêlée, des idéologies politiques et des controverses internationales. J'ai voulu que vous soyez attaché à ma personne parce que je sais que l'expression de votre visage ne trahira jamais vos pensées quel que soit ce à quoi vous serez confronté, et parce que je sais aussi que vous êtes un diplomate-né.

Ralph esquissa un sourire triste.

— Vous favorisez ma carrière à mon corps défendant, n'est-ce pas? Je me demande ce qu'il serait advenu de moi si je ne vous avais pas rencontré.

— Oh! vous seriez devenu archevêque de Sydney, poste agréable et important, assura Son Eminence avec un sourire éclatant. Mais il ne nous appartient pas de choisir les voies qu'emprunteront nos vies. Nous nous sommes rencontrés parce qu'il devait en être ainsi, de même que nous devons maintenant œuvrer ensemble sous la direction du Saint-Père.

— Je ne vois pas la réussite au bout du chemin, déclara l'archevêque de Bricassart. J'ai l'impression que le résultat sera celui de l'impartialité, comme toujours. Personne ne nous approuvera, et tout le monde nous condamnera.

— Je le sais, et Sa Sainteté le sait aussi. Mais nous ne pouvons agir autrement. Et rien n'empêchera qu'au fond du cœur nous priions pour la chute rapide du Duce et du Führer.

— Croyez-vous réellement à la guerre?

— Je ne vois aucune possibilité de l'éviter.

La chatte de Son Eminence abandonna le coin ensoleillé où elle avait dormi et sauta sur les genoux rutilants de son maître, avec un peu moins de souplesse car elle était vieille.

— Ah, Sheba! Dis bonjour à notre vieil ami Ralph qu'il t'arrivait de me préférer.

Les sataniques yeux jaunes considérèrent l'archevêque de Bricassart avec hauteur et se fermèrent. Les deux hommes rirent.

Drogheda possédait un appareil de T.S.F. Le progrès avait fini par investir Gillanbone sous forme d'une station de radiodiffusion, et, enfin, il existait un concurrent à la ligne de téléphone commune pour divertir les habitants de la région. En soi, le poste de T.S.F., revêtu d'une ébénisterie de noyer, était un objet assez laid; il trônait sur le ravissant secrétaire du salon et sa source d'énergie, une batterie d'automobile, était dissimulée dans la partie inférieure du meuble.

Chaque matin, Fee, Meggie et Mme Smith en tournaient le bouton afin d'écouter les nouvelles régionales et le bulletin météorologique; chaque soir, Fee et Meggie branchaient l'appareil pour entendre les nouvelles nationales. Comme il était étrange d'être immédiatement relié avec l'extérieur, d'entendre parler des inondations, des incendies, des précipitations pluvieuses survenus dans chaque coin du pays, d'une Europe inquiète, de la politique australienne, sans avoir recours à Bluey Williams et à ses journaux périmés.

Lorsque le journal de la chaîne nationale de radiodiffusion annonça le vendredi 1er septembre 1939 qu'Hitler avait envahi la Pologne, seules Meggie et Fee se trouvaient à la maison pour l'entendre et ni l'une ni l'autre ne prêta attention à la nouvelle. On s'y attendait depuis des mois; d'ailleurs, l'Europe était à l'autre bout du monde. Rien à voir avec Drogheda, le centre de l'univers. Mais le dimanche 3 septembre, tous les hommes étaient rentrés des enclos pour entendre la messe dite par le père Watty Thomas et, eux, s'intéressaient à l'Europe. Ni Fee ni Meggie n'avaient songé à leur faire part des nouvelles du vendredi; de son côté, le père Watty, qui aurait pu leur en parler, était rapidement parti pour Narrengang.

Comme à l'accoutumée, le poste de T.S.F. fut branché ce soir-là afin d'écouter les nouvelles nationales. Mais en lieu et place du ton incisif de l'habituel speaker à l'accent d'Oxford, s'éleva la voix douce et typiquement australienne du Premier ministre, Robert Gordon Menzies.

« Mes chers compatriotes, j'ai le pénible devoir de vous informer officiellement des conséquences qu'entraîne l'invasion de la Pologne perpétrée par l'Allemagne à laquelle la Grande-Bretagne vient de déclarer la guerre; de ce fait, l'Australie se trouve aussi impliquée dans le conflit...

« Il apparaît clairement que l'ambition d'Hitler ne se limite pas au rassemblement des peuples germaniques sous une même bannière, mais bien qu'il vise à étendre sa domination sur tous les pays qu'il pourra contraindre par la force. Si les nations libres ne s'opposaient pas à son projet, il n'y aurait plus en Europe et dans le monde aucune sécurité... Il va de soi que la position prise par la Grande-Bretagne est partagée par la totalité des peuples de l'Empire britannique...

« Notre résistance et celle de la mère patrie seront renforcées par notre production, la poursuite de nos occupations et de notre commerce, la coopération de tous à l'effort de guerre car c'est là notre force. Je sais qu'en dépit de l'émotion qui nous étreint en cette minute, l'Australie est prête à aller jusqu'au bout...

« Fasse que Dieu, dans sa grande bonté et sa miséricorde, délivre bientôt le monde de l'angoisse dans laquelle les peuples libres sont plongés. »

Dans le salon, suivit un long silence que vint rompre une allocution de Neville Chamberlain qui s'adressait aux peuples britanniques par le canal des ondes courtes; Fee et Meggie dévisageaient les hommes.

— En comptant Frank, nous sommes six, laissa tomber Bob dans le silence compact. Tous, Frank mis à part, sommes considérés comme fermiers; de ce fait,

114

nous ne serons pas appelés. Sur les ouvriers-éleveurs dont nous disposons actuellement, j'estime que six voudront partir et que deux préféreront rester.

— Je veux m'engager! s'écria Jack, les yeux brillants.

— Moi aussi, renchérit Hughie.

— Et nous deux aussi! affirma Jims pour son compte personnel et celui de Patsy, muet comme à l'accoutumée.

Mais tous gardaient les yeux rivés sur Bob, le patron.

— Nous devons nous montrer raisonnables, déclara Bob. La laine est une matière première indispensable à l'effort de guerre, et pas seulement pour les vêtements; on l'utilise dans la fabrication des munitions et explosifs et pour toutes sortes de trucs bizarres dont nous ne sommes pas au courant. Par ailleurs, nous disposons de bétail pour le ravitaillement et de moutons pour la fourniture de peaux, colle, suif, lanoline... tous produits de première nécessité dans une guerre.

« Nous ne pouvons donc pas partir et abandonner Drogheda, quel qu'en soit notre désir. Avec la guerre, il sera probablement très difficile de remplacer les ouvriers que nous perdrons. La sécheresse en est à sa troisième année; nous en sommes réduits à couper les broussailles et les lapins nous font tourner en bourriques. Pour le moment, notre devoir consiste à rester ici, à Drogheda, pas très exaltant en comparaison des champs de bataille, mais tout aussi nécessaire. Nous sommes plus utiles ici.

Les visages masculins s'affaissaient, ceux des femmes s'illuminaient.

— Et que se passera-t-il si la guerre dure plus longtemps que semble le croire ce bon vieux Robert la Fonte? s'enquit Hughie, donnant au Premier ministre son sobriquet national.

Bob s'abîma dans la réflexion; les rides de son visage tanné se creusèrent encore plus profondément.

— Si les choses tournent plus mal et si ça dure vraiment longtemps, j'estime que, tant que nous aurons deux ouvriers, nous pourrons voir partir deux Cleary, mais uniquement si Meggie est prête à reprendre le collier et à s'occuper des enclos les plus proches. Ce serait rudement dur et, en temps normal, nous n'aurions pas la moindre chance de nous en tirer mais, avec cette sécheresse, je suppose que cinq hommes et Meggie travaillant sept jours par semaine pourraient assurer le roulement de Drogheda. Pourtant, c'est beaucoup demander à Meggie avec ses deux gosses en bas âge.

— Sois tranquille, Bob; s'il le faut, je tiendrai le coup, assura Meggie. Mme Smith ne rechignera pas si je lui demande de se charger de Justine et de Dane. Dès que tu jugeras qu'on a besoin de moi pour maintenir la production de Drogheda, je me chargerai des enclos intérieurs.

— Alors, ce serait nous les deux hommes dont Drogheda pourrait se passer! s'écria Jims en souriant.

— Non, c'est Hughie et moi! intervint vivement Jack.

— Logiquement, ce devrait être Jims et Patsy, laissa lentement tomber Bob. Ce sont les plus jeunes et les moins expérimentés dans l'élevage alors qu'en tant que soldats nous sommes tous des bleus. Mais vous oubliez que vous venez tout juste d'avoir seize ans, les gars.

— Avant que la situation n'empire, nous en aurons dix-sept, rétorqua Jims. Nous faisons plus vieux que notre âge et nous n'aurons aucune difficulté pour nous engager avec une lettre de toi certifiée par Harry Gough.

— En tout cas, pour le moment, personne ne part! Nous allons voir si nous ne pouvons pas obtenir une plus forte production de Drogheda malgré cette maudite sécheresse et ces saloperies de lapins.

Meggie se glissa sans bruit hors de la pièce et monta jusqu'à la chambre des enfants. Chacun dans son petit lit peint en blanc, Dane et Justine dormaient. Elle passa devant sa fille et se pencha sur son fils qu'elle contempla longuement.

— Dieu merci, tu n'es encore qu'un bébé, murmura-t-elle.

Près d'une année s'écoula avant que la guerre ne fît intrusion dans le petit univers de Drogheda; une année au cours de laquelle, un à un, les ouvriers quittèrent le domaine, les lapins continuèrent à se multiplier, et qui vit Bob se débattre vaillamment afin que les registres de la propriété fissent état d'un effort de guerre valable. Mais, au début de juin 1940, on apprit que le corps expéditionnaire britannique avait dû être évacué de l'Europe continentale à Dunkerque; des volontaires pour la deuxième force impériale australienne se ruèrent par milliers vers les centres de recrutement; Jims et Patsy se trouvaient parmi eux.

Quatre années à chevaucher dans les enclos par tous les temps avaient endurci les visages et les corps des jumeaux qui n'avaient plus rien de juvénile; par contre, ils atteignaient ce stade calme, sans âge, avec des rides au coin des yeux, de profonds sillons courant le long du nez jusqu'à la bouche. Ils présentèrent leurs lettres et furent enrôlés sans commentaires. Les broussards étaient bien vus. Généralement, ils tiraient bien, savaient obéir aux ordres et se montraient coriaces.

Jims et Patsy s'étaient engagés à Dubbo, mais ils furent affectés au camp d'entraînement d'Ingleburn, dans la banlieue de Sydney, et toute la famille les accompagna lorsqu'ils prirent le train du soir. Cormac Carmichael, le plus jeune fils d'Eden, se trouvait dans le convoi pour la même raison, lui aussi envoyé au camp d'Ingleburn. Les deux familles firent embarquer leurs rejetons confortablement dans un compartiment de première classe et piétinèrent gauchement sur place, grillant de se laisser aller aux larmes et aux embrassades afin d'avoir un souvenir chaleureux à conserver, mais ces sentiments étaient étouffés par la curieuse répugnance, toute britannique, de céder à une manifestation d'émotion. La grosse locomotive à vapeur hulula lugubrement, le chef de gare porta le sifflet à ses lèvres.

Non sans une certaine gêne, Meggie se pencha pour embrasser ses frères sur la joue, puis elle agit de même avec Cormac, ressemblant comme deux gouttes d'eau à son frère aîné, Connor. Bob, Jack et Hughie serrèrent la main aux trois jeunes gens; Mme Smith, en larmes, fut la seule à se livrer aux embrassades et aux épanchements auxquels tous auraient souhaité se laisser aller. Eden Carmichael, sa femme et sa fille, toujours jolie bien qu'elle ne fût plus de la première jeunesse, se plièrent aux même formalités. Puis, chacun s'éloigna du bord du quai tandis que le train se mettait en branle avec quelques sursauts et s'éloignait lentement.

— Au revoir! Au revoir! criait-on de toutes parts.

Et d'agiter de grands mouchoirs blancs jusqu'à ce que le convoi ne fût plus qu'une traînée de fumée miroitante dans le coucher du soleil.

Ensemble, ainsi qu'ils l'avaient demandé, Jims et Patsy furent affectés à la 9ᵉ division australienne après un entraînement sommaire et envoyés en Egypte au début de 1941, juste à temps pour prendre part aux combats de Benghazi. Le général Erwin Rommel, qui venait d'être nommé en Afrique, avait jeté les formidables forces de l'Axe dans la bataille et renversé la situation grâce à une suite de mouvements tournants effectués en Afrique du Nord. Et tandis que les forces britanniques battaient ignominieusement en retraite sous la pression de l'Afrika Korps jusqu'en Egypte, la 9ᵉ division australienne reçut l'ordre d'occuper et de tenir Tobrouk, poste formant enclave dans le territoire tenu par l'Axe. Ce plan put être mené à bien parce que la région était encore accessible par mer et pouvait être ravitaillée aussi longtemps que les navires britanniques croiseraient en Méditerranée. Les Rats de Tobrouk se terrèrent dix mois durant et subirent assaut sur assaut car Rommel engageait sporadiquement le gros de ses troupes pour les déloger, mais sans succès.

— Est-ce que tu sais ce que tu branles ici? demanda le soldat de deuxième classe Col Stuart en léchant le papier de la cigarette qu'il venait de rouler.

Le sergent Bob Malloy repoussa suffisamment le chapeau à large bord relevé sur le côté des forces australiennes pour mieux voir son interlocuteur.

— Oh, merde! se contenta-t-il de répondre avec un sourire à la question si souvent posée.

— C'est toujours mieux que de traîner ses guêtres dans cette putain de cagna, remarqua le soldat Jims Cleary en tirant un peu sur le short de son frère pour reposer plus confortablement sa tête sur le ventre tiède.

— Ouais, mais dans la cagna, tu risques pas de te faire canarder, objecta Col en jetant son allumette éteinte en direction d'un lézard qui prenait le soleil.

— En tout cas, mon vieux, je préfère me faire canarder que de m'emmerder à mort, assura Bob en ramenant sur les yeux le bord de son chapeau.

Ils étaient confortablement installés au fond d'une tranchée, juste en face des mines et des barbelés qui coupaient l'angle sud-ouest du périmètre; de l'autre côté, Rommel s'accrochait obstinément à son unique portion du territoire de Tobrouk. Une grosse mitrailleuse de calibre 50 pointait sa gueule au-dessus du trou, flanquée de caisses de munitions soigneusement empilées, mais personne ne faisait preuve d'une énergie délirante ni ne semblait croire à la possibilité d'une attaque. Les fusils restaient appuyés au talus, baïonnettes scintillantes sous le chaud soleil de Tobrouk. Partout, des mouches bruissaient, mais tous quatre étaient des broussards australiens, aussi Tobrouk et l'Afrique du Nord ne recelaient pour eux aucune surprise en matière de chaleur, de poussière et de mouches.

— Heureusement que vous êtes jumeaux, dit Col en jetant des cailloux au lézard qui ne semblait pas disposé à quitter les lieux. Sans ça, vous auriez tout d'une paire de tantouzes en train de s'emmêler.

— Tu dis ça parce que tu es jaloux, riposta Jims qui sourit tout en caressant le ventre de Patsy. Mon frangin est le meilleur oreiller de Tobrouk.

— Ouais, pour toi, je comprends, mais ça doit pas être marrant pour ce pauvre Patsy. Allons, Harpo, ouvre-la un peu! insista Bob.

Les dents blanches de Patsy se dévoilèrent sous un sourire mais, comme à l'accoutumée, il garda le silence. Les uns et les autres s'efforçaient de l'arracher à son mutisme mais sans réussir jamais à lui tirer autre chose qu'un non ou un oui indispensable; c'est ce qui lui avait valu le sobriquet de Harpo, le personnage muet des Marx Brothers.

— Vous avez appris la nouvelle? demanda tout à coup Col.

— Quoi?

— Les Matildas, les fameux tanks de la septième, se sont fait foutre en l'air par des quatre-vingt-huit à Halfaya. C'est le seul canon du désert d'un calibre assez gros pour démolir des chars. Les obus ont percé le blindage comme une écumoire.

— Tu parles! Raconte ça à d'autres! riposta Bob, sceptique. Tout gradé que je suis, on m'a pas mis au parfum, et toi, un deuxième classe, tu serais dans le secret des dieux? Eh ben, mon vieux, moi je te le dis, les Verts-de-gris n'ont pas un canon capable de foutre en l'air un escadron de tanks.

— J'étais dans la tente de Morshead où je portais un message au pitaine quand j'ai entendu la nouvelle à la radio. Tu peux me croire, c'est vrai, affirma Col.

Un instant, personne ne dit mot; il était indispensable que tous les combattants d'un avant-poste assiégé, tel que Tobrouk, croient dur comme fer que leur camp bénéficiait d'une puissance militaire suffisante pour les sortir de là. Les nouvelles rapportées par Col n'avaient rien de réjouissant d'autant qu'aucun soldat de Tobrouk ne prenait Rommel à la légère. Ils avaient résisté aux assauts du général allemand parce qu'ils croyaient sincèrement que le combattant australien n'avait pas d'égal au monde en dehors du Gurkha et, si la foi représente quatre-vingt-dix pour cent de la force, ils avaient indéniablement prouvé leur valeur.

— Sales cons d'angliches! explosa Jims. Ce qu'il nous faut en Afrique du Nord c'est davantage de soldats australiens!

Le concert d'acquiescements fut interrompu par une explosion au bord de la tranchée qui volatilisa le lézard et précipita les quatre hommes vers la mitrailleuse et leurs fusils.

— Putain de grenade ritale, toute en éclats et rien dans le ventre! grommela Bob avec un soupir de soulagement. Si ç'avait été une Hitler spéciale, on serait en train de jouer de la harpe, pour sûr, et ça te plairait guère, hein, Patsy?

Au début de l'opération Croisade, la 9e division australienne fut évacuée par mer et rejoignit Le Caire après un siège épuisant, sanglant, qui paraissait sans objet. Cependant, tandis que la 9e division était terrée à Tobrouk, les rangs sans cesse gonflés des troupes alliées en Afrique du Nord se fondaient pour former la 8e armée britannique sous son nouveau commandant en chef, le général Bernard Law Montgomery.

Fee portait une petite broche d'argent représentant le soleil levant, emblème des forces expéditionnaires australiennes; suspendue à deux chaînettes, une barre d'argent retenait deux étoiles d'or, une pour chacun de ses fils sous les drapeaux. Le bijou assurait à tous ceux qui la rencontraient qu'elle aussi tenait sa part dans l'effort de guerre du pays. Meggie n'avait pas le droit de porter une telle broche du fait que ni son mari ni son fils n'étaient soldats. Elle avait reçu une lettre de Luke l'informant qu'il continuerait à couper de la canne; il précisait qu'il tenait à la rassurer au cas où elle serait inquiète à l'idée qu'il se fût engagé. Rien ne laissait entendre qu'il se souvînt d'une seule des paroles qu'elle avait proférées dans la chambre de l'hôtel-bistrot d'Ingham. Avec un rire las et en secouant la tête, elle avait jeté la lettre dans la corbeille à papier de Fee tout en se demandant si sa mère se tourmentait au sujet de ses fils. Que pensait-elle réellement de la guerre? Mais Fee n'en disait jamais mot bien qu'elle portât sa broche chaque jour et tout au long de la journée.

Parfois, une lettre arrivait d'Egypte; elle tombait en morceaux lorsqu'on dépliait la feuille tant les ciseaux du censeur avaient taillardé pour supprimer les noms de lieux et de régiment. La lecture de ces missives consistait essentiellement à en rassembler les fragments qui, finalement, n'exprimaient quasiment rien, mais elles remplissaient un office qui rejetait tous les autres détails dans l'ombre : tant qu'elles arrivaient, les garçons étaient encore vivants.

Il n'y avait pas eu de pluie. On eût dit que les éléments divins eux-mêmes conspiraient pour flétrir toute espérance car 1941 était la cinquième année d'une sécheresse désastreuse. Meggie, Bob, Jack, Hughie et Fee cédaient au désespoir. Le compte en banque de Drogheda était suffisamment approvisionné pour permettre d'acheter toute la nourriture nécessaire afin d'assurer la survie des moutons, mais la plupart de ces bêtes se refusaient à manger. Chaque troupeau possédait un chef naturel, le Judas; ce n'est que lorsqu'on réussissait à faire manger le Judas qu'on pouvait espérer voir les autres l'imiter, mais il arrivait parfois que même le spectacle d'un Judas en train de se repaître ne parvînt pas à inciter le reste du troupeau à toucher aux aliments déposés dans les enclos.

Donc, Drogheda aussi avait sa part de sacrifices sanglants, et tous abhorraient cette pratique. L'herbe avait totalement disparu, le sol ne formait plus qu'une plaine aride, craquelée, sombre, éclairée seulement par des bouquets d'arbres gris et bruns. Tous s'armaient de couteaux en même temps que de fusils; quand ils apercevaient un animal à terre, l'un d'eux lui coupait la gorge pour lui épargner une mort lente après avoir été énucléé par les corbeaux. Bob augmenta son cheptel de bovins qu'il nourrit avec du foin pour maintenir la part de Drogheda à l'effort de guerre. Aucun bénéfice ne pouvait en être tiré étant donné le prix du fourrage puisque les régions de culture les plus proches étaient tout aussi durement atteintes par la sécheresse que les pays d'élevage. Les récoltes se révélaient quasi inexistantes. Néanmoins, des nouvelles leur étaient parvenues de Rome leur recommandant d'agir pour le mieux sans se préoccuper de l'aspect pécuniaire.

Le temps que Meggie devait passer dans les enclos lui pesait affreusement. Drogheda n'avait réussi à conserver qu'un seul de ses ouvriers-éleveurs sans entrevoir encore la possibilité de remplacer ceux qui étaient partis. L'Australie avait toujours souffert d'une pénurie de main-d'œuvre. De ce fait, à moins que Bob ne remarquât son irritabilité et sa fatigue et lui accordât un dimanche de repos, Meggie travaillait dans les enclos sept jours par semaine. Cependant, quand son frère lui octroyait un moment de détente, celui-ci impliquait un surcroît de travail pour lui, aussi s'efforçait-elle de ne pas laisser percer sa lassitude. Il ne lui vint jamais à l'esprit qu'elle pouvait tout simplement refuser d'effectuer le travail d'un éleveur en prenant ses enfants pour excuse. Ceux-ci étaient bien soignés et ils avaient infiniment moins besoin d'elle que Bob. Elle ne se rendait pas compte qu'elle manquait à Justine et à Dane; elle imaginait que l'envie qui la tenaillait d'être avec eux ne relevait que de l'égoïsme puisque des mains familières et aimantes prenaient soin d'eux. C'est bien de l'égoïsme, se répétait-elle. Elle n'abritait pas non plus cette sorte de sentiment qui aurait pu lui indiquer qu'elle était tout aussi étrange aux yeux de ses enfants qu'ils l'étaient pour elle. Aussi continuait-elle à parcourir les enclos à cheval et, des semaines durant, à ne voir ses enfants que déjà couchés pour la nuit.

Chaque fois que Meggie contemplait Dane, elle en avait le cœur chaviré. Quel enfant magnifique! Même des inconnus dans les rues de Gilly en faisaient la remarque quand Fee l'emmenait en ville. Son expression habituelle se parait d'un sourire; sa nature révélait une curieuse combinaison de sérénité et de bonheur profond, assuré; il paraissait avoir acquis son identité et la connaissance de soi sans passer par la phase douloureuse habituelle aux enfants, car il se trompait rarement sur les gens et les choses, et rien, jamais, ne l'exaspérait ou ne le déroutait. Aux yeux de sa mère, sa ressemblance avec Ralph semblait parfois effrayante mais, apparemment, personne ne la remarquait. Ralph avait quitté Gilly depuis longtemps et, bien que Dane eût les mêmes traits, la même conformation, il existait une énorme différence qui incitait à la méprise. Ses cheveux n'étaient pas noirs comme ceux de Ralph, mais blond pâle, pas de la couleur du blé ou d'un coucher de soleil, mais de celle de l'herbe de Drogheda, une teinte dorée, mêlée d'argent et de beige.

Dès l'instant où elle posa les yeux sur lui, Justine adora son petit frère; rien n'était trop beau pour Dane, rien ne se révélait trop ardu à obtenir pour le lui offrir. Quand il commença à marcher, elle ne le quitta plus d'une semelle, ce dont Meggie lui fut reconnaissante car elle s'inquiétait à l'idée que Mme Smith et les servantes fussent maintenant trop vieilles pour le surveiller étroitement. A l'occasion de l'un de ses rares dimanches de repos, Meggie prit sa fille sur ses genoux et lui parla sérieusement de la fonction qu'elle devait occuper auprès de Dane.

— Je ne peux pas rester à la maison et m'occuper de lui personnellement, expliqua-t-elle. Alors, tout dépend de toi, Justine. C'est ton petit frère et tu dois le surveiller constamment, t'assurer qu'il ne court aucun danger et qu'il ne lui arrivera rien de fâcheux.

Les yeux clairs brillaient d'une vive intelligence que n'altérait pas la dispersion habituelle que l'on rencontre chez un enfant de quatre ans. Justine acquiesça gravement.

— Ne t'inquiète pas, m'man, dit-elle avec vivacité. Je m'occuperai toujours de lui à ta place.

— Je souhaiterais pouvoir m'en charger moi-même, assura Meggie en soupirant.

— Pas moi! s'exclama Justine, visiblement satisfaite. Ça me plaît d'avoir Dane tout à moi. Alors, ne t'inquiète pas, il ne lui arrivera rien.

Meggie ne retira aucun réconfort de cette assurance. Cette précoce petite bonne femme allait lui voler son fils, et elle ne pouvait l'éviter. Retour dans les enclos tandis que Justine monterait une garde vigilante auprès de Dane. Evincée par sa propre fille, un véritable monstre. De qui diable tenait-elle? Pas de Luke, ni d'elle ni de Fee.

Au moins, maintenant, Justine souriait et riait. Elle avait dû atteindre quatre ans avant de découvrir la moindre drôlerie dans quoi que ce soit et le fait qu'elle y parvint fut probablement dû à Dane qui riait depuis qu'il avait ouvert les yeux sur la vie. Parce qu'il riait,

Justine rit aussi. Les enfants de Meggie tiraient un enseignement constant l'un de l'autre. Mais quelle humiliation de savoir qu'ils se passaient si bien de leur mère! Quand cette satanée guerre sera terminée, songeait Meggie, Dane sera trop vieux pour éprouver les sentiments qu'il devrait nourrir à mon endroit. Il se rapprochera de plus en plus de Justine. Chaque fois que j'ai l'impression de mener ma vie à mon gré, il se produit invariablement quelque chose. Je n'ai pas souhaité cette guerre ni cette sécheresse, néanmoins, je dois les subir.

Peut-être valait-il mieux que Drogheda connût de telles difficultés. Si les choses avaient été plus aisées, Jack et Hughie se seraient engagés. Dans la situation présente, il leur fallait s'atteler au travail et s'efforcer de sauver ce qui pouvait l'être en se colletant avec l'épreuve qui, plus tard, devait être connue sous le nom de Grande Sécheresse. Plusieurs millions d'hectares de terre d'élevage et de cultures étaient touchés, depuis le sud de Victoria jusqu'à la chaîne des pâturages Mitchell dans le Territoire du Nord.

Mais la guerre retenait l'attention tout autant que la sécheresse. La présence des jumeaux en Afrique du Nord incitait les habitants de Drogheda à suivre la campagne qui s'y déroulait avec un intérêt fébrile tandis qu'avances et retraites se succédaient en Libye. La classe laborieuse dont ils étaient issus faisait d'eux d'ardents travaillistes, détestant le gouvernement de l'époque, libéral de nom mais conservateur de nature. Lorsqu'en août 1941, Robert Gordon Menzies démissionna, reconnaissant qu'il ne pouvait continuer à gouverner le pays, ils jubilèrent et quand, le 3 octobre, on demanda au chef de l'opposition travailliste, John Curtin, de former un gouvernement, la nouvelle fut accueillie avec un enthousiasme délirant à Drogheda.

Tout au long de 1940 et 1941, la menace japonaise se précisa, surtout après que Roosevelt et Churchill eurent coupé l'approvisionnement en pétrole de la nation nippone. L'Europe était très loin et Hitler devrait faire parcourir vingt mille kilomètres à ses armées avant d'être en mesure d'envahir l'Australie, mais le Japon était en Asie, forme du péril jaune suspendu comme une épée de Damoclès au-dessus de l'Australie riche et sous-peuplée. Aussi, la nouvelle de l'attaque par les Japonais de Pearl Harbor ne causa pas la moindre surprise en Australie; tout le monde s'attendait à ce qu'un incident de cet ordre éclatât quelque part. Subitement, la guerre fut très proche; elle risquait même de se dérouler à leur porte. Aucun vaste océan ne séparait l'Australie du Japon, seulement de grands archipels et de petites mers.

Le jour de Noël 1941, Hong Kong tomba. Les Japonais ne réussiront pas à s'emparer de Singapour, répétait-on partout avec un optimisme de commande. Puis on apprit le débarquement des troupes japonaises en Malaisie et aux Philippines; la grande base navale à l'extrémité de la péninsule malaise gardait ses batteries d'énormes canons braquées sur la mer, sa flotte prête à appareiller. Mais le 8 février 1942 les Japonais traversèrent l'étroit bras de mer de Johore, débarquèrent au nord de l'île de Singapour et prirent la ville à revers, rendant ainsi ses batteries impuissantes. Singapour tomba sans le moindre combat.

Et alors, vinrent les grandes nouvelles! Toutes les troupes australiennes d'Afrique du Nord devaient rentrer au pays. Le Premier ministre Curtin affronta la colère churchillienne sans sourciller, déclarant que l'Australie devait compter sur tous ses fils pour la défendre. Les 6e et 7e divisions australiennes s'embarquèrent rapidement à Alexandrie; la 9e léchait encore ses plaies au Caire après les affrontements de Tobrouk;

elle devait rentrer au bercail dès que des navires seraient disponibles. Fee souriait, Meggie délirait de joie. Jims et Patsy allaient revenir.

Mais il n'en fut rien. Tandis que la 9e division attendait les transports de troupes, la situation se renversa une fois de plus; la 8e armée, en pleine déroute, évacuait Benghazi. Churchill passa un marché avec le Premier ministre Curtin. La 9e division australienne demeurerait en Afrique du Nord et, en contrepartie, on enverrait un corps expéditionnaire américain pour défendre l'Australie. Pauvres soldats contraints à une perpétuelle navette à la suite de décisions prises dans des bureaux ne relevant même pas de leurs pays respectifs. Donner un peu ici, prendre un peu là.

Mais ce fut un rude coup pour l'Australie quand elle constata que la mère patrie chassait du nid tous ses poussins d'Extrême-Orient, même quand il s'agissait d'un poulet aussi gras et prometteur que l'Australie.

Le calme régnait dans le désert en cette nuit du 23 octobre 1942. Patsy remua légèrement, retrouva son frère dans l'obscurité et se nicha comme un enfant contre son épaule. Jims l'enlaça d'un bras et tous deux restèrent assis, communiant dans le silence. Le sergent Bob Malloy poussa du coude le soldat Col Stuart et sourit.

— Regarde-moi ces deux empaffés! dit-il.

— Je t'encule à la course, riposta Jims.

— Allons, Harpo, dis quelque chose, marmonna Col.

Patsy lui dédia un sourire angélique, à peine visible dans l'obscurité, et imita remarquablement la trompe du personnage muet des Marx Brothers. A plusieurs mètres à la ronde, des protestations s'élevèrent, intimant à Patsy d'avoir à se taire. L'imminence de l'attaque exigeait le silence.

— Bon Dieu, cette attente me crève, marmonna Bob avec un soupir.

— Moi, c'est le silence qui me crève! s'écria brutalement Patsy.

— Espèce de minable faux jeton, c'est moi qui vais te crever! grommela Col d'une voix rauque en portant la main à sa baïonnette.

— Pour l'amour de Dieu, fermez-la! chuchota le capitaine. Quel est l'abruti qui gueule comme ça?

— Patsy! lancèrent en chœur plusieurs voix.

Les éclats de rire flottèrent de façon rassurante sur les champs de mines, s'éteignirent dans un flot de jurons proférés à mi-voix par le capitaine. Le sergent Malloy consulta sa montre; l'aiguille des secondes approchait de 9 h 40.

Huit cent quatre-vingt-deux canons et obusiers britanniques tonnèrent simultanément. Le ciel bascula, le sol se souleva, se dilata, ne retrouva pas sa forme première car le tir de barrage continuait inexorablement sans le moindre répit, sans que diminuât l'intensité sonore qui vrillait les cerveaux. Inutile de s'enfoncer les doigts dans les oreilles; le titanesque vacarme montait de la terre, glissait le long des os, envahissait l'esprit. Dans leurs tranchées, les soldats de la 9ᵉ ne pouvaient qu'imaginer l'effet ressenti par les troupes de Rommel. Généralement, il était possible de déterminer le type et le calibre des bouches à feu en se fondant sur un détail quelconque mais, ce soir-là, les gueules d'acier formaient un chœur parfait, sans fausse note, et continuaient à tonner pendant que les minutes s'écoulaient.

Le désert s'illumina, non sous la lumière du jour, mais sous le feu d'un soleil d'enfer; un grand nuage ondoyant de poussière s'éleva, des spirales de fumée montèrent à plusieurs centaines de mètres, embrasées d'éclairs crachés par les explosions d'obus et de mines, les flammes jaillissaient des énormes concentrations d'explosifs. Tout ce dont Montgomery disposait était braqué sur les champs de mines — canons, obusiers, mortiers. Et tout ce dont Montgomery disposait devait être jeté dans la bataille à une cadence aussi rapide que le pouvaient les bras des artilleurs en sueur, esclaves alimentant les gorges de leurs armes comme de frénétiques petits oiseaux nourrissant un énorme coucou; les douilles devenaient de plus en plus chaudes, le laps de temps entre recul et recharge de plus en plus court tandis que les artilleurs se laissaient emporter par leur propre élan. Fous, fébriles, ils exécutaient une figure de danse, toujours la même, en servant leurs pièces.

C'était beau, extraordinaire — le paroxysme de l'existence d'un artilleur, qu'il vivrait et revivrait dans ses rêves, à l'état de veille et en sommeil, pendant le reste de ses jours inévitablement ternes. Et il souhaiterait de tout son être revenir en arrière, revivre ces cinq minutes auprès des canons de Montgomery.

Silence. Silence immobile, absolu, se brisant comme des vagues sur les tympans distendus; silence insoutenable. 9 h 55 exactement. Et les hommes de la 9e de se lever, de s'élancer hors des tranchées dans le no man's land, baïonnettes assujetties, mains tâtonnant sur les chargeurs, crans de sûreté libérés, bidons tâtés, munitions, montres vérifiées, casques ajustés, lacets soigneusement noués, s'efforçant de repérer l'emplacement des hommes qui transportaient les mitrailleuses. On voyait distinctement dans la lumière démoniaque du feu et le sable chauffé à blanc qui se muait en verre. Mais la chape de poussière les dissimulait à l'ennemi; ils étaient en sûreté. Pour le moment. Au bord même des champs de mines, ils s'immobilisèrent, attendirent.

10 heures pile. Le sergent Malloy porta le sifflet à ses lèvres et en tira un son aigu qui s'étira le long des rangs de la compagnie; le capitaine hurla son ordre d'assaut. Sur un front de trois kilomètres, la 9e s'engagea dans les champs de mines et les canons crachèrent de nouveau derrière eux, tonnèrent. Ils y voyaient comme en plein

jour; les obusiers braqués à un angle très court lançaient leurs projectiles à quelques mètres seulement devant eux. Toutes les trois minutes, le tir s'allongeait de cent mètres; et il fallait franchir ces cent mètres en priant pour que les mines anti-chars et celles destinées aux hommes aient bien été détruites par l'artillerie de Montgomery. Allemands et Italiens restaient dans les avant-postes dotés de mitrailleuses, de petits canons de 50, de mortiers. Parfois, un soldat marchait sur une mine intacte; on distinguait son jaillissement hors du sable avant que son corps ne se disloquât.

Pas le temps de penser, pas le temps de faire quoi que ce soit, sinon avancer en crabe entre deux tirs de barrage; cent mètres en avant toutes les trois minutes, prières sur les lèvres. Bruit, embrasement, poussière, fumée, terreur jusque dans les tripes. Des champs de mines sans fin, quatre ou cinq kilomètres pour les traverser, sans possibilité de retour en arrière. Parfois, lors des courtes pauses entre les tirs de barrage, parvenait le lointain, irréel, son aigrelet d'une cornemuse dans l'atmosphère saturée de sable brûlant. Sur la gauche de la 9e division australienne, le 51e écossais avançait à travers les champs de mines derrière une cornemuse qui précédait tous les commandants de compagnie. Pour un Ecossais, le son de cet instrument le menant à la bataille représentait le plus doux des appeaux et, pour un Australien, il paraissait amical, réconfortant. Mais pour un Allemand ou un Italien, il avait quelque chose d'infernal, il hérissait le poil.

La bataille dura douze jours durant, et c'est une très longue bataille que celle qui dure douze jours. Au début, la 9e eut de la chance, n'enregistrant que des pertes relativement légères à travers les champs de mines et pendant les premiers jours de l'avance dans les lignes tenues par Rommel.

— Tu sais, je préfère être à ma place et me faire

canarder que d'être sapeur, grommela Col Stuart, appuyé à sa pelle.

— Ça, j'sais pas, mon vieux. J'ai l'impression qu'ils se la coulent douce, grogna le sergent. Attendre derrière les putains de lignes jusqu'à ce qu'on ait fait tout le boulot, puis s'amener avec leurs saloperies d'engins à déminer pour ouvrir de jolies petits chemins à ces putains de chars.

— Les chars y sont pour rien, Bob; c'est les sales cons du Q.G. qui font joujou avec, intervint Jims en appliquant quelques coups du plat de sa pelle contre le talus de leur nouvelle tranchée. Mais nom de Dieu, j'aimerais bien que ces enfoirés se décident à nous garder au même endroit pendant une petit bout de temps! J'ai retourné plus de terre ces cinq derniers jours qu'un putain de fourmilier pendant toute sa vie!

— Continue à taupiner, vieille noix, intima Bob sans s'apitoyer.

— Eh, regarde! s'écria Col en désignant le ciel.

Dix-huit bombardiers légers de la R.A.F. descendaient le long de la vallée en parfaite formation de vol, lâchant leurs chapelets de bombes parmi Allemands et Italiens avec une merveilleuse et fatale précision.

— Putain que c'est beau! commenta le sergent Bob Malloy, la tête renversée vers le ciel.

Trois jours plus tard il était mort; un énorme éclat de shrapnel lui emporta le bras et la moitié du côté lors d'un nouvel assaut, mais personne n'eut le temps de s'arrêter, sauf pour lui arracher le sifflet, coincé dans ce qui lui restait de bouche. Maintenant, les hommes tombaient comme des mouches, trop fatigués pour maintenir leur vigilance et leur rapidité initiales, mais ils ne s'en accrochaient pas moins au misérable sol dénudé qu'ils venaient de conquérir malgré la défense acharnée de l'élite d'une magnifique armée. Pour eux, le combat se muait en un refus muet et obstiné de capituler.

La 9ᵉ tint en échec Graf von Sponeck et Lungerhausen tandis que les chars effectuaient une percée vers le sud et, finalement, Rommel fut vaincu. Le 8 novembre, il tenta de rassembler ses troupes au delà de la frontière égyptienne, et Montgomery resta maître de tout le terrain. Une très importante victoire tactique que ce second El-Alamein. Rommel avait été obligé d'abandonner un grand nombre de chars, de canons ct beaucoup de matériel. L'opération Torche pouvait commencer sa poussée en direction de l'est depuis le Maroc et l'Algérie avec plus de sécurité. Le Renard du Désert abritait encore une énergie farouche, mais une grande partie de son mordant était restée à El-Alamein. La plus importante et la plus décisive bataille du théâtre d'Afrique du Nord avait été livrée et le maréchal vicomte Montgomery d'Alamein en était le vainqueur.

Le second El-Alamein fut le chant du cygne de la 9ᵉ division australienne en Afrique du Nord. Les hommes allaient enfin rentrer pour se mesurer aux Japonais en Nouvelle-Guinée. Depuis mars 1941, ils n'avaient pratiquement pas cessé de se trouver en première ligne; arrivés avec un entraînement et un équipement sommaires, ils retournaient chez eux auréolés d'une réputation qui rivalisait avec celle du la 4ᵉ division indienne. Et, avec les effectifs de la 9ᵉ, se rembarquaient Jims et Patsy, sains et saufs.

Bien entendu, on leur accorda une permission pour se rendre à Drogheda. Bob alla les accueillir à Gilly à leur descente du train en provenance de Goondiwindi car la 9ᵉ était basée à Brisbane d'où elle ne repartirait pour la Nouvelle-Guinée qu'après un entraînement spécial en vue d'affronter la jungle. Lorsque la Rolls s'engagea dans l'allée, toutes les femmes attendaient sur la pelouse, Jack et Hughie un peu en arrière mais tout aussi impatients de revoir leurs jeunes frères. Tous les moutons que comptait encore Drogheda pouvaient tomber raides morts si l'envie leur en prenait, c'était jour de vacances.

Personne ne bougea, même quand la voiture se fut immobilisée et que les jumeaux en descendirent. Ils avaient tellement changé. Deux années de désert ayant réduit leurs uniformes en lambeaux, ils avaient touché une nouvelle tenue vert jungle, et ils parurent à tous différents, presque étrangers. D'une part, ils semblaient avoir beaucoup grandi, ce qui était le cas. Les deux dernières années de leur croissance étaient intervenues loin de Drogheda et, à présent, ils dépassaient leurs frères aînés d'une demi-tête. Plus des adolescents, mais des hommes; pourtant, pas des hommes de la même trempe que Bob, Jack et Hughie; épreuves, euphorie de la bataille, morts violentes les avaient façonnés comme Drogheda n'aurait jamais pu le faire. Le soleil d'Afrique du Nord les avait burinés, desséchés, leur communiquant un hâle acajou, les dépouillant des dernières couches d'adolescence. Oui, il était possible de croire que ces deux hommes en uniforme simple, avec leurs grands chapeaux au large bord relevé au-dessus de l'oreille gauche et agrafés par l'insigne du soleil levant du corps expéditionnaire australien, avaient tué leurs semblables. Cela se lisait dans leurs yeux, bleus comme ceux de Paddy, mais plus tristes, exempts de sa gentillesse.

— Mes garçons! Mes garçons! s'écria Mme Smith en se précipitant vers eux, le visage sillonné de larmes.

Non, peu importait ce qu'ils avaient fait, à quel point ils avaient changé, ils n'en restaient pas moins les nourrissons qu'elle avait lavés, langés, nourris, dont elle avait séché les pleurs, embrassé les plaies. Mais les plaies qui les marquaient à présent dépassaient le pouvoir qu'elle avait eu de guérir.

Puis tous les entourèrent; la réserve britannique fondit. Ils riaient, pleuraient, la pauvre Fee elle-même

134

leur tapotait le dos, s'efforçant de sourire. Après Mme Smith, il y eut Meggie à embrasser, Minnie à embrasser, Cat à embrasser, m'man à étreindre timidement, Jack et Hughie dont ils serrèrent les mains tendues, sans un mot. Les habitants de Drogheda ne sauraient jamais à quel point il était bon de rentrer chez soi; ils ne sauraient jamais combien cet instant avait été attendu, redouté.

Et quel appétit avaient les jumeaux! Le rata n'avait pas grand-chose à voir avec ce genre de cuisine, déclaraient-ils en riant. Gâteaux au glaçage rose et blanc, biscuits au chocolat roulés dans la noix de coco, pudding cuit à la vapeur, salade de fruits à la crème des vaches de Drogheda. Se souvenant de leurs estomacs d'enfant, Mme Smith était convaincue qu'ils seraient malades pendant au moins une semaine, mais la profusion de thé qu'ils absorbèrent leur évita tout ennui digestif.

— C'est autre chose que le pain des bicots, hein, Patsy?

— Ouais.

— Qu'est-ce que ça veut dire bicots? demanda Mme Smith.

— C'est le nom qu'on donne aux Arabes, tout comme on appelle les Italiens des piafs, hein, Patsy?

— Ouais.

C'était curieux. Ils parlaient volontiers, tout au moins Jims, des heures durant, de l'Afrique du Nord, des villes, des habitants, de la nourriture, du musée du Caire, de la vie à bord des transports de troupes, du repos au camp. Mais on avait beau les interroger, on ne pouvait obtenir d'eux que de vagues réponses en ce qui concernait les combats proprement dits, ce qu'ils avaient connu à Gazala, Benghazi, Tobrouk, El-Alamein; invariablement, ils changeaient de sujet. Par la suite, après la fin de la guerre, les femmes seraient appelées à constater le même phénomène; les hommes qui s'étaient réellement trouvés en première ligne répugnaient à ouvrir la bouche sur ce sujet; ils refusaient d'adhérer à des associations d'anciens combattants, ne voulaient avoir aucun rapport avec les institutions perpétuant le souvenir du conflit.

Drogheda donna une réception en leur honneur. Alastair MacQueen appartenait aussi à la 9ᵉ division et se trouvait en permission; Rudna Hunish fêta son retour avec autant de faste. Les deux plus jeunes fils de Dominic O'Rourke combattaient en Nouvelle-Guinée avec la 6ᵉ division et, bien qu'ils ne fussent pas présents, Dibban-Dibban donna aussi une réception. Tous les domaines de la région ayant un fils sous les drapeaux voulaient fêter le retour sains et saufs des trois garçons de la 9ᵉ. Femmes et jeunes filles les assaillaient, mais les héros de la famille Cleary leur échappaient dès qu'une occasion se présentait, plus effrayés qu'ils ne l'avaient été sur le champ de bataille.

En fait, Jims et Patsy se désintéressaient totalement des femmes; c'était à Bob, Jack et Hughie qu'ils s'accrochaient. Tard dans la nuit, une fois Fee et Meggie couchées, ils parlaient longuement avec leurs frères qui avaient été obligés de rester au pays, leur ouvraient leurs cœurs mal cicatrisés, encore saignants. Et ils chevauchaient dans les enclos exsangues, qui connaissaient leur septième année de sécheresse, heureux d'être en civil.

En dépit de l'aspect grillé et désolé de la terre, Jims et Patsy lui trouvaient une beauté ineffable, jugeaient la présence des moutons réconfortante, et le parfum des roses tardives du jardin leur semblait divin. Il leur fallait s'imprégner de tout cela assez profondément pour ne jamais plus l'oublier car leur premier départ s'était déroulé sous le signe de l'insouciance; ils n'avaient alors pas la moindre idée de ce qui les attendait. Cette fois, lorsqu'ils quitteraient la propriété, ils auraient accumulé, emmagasiné tous les instants heureux pour s'en repaître et les chérir; ils emporteraient quelques pétales des roses de Drogheda dans leurs portefeuilles et même quelques brins de cette précieuse herbe. A l'égard de Fee, ils montraient compassion et bonté, mais à l'endroit de Meggie, Mme Smith, Minnie et Cat, ils faisaient preuve d'amour et de tendresse; elles avaient été leurs véritables mères.

Meggie se réjouissait de leur attitude aimante auprès de Dane avec lequel ils jouaient des heures durant, l'emmenant pour des promenades à cheval, riant, se roulant sur les pelouses avec lui. Justine semblait leur inspirer de la crainte; mais ils se montraient toujours gauches avec toutes les représentantes du sexe féminin qu'ils ne connaissaient pas aussi bien que les vieilles femmes de Drogheda. Par ailleurs, la pauvre Justine cédait à une furieuse jalousie devant la façon dont ils accaparaient Dane car elle n'avait plus personne avec qui jouer.

— C'est un petit bonhomme épatant, Meggie, dit Jims à sa sœur un jour qu'elle vint le rejoindre sur la véranda.

Installé dans un fauteuil de rotin, Jims observait Patsy et Dane qui jouaient sur la pelouse.

— Oui, acquiesça Meggie. Une petite merveille, hein? (Elle sourit, s'assit en face de son jeune frère. Ses yeux débordaient de tendresse, les jumeaux aussi avaient été ses enfants.) Qu'est-ce qu'il y a, Jims? Tu ne veux pas m'en parler?

Il leva les yeux vers elle, vrillé par une douleur profonde, mais il secoua la tête.

— Non, Meggie. Je ne pourrai jamais parler de ça à une femme.

— Et quand tout sera fini et que tu te marieras, tu n'en parleras pas à ta femme?

— Nous, nous marier? Je ne crois pas. La guerre se charge de détruire toute velléité de sentiment chez l'homme. Si nous fondions un foyer, nous aurions des fils et pour quoi? Pour les voir grandir, être entraînés dans ce que nous avons connu, voir ce que nous avons vu.

— Ne dis pas ça, Jims, non!

Il suivit le regard de sa sœur qui se posait sur Dane; l'enfant riait aux éclats parce que Patsy lui tenait la tête en bas.

— Ne le laisse jamais quitter Drogheda, Meggie, murmura Jims. A Drogheda, il ne peut lui arriver aucun mal.

L'archevêque de Bricassart se précipita dans le splendide couloir, haut de plafond, sans se préoccuper des visages surpris qui se tournaient vers lui : il fit irruption dans la salle d'audience du cardinal et se figea. Son Eminence recevait M. Papée, l'ambassadeur du gouvernement polonais en exil auprès du Saint-Siège.

— Mais, Ralph! Que se passe-t-il?

— Ça y est, Vittorio! Mussolini a été renversé!

— Seigneur! Le Saint-Père est-il au courant?

— J'ai téléphoné moi-même à Castel Gandolfo, mais la radio diffusera la nouvelle d'une minute à l'autre. Un ami m'a appelé au Quartier général allemand.

— J'espère que le Saint-Père a fait ses valises, laissa tomber M. Papée avec une expression de légère, très légère, délectation.

— S'il se déguisait en moine franciscain, il pourrait peut-être s'échapper, pas autrement, déclara vivement l'archevêque de Bricassart. Kesselring a rendu la cité aussi imperméable qu'une bouteille.

— De toute façon, il ne partirait pas, affirma le cardinal di Contini-Verchese.

M. Papée se leva.

— Je vous demande l'autorisation de me retirer, Votre Eminence. Je suis le représentant d'un gouvernement ennemi de l'Allemagne. Si Sa Sainteté n'est pas en sécurité, moi non plus. Je dois aller m'occuper de certains documents qui se trouvent dans mes appartements.

Compassé, précis, diplomate jusqu'au bout des ongles, il laissa seuls les deux prélats.

— Il était venu vous voir pour intercéder en faveur de son peuple persécuté?

— Oui. Le pauvre homme, il s'inquiète tant à son sujet.

— Et nous? Est-ce que nous ne nous inquiétons pas de cette malheureuse Pologne?

— Bien sûr que si, Ralph! Mais il ignore à quel point la situation est épineuse.

— La vérité est que personne ne veut le croire.

— Ralph!

— Eh bien, n'est-ce pas exact? Le Saint-Père a passé les premières années de sa vie à Munich et il a conçu une véritable passion pour les Allemands! Et il continue à les aimer en dépit de tout. Si la preuve de l'ignominie de ses amis lui était présentée sous forme de ces pauvres corps mutilés, il déclarerait que ce doit être l'œuvre des Russes. Pas de ses chers Allemands; jamais un peuple aussi cultivé et civilisé ne se livrerait à de telles horreurs!

— Ralph, vous n'êtes pas membre de la Société de Jésus, mais vous êtes ici en raison de votre serment d'allégeance au Saint-Père. Vous avez le sang chaud de vos ancêtres irlandais et normands, mais je vous en supplie, soyez raisonnable! Depuis septembre, nous attendions le jour où le couperet s'abattrait tout en priant pour que le Duce reste en place afin de nous protéger des représailles allemandes. Adolf Hitler a fait preuve d'une certaine contradiction dans son comportement car il savait qu'il avait deux ennemis irréductibles et, pourtant, il a tout mis en œuvre pour les ménager : l'Empire britannique et la sainteEglise catholique de Rome. Or, poussé dans ses derniers retranchements, il a rassemblé toutes ses forces pour tenter d'écraser l'Empire britannique. Croyez-vous qu'il ne nous écraserait pas aussi si nous l'acculions? Un seul mot de notre part pour dénoncer ce qui se passe en Pologne, et il nous écraserait. Et quel bien pourrait sortir de notre intervention, mon cher ami? Nous n'avons pas d'armée, pas de soldats. Les représailles seraient immédiates et le Saint-Père serait expédié à Berlin; c'est là ce qu'il craint. Vous rappelez-vous le pape-marionnette d'Avignon il y a quelques siècles? Voulez-vous voir *notre* pape transformé en marionnette à Berlin?

— Je suis désolé, Vittorio, mais je ne vois pas les choses sous cet angle. Je prétends que nous devons dénoncer les agissements d'Hitler à la face du monde, proclamer ses pratiques barbares, crier sur les toits! S'il nous fait fusiller, nous mourrons en martyrs, et notre sacrifice n'en sera que plus efficace.

— Généralement, vous vous montrez plus avisé, Ralph! Il ne serait pas question de nous faire fusiller. Hitler sait aussi bien que nous qu'il n'est pas de bonne politique de faire des martyrs. Le Saint-Père serait expédié à Berlin, quant à nous, nous nous verrions discrètement envoyés en Pologne. En Pologne, Ralph, en Pologne! Souhaitez-vous mourir en Pologne où vous seriez moins utile que vous l'êtes ici actuellement?

L'archevêque de Bricassart s'assit, serra les poings entre ses genoux, lança un regard venimeux en direction de la fenêtre derrière laquelle des colombes voletaient, dorées dans le soleil couchant, avant de regagner leurs pigeonniers. A quarante-neuf ans, il était plus svelte que jamais et il vieillissait merveilleusement bien, comme il faisait toute chose.

140

— Ralph, nous sommes ce que nous sommes. Des hommes, mais seulement en second lieu. Avant tout, nous sommes des prêtres.

— Ce n'est pas ainsi que vous établissiez l'ordre des priorités quand je suis revenu d'Australie, Vittorio.

— A l'époque, je me plaçais sur un autre plan, et vous le savez parfaitement. Vous avez l'esprit de contradiction. Actuellement, il nous est impossible de penser en tant qu'hommes; nous devons penser en tant que prêtres parce que c'est là l'aspect primordial de notre vie. Quoi que nous pensions et quelle que soit la façon dont nous souhaiterions agir en tant qu'hommes, nous devons allégeance à l'Eglise et non à un pouvoir temporel! Nous devons fidélité uniquement au Saint-Père! Vous avez prononcé des vœux d'obéissance, Ralph. Voulez-vous les rompre de nouveau? Le Saint-Père est infaillible en ce qui concerne les intérêts de l'Eglise.

— Il se trompe! Son jugement est entaché de parti pris. Il concentre toute son énergie sur la lutte contre le communisme. Il considère l'Allemagne comme le plus grand ennemi de cette idéologie; il voit en elle la seule puissance capable d'empêcher l'emprise du communisme sur le monde occidental. Il souhaite voir Hitler demeurer fermement en place, tout comme il était satisfait de voir Mussolini régner sur l'Italie.

— Croyez-moi, Ralph, vous ignorez beaucoup de choses. C'est le pape; il est infaillible. Si vous en doutez, vous reniez votre foi.

La porte s'ouvrit discrètement, mais avec hâte.

— Votre Eminence, Herr General Kesselring.

Les deux prélats se levèrent; toute trace du différend qui venait de les opposer déserta leurs traits; ils sourirent.

— Nous sommes enchantés de vous voir, Votre

Excellence. Voulez-vous vous asseoir? Prendrez-vous un peu de thé?

La conversation avait lieu en allemand puisque nombre des hauts dignitaires du Vatican parlaient cette langue. Le Saint-Père aimait s'exprimer en allemand et goûtait les intonations germaniques.

— Volontiers. Merci, Votre Eminence. Nulle part à Rome on ne saurait déguster un aussi savoureux thé anglais qu'au Vatican.

Le cardinal di Contini-Verchese esquissa un sourire bon enfant.

— C'est une habitude que j'ai acquise lorsque j'étais légat du pape en Australie, et dont, en dépit de mon ascendance italienne, je n'ai pu me défaire.

— Et vous, monseigneur?

— Je suis irlandais, Herr General. Les Irlandais aussi raffolent du thé.

Le général Albert Kesselring s'adressait toujours à l'archevêque de Bricassart d'égal à égal; après ces prélats italiens, huileux, à l'esprit tortueux, il éprouvait du réconfort au contact d'un homme direct, dénué de subtilité et de ruse.

— Comme à l'accoutumée, monseigneur, je suis stupéfait de la pureté de votre accent allemand, le complimenta-t-il.

— J'ai le don des langues, Herr General, et, comme tous les talents... ce don ne mérite pas l'éloge.

— En quoi pouvons-nous vous être utiles, Votre Excellence? s'enquit le cardinal avec onctuosité.

— Je suppose que vous êtes au courant du sort du Duce.

— Oui, Votre Excellence. Nous avons appris.

— Dans ce cas, vous devez vous douter de la raison de ma visite. Je suis ici pour vous assurer que tout va bien et vous demander de bien vouloir transmettre ce message à ceux qui se trouvent à Castel Gandolfo. Je

142

suis si occupé actuellement qu'il m'est impossible de me rendre à Castel Gandolfo personnellement.

— Le message sera transmis. Vous avez tant à faire?

— Evidemment. Vous comprendrez que, dorénavant, nous autres Allemands, nous nous considérions en territoire ennemi.

— Ici, Herr General? Ici, nous ne sommes pas sur sol italien, Herr General, et aucun homme ne peut être considéré comme ennemi... à l'exception, bien évidemment, des scélérats.

— Je vous demande pardon, Votre Eminence. Naturellement, je faisais allusion à l'Italie, pas au Vatican. Mais en ce qui concerne l'Italie, je suis obligé d'agir selon les ordres de mon Führer. L'Italie sera occupée et mes troupes, présentes jusqu'alors en tant qu'alliées, deviendront répressives.

L'archevêque de Bricassart, confortablement installé et donnant l'impression de ne jamais avoir été effleuré par le moindre combat idéologique, observa attentivement le visiteur. Ce dernier était-il au courant des actes de son Führer en Pologne? Comment aurait-il pu les ignorer?

Le prélat italien épingla à son visage une expression angoissée.

— Mon cher général, sûrement pas en ce qui concerne Rome. Oh, non! Pas Rome avec son histoire, ses monuments inestimables! Si vous amenez des troupes au sein des sept collines, il y aura lutte, destruction. Je vous en supplie, pas ça!

Le général Kesselring paraissait mal à l'aise.

— J'espère que les choses n'en viendront pas là, Votre Eminence. Mais, moi aussi, j'ai prêté serment; moi aussi, je dois obéir aux ordres. Il me faut combler les vœux de mon Führer.

— Vous intercéderez en notre faveur, Herr General?

Je vous en prie, il le faut! Je me trouvais à Athènes il y a quelques années... intervint vivement l'archevêque de Bricassart, penché en avant, ouvrant de grands yeux charmeurs, encore mis en valeur par une mèche striée de blanc qui lui retombait sur le front. (Il avait parfaitement conscience de l'effet qu'il produisait sur le général et en usait sans le moindre scrupule.) Etes-vous déjà allé à Athènes, monsieur?

— Oui, j'y suis allé, répondit le général d'une voix sèche.

— Dans ce cas, vous savez comment des hommes, appartenant à une époque relativement moderne, ont détruit les édifices qui se dressaient sur l'Acropole. Herr General, Rome est demeurée intacte; un monument de deux mille ans de soins, d'attentions, d'amour. Je vous en prie, je vous en supplie! Ne mettez pas Rome en danger.

Le général considéra son interlocuteur avec une admiration non feinte; certes, son uniforme lui allait bien, mais pas mieux que la soutane, avec sa touche de pourpre impériale, ne seyait à l'archevêque de Bricassart. Celui-ci aussi avait une allure martiale, le corps beau et mince d'un soldat, et le visage d'un ange. Il ressemblait à saint Michel Archange, pas traité sous les traits d'un jeune éphèbe de la Renaissance, mais en homme vieillissant parfaitement, en homme qui avait aimé Lucifer, l'avait combattu, banni Adam et Eve, terrassé le dragon et se dressait à la droite de Dieu. Etait-il conscient de ce qu'il représentait? C'était un homme qui valait qu'on se souvienne de lui.

— Je ferai de mon mieux, monseigneur, je vous le promets. Dans une certaine mesure, la décision m'appartient, je le reconnais. Ainsi que vous le savez, je suis un homme civilisé, un ami. Mais vous me demandez beaucoup. Si je déclare Rome ville ouverte, je me lierai les mains en étant dans l'impossibilité de faire sauter ses ponts et de convertir ses bâtiments en forteresses, ce qui pourrait fort bien nuire à l'Allemagne. Quelle assurance aurai-je donc que Rome ne récompensera pas ma mansuétude par de la traîtrise?

Le cardinal di Contini-Verchese plissa les lèvres et émit des bruits de baisers à l'adresse de sa chatte, une élégante siamoise maintenant; il sourit avec douceur et regarda l'archevêque.

— Rome ne récompenserait jamais la mansuétude par de la traîtrise, Herr General. Je suis persuadé que lorsque vous trouverez le temps d'aller rendre visite à ceux qui passent l'été à Castel Gandolfo, vous y recevrez les mêmes assurances. Viens, Kheng-see, ma chérie. Ah, comme tu es jolie! dit-il en caressant l'animal lové sur ses genoux recouverts de pourpre.

— Vous avez là une bête exceptionnelle, Votre Eminence.

— Une aristocrate, Herr General. L'archevêque et moi portons tous deux des noms anciens et vénérables, mais ils ne sont rien en comparaison de la lignée de cette chatte. Son nom vous plaît-il? En chinois, cela signifie Fleur de Soie. Il lui convient bien, n'est-ce pas?

On servit le thé; tous gardèrent le silence tant que la sœur laie n'eut pas quitté la salle.

— Vous n'aurez pas à regretter la décision de déclarer Rome ville ouverte, Votre Excellence, assura avec un sourire suave l'archevêque au nouveau maître de l'Italie. (Il se tourna vers le cardinal, rejetant son charme comme un manteau abandonné; il n'en avait pas besoin avec cet homme aimé et respecté.) Votre Eminence, avez-vous l'intention de jouer les maîtresses de maison ou dois-je servir?

— Les maîtresses de maison? s'étonna le général Kesselring.

— C'est une petite plaisanterie de célibataire, expliqua le cardinal di Contini-Verchese en riant. Celui qui

verse le thé est appelé « maîtresse de maison ». Vieille
boutade anglaise, Herr General.

Ce soir-là, l'archevêque de Bricassart était las, agité,
nerveux. Il lui semblait ne rien faire de positif qui pût
contribuer à mettre fin à la guerre; son rôle se canton-
nait à intercéder pour sauver quelques monuments et
œuvres d'art; il en était venu à éprouver une haine viru-
lente envers l'inertie du Vatican. Bien qu'il fût conservateur de tempérament, la pusillanimité des hauts
dignitaires pontificaux l'irritait parfois profondément.
Mis à part les humbles nonnes et prêtres qui occupaient
des emplois de serviteurs, il y avait des semaines qu'il
n'avait pas adressé la parole à un homme quelconque,
quelqu'un qui n'eût pas un dessein politique, spirituel
ou militaire à faire valoir. Même la prière lui venait
moins facilement ces derniers temps, et Dieu paraissait
à des années-lumière de distance, comme s'il s'était
retiré pour permettre à ses créatures humaines de prendre les rênes afin de détruire le monde qu'il leur avait
donné. Ce dont j'ai besoin, songea-t-il, serait une bonne
dose de Meggie ou de Fee; à défaut, une bonne dose de
quelqu'un qui ne se préoccuperait pas du destin du
Vatican et de Rome.

Sa Grandeur descendit l'escalier privé de la grande
basilique Saint-Pierre où ses pas l'avaient conduit. A
cette époque, les portes en étaient fermées à clef dès la
tombée du jour, signe de la paix inconfortable qui
pesait sur Rome, plus éloquent que les compagnies d'Allemands en uniforme vert-de-gris arpentant les rues de
la ville. Une lueur légère, surnaturelle, baignait l'abside
vide; le bruit de ses pas se répercutait sur les dalles de
pierre tandis qu'il marchait, s'immobilisait et se fondait
dans le silence, faisait une génuflexion devant le maître-autel et reprenait son errance. Soudain, entre deux
bruits de pas, il entendit un halètement. La lampe-tor-
che qu'il tenait à la main brilla; il en projeta le faisceau

dans la direction du soupir, moins effrayé que curieux. Il était dans son domaine et pouvait le défendre sans connaître la peur.

Le faisceau de la lampe joua sur ce qui était devenu, à ses yeux, la plus belle sculpture de la création : la Pietà de Michel-Ange. Au-dessous des visages figés, se trouvait une autre face, non de marbre mais de chair, toute creusée d'ombres à l'égal d'une tête de mort.

— *Ciao,* dit Sa Grandeur avec un sourire.

Il n'y eut pas de réponse, mais il vit que les vêtements étaient ceux d'un fantassin allemand de deuxième classe; l'homme quelconque qu'il recherchait! Peu importait qu'il fût allemand.

— *Wie geht's*? demanda-t-il sans cesser de sourire.

Un sursaut fit perler de la sueur sur un large front d'intellectuel qui brilla tout à coup, tranchant sur les ténèbres.

— *Du bist krank*? s'enquit-il alors, se demandant si le jeune homme n'était pas souffrant.

Une voix lui répondit enfin.

— *Nein.*

L'archevêque de Bricassart posa sa lampe sur le sol et s'avança; d'une main, il souleva le menton du soldat afin de regarder dans les yeux sombres, encore assombris par l'obscurité.

— Qu'y a-t-il? demanda-t-il en allemand. (Il rit.) Vous l'ignorez, mais c'est là la principale fonction de ma charge... demander aux gens ce qu'il y a. Et je peux vous assurer que c'est une question qui m'a souvent valu beaucoup d'ennuis.

— Je suis venu prier, assura le jeune homme d'une voix aux fortes intonations bavaroises, trop grave pour son âge.

— Qu'est-il arrivé? Vous vous êtes retrouvé enfermé?

— Oui, mais ce n'est pas ce qui m'inquiète.

Sa Grandeur ramassa la torche.

— Eh bien, vous ne pouvez pas rester ici toute la nuit, et je n'ai pas la clef. Suivez-moi. (Il repartit en direction de l'escalier privé conduisant au palais pontifical; il s'exprimait d'une voix lente, douce.) Il se trouve que, moi aussi, je suis venu prier. Votre haut commandement m'a réservé une journée plutôt difficile. C'est ça, par ici. Espérons simplement que les gardes ne croiront pas que j'ai été arrêté... qu'ils se rendront compte que c'est moi qui vous escorte, et non l'inverse.

Après avoir encore marché une dizaine de minutes en silence, traversé couloirs, cours, jardins, halls, monté et descendu des marches, le jeune Allemand ne paraissait pas désireux de quitter la protection de son mentor qu'il suivait pas à pas. Enfin, Sa Grandeur ouvrit une porte et conduisit son protégé dans un petit salon à l'ameublement succinct et simple, fit jouer l'interrupteur d'une lampe et repoussa le battant.

Ils se dévisageaient mutuellement, pouvant enfin distinguer leurs traits respectifs. Le soldat allemand voyait un homme de très haute taille, au visage fin, aux yeux bleus, pénétrants; l'archevêque de Bricassart voyait un enfant accoutré d'un uniforme que toute l'Europe avait appris à redouter. Un enfant; sûrement pas plus de seize ans. De taille moyenne et d'une minceur d'adolescent, il n'en présentait pas moins une ossature qui laissait présager force et corpulence, et de très longs bras. Assez curieusement, son visage avait quelque chose d'italien, sombre et patricien, extrêmement séduisant; grands yeux brun foncé, aux cils longs et noirs, magnifique chevelure brune et ondulée. Rien de commun ou d'ordinaire chez lui en fin de compte, même si son rôle l'était; en dépit du fait qu'il avait souhaité parler à un homme quelconque, Sa Grandeur n'en était pas moins intéressée.

— Asseyez-vous, dit-il au jeune homme en s'approchant d'un coffre d'où il tira une bouteille de marsala.

Il versa un peu de vin dans deux verres, en tendit un au jeune soldat et emporta le sien en allant s'asseoir dans un fauteuil d'où il pourrait observer confortablement la fascinante expression de son hôte.

— L'Allemagne en est-elle réduite à mobiliser ses enfants? demanda-t-il en croisant les jambes.

— Je ne sais pas, répondit le garçon. Je me trouvais dans un orphelinat, alors, n'importe comment, j'aurais dû le quitter sous peu.

— Comment vous appelez-vous, mon garçon?

— Rainer Moerling Hartheim, répondit le jeune homme dont la voix s'enfla sous la fierté.

— Quel nom magnifique, remarqua gravement le prêtre.

— Oui, n'est-ce pas? Je l'ai choisi moi-même. On m'appelait Rainer Schmidt à l'orphelinat, mais quand j'ai été mobilisé, j'ai changé ce nom pour celui que j'avais toujours souhaité.

— Vous avez perdu vos parents?

— Les sœurs m'appelaient un enfant de l'amour.

L'archevêque s'efforça de ne pas sourire; le garçon faisait preuve d'une telle dignité et assurance tranquille maintenant que la peur l'avait quitté. Mais de quoi avait-il eu peur? Pas d'être découvert ou enfermé dans la basilique.

— Pourquoi étiez-vous tellement effrayé, Rainer?

Le jeune soldat but vivement une gorgée de vin, leva la tête avec une expression de satisfaction.

— Délicieux. Il est doux. (Il s'installa plus confortablement.) Je voulais voir la basilique Saint-Pierre parce que les sœurs nous en parlaient souvent en nous montrant des photos. Aussi quand j'ai été envoyé à Rome, j'étais heureux. Nous sommes arrivés ici ce matin; dès que je l'ai pu, je suis venu. (Il fronça les sourcils.) Mais j'ai été déçu. Je croyais me sentir plus proche de Notre-Seigneur dans sa propre église; au lieu de quoi, c'était seulement énorme et froid. Je ne sentais pas sa présence.

L'archevêque sourit.

— Je comprends ce que vous voulez dire. Mais Saint-Pierre n'est pas vraiment une église, vous savez? Pas au sens où on l'entend pour la plupart des églises. Saint-Pierre est l'Eglise. Il m'a fallu très longtemps pour m'y habituer.

— Je voulais prier pour deux choses, laissa tomber le jeune homme en hochant la tête pour faire comprendre qu'il avait entendu les paroles mais que celles-ci n'étaient pas celles qu'il eût souhaitées.

— Pour des choses qui vous effraient?

— Oui. Je pensais que le fait de me trouver dans la basilique Saint-Pierre pourrait m'aider.

— Quelles sont les choses qui vous effraient, Rainer?

— Qu'on me déclare juif et que mon régiment finisse malgré tout par être envoyé sur le front russe.

— Je vois. Pas étonnant que vous ayez peur. Y a-t-il effectivement une possibilité pour qu'on vous déclare juif?

— Eh bien, regardez-moi! rétorqua simplement le garçon. Au moment de l'enrôlement, quand ils ont établi ma fiche, ils ont dit qu'il faudrait vérifier. Je ne sais pas s'ils le peuvent ou non, mais je suppose que les sœurs en savaient plus long qu'elles ne m'en ont dit.

— Si c'est le cas, elles ne fourniront aucun renseignement, assura Sa Grandeur dans l'espoir de l'apaiser. Elles comprendront la raison de l'enquête.

— Vous le croyez vraiment? Oh, je le voudrais tant!

— L'idée d'avoir en vous du sang juif vous troublerait-elle?

— Peu importe le sang qui coule dans mes veines, répondit Rainer. Je suis né allemand; c'est tout ce qui compte.

— Mais ce n'est pas ainsi qu'ils voient les choses, n'est-ce pas?

150

— Non.

— Quant au front russe, il n'y a sûrement pas lieu de vous inquiéter actuellement. Vous êtes à Rome, la direction opposée.

— Ce matin, j'ai entendu notre commandant déclarer que nous finirions peut-être par être envoyés sur le front russe. Ça ne va pas très bien là-bas.

— Vous êtes un enfant! s'écria l'archevêque avec emportement. Vous devriez être à l'école.

— N'importe comment, je n'y serais plus à présent, rétorqua le jeune homme en souriant. J'ai seize ans, donc je travaillerais. (Il soupira.) J'aurais aimé continuer mes études; s'instruire est important.

L'archevêque de Bricassart laissa échapper un éclat de rire, puis il se leva et remplit les verres.

— Ne faites pas attention à moi, Rainer. Ne cherchez pas un sens à mes paroles. Simplement des pensées qui se succèdent. C'est l'heure à laquelle elles m'assaillent. Je ne me montre pas un très bon hôte, n'est-ce pas?

— Vous êtes très bien, assura le garçon.

— Parlez-moi de vous, Rainer Moerling Hartheim, invita Sa Grandeur en se rasseyant.

Une curieuse expression d'orgueil joua sur le jeune visage.

— Je suis allemand et catholique. Je veux que l'Allemagne devienne un pays où la race et la religion n'entraînent pas de persécutions, et je consacrerai ma vie à cette fin... si je vis.

— Je prierai pour vous... pour que vous viviez et réussissiez.

— Vraiment? demanda timidement le soldat. Est-ce que vous prierez réellement pour moi, personnellement, en me nommant?

— Bien sûr. En fait, vous m'avez appris quelque chose. Dans ma condition, je n'ai qu'une arme à ma disposition, la prière. Je n'ai pas d'autre fonction.

— Qui êtes-vous? s'enquit Rainer auquel le vin commençait à faire battre les paupières.

— L'archevêque Ralph de Bricassart.

— Oh! je vous avais pris pour un prêtre ordinaire.

— Je suis un prêtre ordinaire, rien de plus.

— Je vous propose un marché! lança le jeune soldat, les yeux brillants. Vous prierez pour moi, mon père, et si je vis assez longtemps pour mener mes projets à bien, je reviendrai à Rome afin que vous puissiez constater les effets de vos prières.

Les yeux bleus s'illuminèrent de tendresse.

— D'accord, marché conclu. Et quand vous viendrez, je vous dirai ce qui, d'après moi, est advenu de mes prières. (Il se leva.) Restez là, jeune politicien. Je vais voir si je peux vous trouver quelque chose à manger.

Ils causèrent jusqu'à ce que l'aube rosît dômes et campaniles et que le bruissement des ailes des pigeons se fît entendre devant la fenêtre. Puis, l'archevêque conduisit son nouvel ami à travers les salles de réception du palais, observant avec délices sa crainte mêlée de respect, et l'accompagna dehors dans l'air frais, vif. Bien qu'il ne s'en doutât pas, le jeune homme au nom magnifique allait effectivement être envoyé sur le front russe, emportant avec lui un souvenir étrangement doux et rassurant : à Rome, dans la propre église de Notre-Seigneur, un homme prierait pour lui chaque jour, nommément.

Lorsque la 9e division fut prête à s'embarquer pour la Nouvelle-Guinée, tout était pratiquement terminé, mis à part les opérations de ratissage. Déçue, la fameuse division australienne espérait qu'il y aurait encore un peu de gloire à glaner ailleurs, en pourchassant les Japonais à travers l'Indonésie. Guadalcanal avait ôté tout espoir aux armées nippones de débarquer en Australie. Et pourtant, comme les Allemands, les Japonais ne cédaient que pied à pied, s'accrochaient. Bien que leurs ressources fussent pitoyablement réduites, leurs armées fourbues par manque de ravitaillement et de renforts, ils n'en obligeaient pas moins Américains et Australiens à payer chèrement chaque pouce de terrain. En retraite, les Japonais abandonnèrent Buna, Gona, Salamaua et remontèrent la côte nord vers Lae et Finschafen.

Le 5 septembre 1943, la 9e division débarqua à l'est de Lae. Il faisait chaud, l'humidité atteignait cent pour cent et il pleuvait tous les après-midi bien que la saison des pluies ne fût attendue que deux mois plus tard. La menace de malaria obligeait les hommes à absorber des médicaments, de petits comprimés jaunes qui les rendaient tout aussi malades que s'ils avaient vraiment été atteints de malaria. Avec l'humidité ambiante, chaussettes et chaussures étaient constamment trempées; les pieds devenaient spongieux, la chair entre les orteils à vif et sanguinolente. Les piqûres des mouches de marais et des moustiques dégénéraient en plaies qui s'ulcéraient.

A Port Moresby, les soldats avaient pu constater l'état pitoyable des indigènes de Nouvelle-Guinée et, si ceux-ci ne parvenaient pas à supporter le climat sans contracter béribéri, malaria, pneumonie, affections chroniques de la peau, hypertrophie du foie et céder à un état de prostration, il n'y avait guère d'espoir pour l'homme blanc. A Port Moresby, ils virent aussi des survivants de Kokoda, victimes, non pas tant des Japonais, que de la Nouvelle-Guinée, émaciés, couverts de plaies, délirant de fièvre. Certes, les Japonais en avaient tué beaucoup, mais dix fois plus étaient morts de pneumonie à dix-huit cents mètres d'altitude par un froid glacial, vêtus de leurs minces tenues tropicales. Boue visqueuse, gluante, forêts spectrales qui luisaient des pâles lumières dispensées après le coucher du soleil par des champignons phosphorescents, ravins abrupts à escalader dans un fouillis de racines enchevêtrées qui interdisaient à tout homme de lever les yeux, ne fût-ce qu'une seconde, alors qu'il constituait une cible facile pour un tireur embusqué. Tout était là diamétralement opposé à l'Afrique du Nord; aucun des hommes de la 9e ne regrettait d'être demeuré sur place pour prendre part aux deux combats d'El-Alamein plutôt que d'avoir été envoyé sur les pistes de Kokoda.

Lae, ville côtière, nichée au cœur d'une végétation exubérante où l'herbe le disputait à la forêt, était infiniment plus salubre en tant que champ de bataille que Kokoda. Elle ne comptait que quelques rares maisons européennes, une pompe à essence et une large concentration de huttes indigènes. Les Japonais faisaient toujours preuve du même cran, mais ils étaient peu nombreux et affaiblis, aussi usés par la Nouvelle-Guinée que les Australiens qu'ils avaient combattus, aussi affectés par la maladie. Après les massives concentrations d'artillerie et l'extrême mécanisation d'Afrique du Nord, il était curieux de ne jamais voir un mortier ou un canon; rien que des fusils mitrailleurs et des mousquetons constamment prolongés de leurs baïonnettes. Jims et Patsy aimaient les combats au corps à corps, restant toujours à proximité l'un de l'autre pour mieux se couvrir mutuellement. Une sorte de déchéance, terrible, après l'Afrika Korps. De petits hommes jaunes, aux dents proéminentes, qui paraissaient tous porter des lunettes. Totalement dépourvus de panache guerrier.

Quinze jours après le débarquement de la 9e à Lae, il n'y avait plus de Japonais. Une très belle journée pour un printemps de Nouvelle-Guinée. Le taux d'humidité avait un peu baissé, le soleil brillait dans un ciel subitement bleu au lieu de l'habituel blanc chargé de vapeur; la ligne de crêtes paraissait verte, pourpre et lilas au delà de la ville. La discipline s'était relâchée; les hommes s'accordaient une journée de repos pour jouer au cricket, se promener, taquiner les indigènes afin de les faire rire et surprendre le rouge sang de leurs gencives édentées à force d'avoir mâchonné du bétel. Jims et Patsy vagabondaient dans l'herbe haute au-dessus de l'agglomération, car elle leur rappelait Drogheda; elle avait la même teinte, jaunie, décolorée, et longue comme au domaine après une saison de fortes pluies.

— Nous ne tarderons pas à rentrer, Patsy, assura Jims. Les Japs et les Chleuhs sont en déroute. La maison, Patsy, Drogheda. Je meurs d'impatience.

— Ouais, répondit Patsy.

Ils avançaient, épaule contre épaule, liés par une intimité infiniment plus grande que celle qui peut unir deux hommes ordinaires; parfois, ils s'effleuraient l'un l'autre, pas consciemment, mais à la façon dont un être touche son propre corps afin de soulager une légère démangeaison, ou machinalement pour s'assurer qu'il est toujours intact. Comme c'était agréable de sentir un vrai et chaud soleil sur le visage au lieu de percevoir la moiteur habituelle de bain turc dispensée par la grosse boule voilée de vapeur! De temps à autre, ils levaient le nez vers le ciel, dilataient leurs narines pour s'imprégner de l'odeur de lumière chaude qui baignait une herbe ressemblant à celle de Drogheda, rêver un peu qu'ils étaient de retour là-bas, s'approchant d'un wilga dans l'éblouissement de midi pour s'étendre et laisser passer le gros de la chaleur, lire un livre, somnoler, rouler sur soi-même, sentir la terre belle et amicale à travers la peau, surprendre la pulsation d'un cœur puissant qui battait, là, dans les profondeurs du sol, à l'unisson avec le leur.

— Jims! Regarde! C'est un inséparable! Un vrai, comme ceux de Drogheda! s'exclama Patsy que la surprise avait tiré de son mutisme.

Peut-être existait-il aussi des perruches, dites inséparables, dans la région de Lae, mais l'ambiance de la journée et ce rappel absolument inattendu de Drogheda déclenchèrent une soudaine exaltation chez Patsy. Riant, sentant l'herbe lui chatouiller les mollets, il pourchassa l'oiseau, arrachant son vieux chapeau, le maintenant devant lui comme s'il croyait sérieusement pouvoir attraper la perruche, la capturer. Jims l'observait en souriant.

Patsy s'était éloigné d'une vingtaine de mètres lorsque la rafale de mitrailleuse faucha l'herbe autour de lui; Jims le vit lever les bras, pivoter sur lui-même, mains dressées en un geste de supplication. De la taille aux genoux, le sang le recouvrait, brillant; la vie s'écoulait de lui.

— Patsy! Patsy! hurla Jims.

Chaque fibre de son corps ressentait la morsure des balles comme si elles s'étaient enfoncées dans sa chair; une agonie, il avait l'impression de mourir.

Il se fendit, prit son élan pour se ruer vers son frère, mais la prudence du soldat lui revint et il plongea tête la première dans l'herbe juste à la seconde où la mitrailleuse ouvrait de nouveau le feu.

— Patsy! Patsy, ça va? cria-t-il, stupidement puisqu'il avait vu le sang jaillir.

Pourtant, contre toute attente, une faible réponse lui parvint.

— Ouais.

Centimètre par centimètre, Jims rampa à travers l'herbe odorante; l'oreille aux aguets, il écoutait le vent, le bruissement de sa progression.

Quand il eut atteint son frère, il posa la tête sur l'épaule nue et pleura.

— Eh, arrête, dit Patsy. Je ne suis pas encore mort.

— C'est grave? demanda Jims.

Il baissa le short inondé de sang et découvrit une chair sanguinolente, frémissante.

— En tout cas, je n'ai pas l'impression que je vais y passer.

Des hommes surgissaient autour d'eux, les joueurs de cricket portant encore leurs gants et leurs protège-tibias; l'un d'eux alla chercher un brancard tandis que les autres avançaient pour réduire au silence la mitrailleuse camouflée à l'autre extrémité de la clairière. L'opération fut accomplie avec une détermination encore plus farouche qu'à l'accoutumée car tout le monde aimait Harpo. S'il lui arrivait malheur, Jims ne serait jamais le même.

Une belle journée; la perruche était partie depuis longtemps, mais d'autres oiseaux pépiaient, gazouillaient sans crainte; ils ne s'étaient tus que pendant l'escarmouche.

— Patsy a une sacré veine, assura le toubib à Jims un peu plus tard. Il a dû stopper une bonne douzaine de balles, mais la plupart l'ont atteint aux cuisses. Les deux ou trois qui ont pénétré un peu plus haut paraissent s'être logées dans l'os iliaque ou le muscle pelvien. Pour autant que je puisse en juger, ses tripes sont intactes; sa vessie aussi. Seulement il...

— Quoi? s'impatienta Jims qui tremblait encore, la bouche bleuie à force de crispations.

— Il est difficile de se prononcer à ce stade, évidemment, je n'ai rien du chirurgien de génie comme certains de ces caïds de Moresby. Eux t'en diront davantage, mais l'urètre a été atteint et pas mal des minuscules nerfs du périnée. Je suis à peu près sûr qu'il pourra être remis à neuf, mais il ne retrouvera probablement pas l'usage de certains nerfs. Malheureusement ceux-ci ne se raccommodent pas très bien. (Il se racla la gorge.) Ce que j'essaie de te dire, c'est qu'il sera peut-être privé de sensibilité dans la région génitale.

Jims baissa la tête, regarda le sol à travers le voile de ses larmes.

— Le principal, c'est qu'il vive, dit-il.

On lui accorda l'autorisation de prendre l'avion avec

son frère pour Port Moresby et d'y rester jusqu'à ce que Patsy fût jugé hors de danger. Celui-ci pouvait être considéré comme miraculé. Les balles s'étaient en effet éparpillées tout autour de l'abdomen sans s'y loger. Et le médecin de la 9e avait vu juste : la sensibilité des organes génitaux était sérieusement lésée. Peut-être reviendrait-elle partiellement par la suite, mais personne ne pouvait encore se prononcer.

— Ça n'a pas d'importance, dit Patsy étendu sur le brancard qui devait être embarqué dans l'avion à destination de Sydney. N'importe comment, je n'ai jamais été très porté sur les filles. Surtout, sois prudent, Jims, maintenant plus que jamais. J'ai de la peine de te quitter.

— T'en fais pas, je serai prudent, Patsy, assura Jims en souriant. (Il étreignit la main de son frère.) Tu te rends compte? Etre obligé de finir la guerre sans mon meilleur copain... Je t'écrirai pour te dire comment ça se passe. Dis bonjour pour moi à Mme Smith, Meggie, m'man et aux frangins. Dans le fond, tu as de la chance de rentrer à Drogheda.

Fee et Mme Smith prirent l'avion pour Sydney afin d'être à l'atterrissage de l'appareil américain qui amenait Patsy de Townsville; Fee ne resta que quelques jours, mais Mme Smith s'installa dans un hôtel de Randwick proche de l'hôpital militaire du Prince de Galles. Patsy y demeura trois mois. Sa carrière militaire était achevée. Mme Smith versa bien des pleurs, mais la joie l'emporta souvent en voyant son protégé se rétablir peu à peu et, finalement, s'en tirer à si bon compte. Il ne pourrait jamais mener une vie totalement pleine, mais tous les autres plaisirs lui restaient : monter à cheval, marcher, courir. N'importe comment, le mariage ne semblait pas devoir entrer dans le destin des Cleary. Lorsqu'il fut autorisé à quitter l'hôpital, Meggie vint le chercher avec la Rolls, et les deux femmes l'installèrent sur le siège arrière entouré de couvertures et de magazines, priant pour que Dieu leur accordât une autre faveur : le retour de Jims.

16

Il fallut que le représentant de l'empereur Hiro-Hito eût signé la reddition officielle du Japon pour que Gillanbone crût en la fin de la guerre. La nouvelle éclata le dimanche 2 septembre 1945, soit exactement six ans après le début des hostilités. Six années lourdes d'angoisse. Tant de places demeureraient vides à jamais : Rory, fils de Dominic O'Rourke, John, fils de Horry Hopeton, Cormac, fils d'Eden Carmichael. Le plus jeune fils de Ross MacQueen, Angus, ne marcherait plus; David, le fils d'Anthony King, marcherait, mais sans voir où il irait; Patsy, le fils de Paddy Cleary, n'aurait jamais d'enfants. Et il y avait ceux dont les blessures n'étaient pas apparentes, mais restaient tout aussi profondes; ceux qui étaient partis joyeux, ardents, rieurs, mais étaient revenus sans tapage; ils parlaient peu et ne riaient que rarement. Au moment de la déclaration de guerre, qui aurait pu imaginer que le conflit durerait si longtemps et prélèverait un tel tribut?

Gillanbone ne formait pas une communauté spécialement superstitieuse, mais ses plus cyniques citoyens eux-mêmes frissonnèrent ce dimanche 2 septembre car, le jour même où la guerre prenait fin, s'acheva aussi la pire sécheresse qu'eût enregistrée l'Australie au cours de son histoire. Pendant près de dix ans, aucune pluie digne de ce nom n'était tombée mais, ce jour-là, les nuages envahirent le ciel, noirs, sur une épaisseur de plusieurs centaines de mètres; ils crevèrent et déversèrent trente-six centimètres d'eau sur la terre assoiffée. Et une faible précipitation pluvieuse peut fort bien ne pas augurer la fin de la sécheresse si elle n'est pas suivie d'autres pluies, mais trente-six centimètres d'eau signifient herbe.

Meggie, Fee, Bob, Jack, Hughie et Patsy se tenaient sous la véranda baignée d'ombre d'où ils observaient les alentours, respirant le parfum d'une douceur insoutenable qui montait de la terre craquelée, réduite en poussière. Chevaux, moutons, bovins, porcs écartaient les pattes pour se camper sur le sol qui se dérobait et laissaient l'eau se déverser sur leurs corps frissonnants; la plupart d'entre eux étaient nés après qu'une telle pluie eut traversé leur monde. Dans le cimetière, le déluge entraînait la poussière, blanchissait tout, ravivait les ailes déployées de l'ange amical, inspiré de Botticelli. Le ruisseau exulta, se gonfla sous un raz de marée; son flot rugissant se mêla au tambourinement de la pluie qui détrempait tout. La pluie, la pluie! La pluie. Une bénédiction longtemps retenue dans une immense main et, enfin, accordée. La pluie bénie, merveilleuse. Car la pluie signifiait l'herbe, et l'herbe était la vie.

Un duvet vert pâle apparut, dressa ses petits brins vers le ciel, se ramifia, éclata, se mua en un vert profond au fur et à mesure de sa croissance, puis se décolora et devint gras, se transforma en herbe beige argenté, celle de Drogheda, montant jusqu'aux genoux. L'enclos intérieur ressemblait à un champ de blé, ondoyant sous chaque risée malicieuse; les jardins qui entouraient la maison explosèrent en un feu d'artifice de couleurs; de gros bourgeons se déroulèrent, les grands eucalyptus redevinrent subitement blancs et vert clair après avoir ployé pendant neuf ans sous une chape de poussière. Bien que la folle prodigalité des citernes dues à Michael Carson eût encore permis de conserver un semblant de vie dans les jardins, la poussière s'était depuis longtemps installée sur chaque feuille et pétale, ternissant, abolissant leur éclat. Et une vieille légende s'était vérifiée; Drogheda disposait effectivement de suffisamment d'eau pour survivre à une sécheresse de dix ans, mais uniquement pour alimenter les abords immédiats de la maison.

Bob, Jack, Hughie et Patsy retournèrent dans les enclos et tirèrent des plans pour renouveler le cheptel; Fee ouvrit une bouteille neuve d'encre noire et reboucha frénétiquement son flacon d'encre rouge; Meggie vit la fin de sa vie en selle car Jims ne tarderait pas à rentrer et des hommes se présenteraient à la recherche d'un emploi.

Après neuf ans, il ne restait que bien peu de moutons et de bovins, uniquement des reproducteurs de choix, toujours gardés dans des enclos fermés et alimentés par des apports extérieurs, quelles que fussent les conditions climatiques, la fine fleur des étalons, béliers et taureaux. Bob partit pour l'est jusqu'à la ligne de partage des eaux afin d'acheter des brebis de bonne souche dans des propriétés moins durement touchées par la sécheresse. Jims rentra. Huit ouvriers-éleveurs furent portés dans les livres de Drogheda. Meggie raccrocha sa selle.

Peu de temps après, Meggie reçut une lettre de Luke, la deuxième depuis qu'elle l'avait quitté.

Ça ne sera plus très long maintenant, je crois; encore quelques années à couper la canne et j'arriverai au bout. Les reins me font un peu plus mal ces temps, mais je suis encore capable de me mesurer aux meilleurs coupeurs, huit à neuf tonnes. Arne et moi avons douze autres équipes qui travaillent pour nous; tous des braves types. L'argent circule plus facilement, l'Europe a besoin de sucre, aussi vite que nous pouvons le pro-

*duire. Je me fais plus de cinq mille livres par an que je
mets presque entièrement de côté. Ce ne sera pas long
maintenant. Meg, avant que je parte pour Kynuna.
Peut-être que quand j'aurai tout mis au point, tu voudras me revenir. Est-ce que je t'ai donné le gosse que tu
voulais? Bizarre comme les femmes ne rêvent que de
mômes. C'est probablement ça qui nous a séparés,
hein? Dis-moi ce que tu deviens et comment Drogheda a
résisté à la sécheresse. Bien à toi, Luke.*

Fee sortit sur la véranda où Meggie était assise, la
lettre à la main, le regard perdu vers les pelouses d'un
vert éclatant.

— Comment va Luke?
— Toujours le même, m'man. Pas changé le moins
du monde. Encore un petit bout de temps à couper
cette satanée canne à sucre et, un jour, il achètera son
domaine près de Kynuna.
— Irais-tu le rejoindre, Meggie?
— Jamais de la vie.

Fee se laissa tomber dans un fauteuil de rotin qu'elle
déplaça légèrement afin de mieux voir sa fille. Pas très
loin, des hommes s'interpellaient, des bruits de marteau résonnaient, enfin les vérandas et les fenêtres du
premier étage allaient être munies d'un fin treillage
pour faire obstacle aux mouches. Pendant des années,
Fee s'y était opposée obstinément. Quel que soit le dé-
sagrément des insectes, la maison ne serait jamais enlai-
die par ces horribles moustiquaires! Mais plus la sécheresse durait, plus les mouches se multipliaient; enfin,
deux semaines avant que vînt la pluie, Fee avait cédé et
donné ordre à un entrepreneur d'obturer d'un fin treillage toutes les fenêtres des bâtiments du domaine, pas
seulement celles de la maison principale, mais aussi
celles de toutes les habitations affectées au personnel, y
compris le baraquement.

Mais elle se refusait à faire installer l'électricité bien que, depuis 1915, l'auvent de tonte disposât d'un générateur fournissant le courant. Drogheda sans le doux halo des lampes à pétrole? Impensable. Pourtant, elle ne s'opposa pas à l'installation d'une dizaine de réfrigérateurs à pétrole et de l'une de ces nouvelles cuisinières à gaz butane; l'industrie australienne n'avait pas encore atteint le niveau de production du temps de paix mais, peu à peu, les appareils ménagers finiraient par s'imposer.

— Meggie, pourquoi ne divorces-tu pas pour te remarier? demanda tout à coup Fee. Enoch Davies t'épouserait immédiatement; aucune autre femme n'a jamais retenu son attention.

Meggie leva vers sa mère un regard stupéfait.

— Grand Dieu, m'man, j'ai vraiment l'impression que tu t'adresses à moi d'égale à égale... comme si tu parlais à une vraie femme.

Fee ne sourit pas; Fee souriait rarement.

— Eh bien, si tu n'es pas une femme à présent, tu ne le seras jamais. Pour ma part, je crois que tu remplis toutes les conditions. Je dois vieillir, j'ai envie de bavarder.

Meggie rit, enchantée de voir sa mère en de telles dispositions, souhaitant les voir durer.

— C'est la pluie, m'man. Ça ne peut être que ça. Oh, c'est merveilleux de revoir de l'herbe à Drogheda et des pelouses vertes autour de la maison!

— Oui, en effet. Mais tu éludes ma question. Pourquoi ne pas divorcer et te remarier?

— C'est contraire aux lois de l'Église.

— Sornettes! s'écria Fee. La moitié de toi tient de moi et je ne suis pas catholique. Ne me raconte pas d'histoires, Meggie. Si tu voulais réellement te remarier, tu divorcerais d'avec Luke.

— Oui, probablement. Mais je ne veux pas me remarier. Mes enfants et Drogheda suffisent amplement à mon bonheur.

Un gloussement, très semblable au sien, monta en écho d'un buisson aux chatons pourpres qui dissimulait l'auteur du rire.

— Ecoute! Il est là! C'est Dane! Sais-tu qu'à son âge il monte aussi bien à cheval que moi? (Elle se pencha vers le jardin.) Dane! Qu'est-ce que tu manigances? Sors de là immédiatement!

Il émergea de sa cachette sous le buisson, les mains pleines de terre noire, la bouche maculée de taches suspectes.

— M'man! Est-ce que tu savais que la terre a bon goût? C'est vrai, tu sais, m'man!

Il se dressa devant elle; à sept ans, il était grand, délié, fort mais avec grâce, et son visage évoquait la finesse d'une figurine de porcelaine.

Justine apparut, se tint à côté de lui; elle aussi était grande, mais maigre plutôt que mince, et terriblement marquée de taches de rousseur. Il était difficile de distinguer ses traits sous le piquetage brun, et ses yeux, toujours aussi pâles, communiquaient la même impression de malaise; ses cils et sourcils, trop blonds, ne tranchaient pas sur les taches de son. Des tresses, du même roux flamboyant que celui de Paddy, le disputaient aux boucles rebelles et encadraient son visage de farfadet. Personne n'aurait pu la qualifier de jolie, mais elle laissait sur ceux qu'elle rencontrait une impression durable, pas seulement à cause de ses yeux, mais aussi en raison de sa remarquable force de caractère. Rigide, droite, d'une intelligence ignorant le compromis, à huit ans, Justine se préoccupait aussi peu de ce que l'on pensait d'elle que lorsqu'elle était bébé. Un seul être était véritablement très proche d'elle : Dane. Elle l'adorait toujours et le considérait encore comme sa propriété personnelle.

Cet état d'esprit avait donné lieu à bien des affrontements de volontés entre elle et sa mère. Justine avait été profondément bouleversée quand Meggie avait raccroché sa selle pour reprendre ses devoirs de mère. D'une part, Justine ne paraissait pas avoir besoin de la férule maternelle puisqu'elle était convaincue d'avoir raison en tout. D'autre part, elle n'avait rien de la petite fille exigeant une confidente ou une approbation chaleureuse. A ses yeux, Meggie représentait essentiellement une personne qui s'immisçait dans le plaisir que lui procurait la présence de Dane. Elle s'entendait infiniment mieux avec sa grand-mère dont elle approuvait pleinement le comportement. Fee gardait ses distances et accordait à chacun un minimum de bon sens.

— Je lui ai dit de ne pas manger de terre, assura Justine.

— Ma foi, ça ne le tuera pas, rétorqua Meggie. Mais ça n'est pas bon pour lui. (Elle se tourna vers son fils.) Dane, pourquoi as-tu fait ça?

Il réfléchit gravement à la question.

— Elle était là, alors j'en ai mangé. Si c'était mauvais pour moi, ça aurait mauvais goût, non? Et ça a bon goût.

— Pas nécessairement, intervint Justine d'un ton docte. Tu me désoles, Dane. Certaines des choses qui ont le meilleur goût n'en sont pas moins du poison.

— Quoi, par exemple? fit-il, la défiant.

— La mélasse! lança-t-elle d'un ton triomphant.

Dane avait été très malade après avoir englouti toute une boîte de mélasse découverte dans l'office de Mme Smith. Il encaissa le coup et contre-attaqua.

— Je suis encore là. Alors, ça ne pouvait pas être un vrai poison.

— C'est seulement parce que tu l'as vomie. Sinon, tu serais mort.

Argument irréfutable. Lui et sa sœur étaient à peu près de la même taille, aussi lui enlaça-t-il gentiment la taille et tous deux s'éloignèrent en sautillant à travers la pelouse en direction de la cabane que leurs oncles avaient construite sur leurs indications, parmi les branches souples d'un poivrier pleureur. Le danger que faisaient courir les abeilles avait soulevé bien des oppositions de la part des adultes quant à l'emplacement choisi, mais il apparut que les enfants avaient eu raison, les abeilles cohabitaient avec eux en bonne intelligence. Et les poivriers étaient les plus agréables des arbres, se prêtant à l'intimité. Ils dégageaient un parfum sec, odorant, et les grappes de minuscules boules roses qui pendaient à leurs branches se transformaient en paillettes rosâtres à la senteur violente quand on les écrasait sous les doigts.

— Dane et Justine sont si différents l'un de l'autre, et pourtant ils s'entendent si bien, remarqua Meggie. J'en suis toujours surprise. Je ne crois pas les avoir jamais vus se quereller; parfois, je me demande comment Dane réussit à éviter les disputes avec un être aussi résolu et obstiné que Justine.

Mais Fee avait une autre idée en tête.

— Seigneur, c'est le portrait craché de son père, dit-elle en observant Dane qui se glissait sous les frondaisons du poivrier et disparaissait à sa vue.

Un froid de glace envahit Meggie, réaction dont elle ne pouvait se défendre bien qu'elle eût entendu cette phrase des centaines de fois au fil des années. Réflexe engendré par son sentiment de culpabilité, évidemment. Les gens faisaient toujours allusion à Luke. D'ailleurs, pourquoi pas? Il existait nombre de similitudes entre Luke O'Neill et Ralph de Bricassart. Mais, en dépit de tous ses efforts, Meggie ne parvenait jamais à être très naturelle lorsqu'on se livrait à des commentaires sur la ressemblance de Dane avec son père.

Elle prit une longue inspiration, s'efforça de paraître naturelle.

— Tu trouves, m'man? demanda-t-elle en balançant

négligemment le pied. Pour moi, ça n'est pas tellement évident. Dane n'a rien de Luke, ni dans le tempérament ni dans le comportement.

Fee rit. Le son qu'elle produisait tenait du reniflement, mais il s'agissait d'un vrai rire. Devenus pâles avec l'âge et l'opacité de la cataracte, ses yeux se posèrent avec ironie sur le visage stupéfait de Meggie.

— Me prends-tu pour une idiote, Meggie? Je ne veux pas parler de Luke O'Neill. Je trouve que Dane est le portrait craché de Ralph de Bricassart.

Du plomb. Le pied de Meggie était de plomb. Il retomba sur le carrelage espagnol. Son corps, devenu de plomb, se tassa, le cœur de plomb à l'intérieur de sa poitrine lutta pour battre en dépit de son poids. Bats, bon Dieu, bats! Il faut que tu continues à battre pour mon fils!

— Mais m'man! parvint-elle à articuler d'une voix, elle aussi, de plomb. Mais, m'man, quelle réflexion extravagante! Le père Ralph de Bricassart?

— Combien d'autres personnes connais-tu qui portent ce nom? Luke O'Neill n'a jamais engendré de garçon. Dane est le fils de Ralph de Bricassart. Je l'ai compris à la seconde où je l'ai tiré hors de toi pour le mettre au monde.

— Alors... pourquoi n'as-tu rien dit? Pourquoi as-tu attendu qu'il ait sept ans pour formuler une accusation aussi absurde et dénuée de fondement?

Fee étendit les jambes, croisa les chevilles avec élégance.

— J'atteins enfin un âge avancé, Meggie, et les choses font moins mal maintenant. Quelle bénédiction que la vieillesse! C'est si bon de voir Drogheda revivre. Sans doute est-ce pour ça que je me sens mieux... Pour la première fois depuis bien des années, j'ai envie de parler.

— Eh bien, je dois dire que quand tu te décides à

parler, tu as l'art de choisir ton sujet! M'man, tu n'as absolument pas le droit de dire une chose pareille! Ce n'est pas vrai! assura Meggie d'une voix tremblante de désespoir, ne sachant pas très bien si sa mère inclinait vers la torture ou la commisération.

Soudain, la main de Fee jaillit, se posa sur le genou de Meggie. Fee sourit — pas avec amertume ou mépris, mais avec une curieuse compréhension.

— Ne me mens pas, Meggie. Mens à qui tu voudras, mais pas à moi. Rien ne pourra jamais me persuader que Luke O'Neill a engendré ce garçon. Je ne suis pas idiote, j'ai des yeux. Il n'y a rien de Luke en lui; il n'y a jamais rien eu parce qu'il ne pouvait rien y avoir. Il est le reflet du prêtre. Regarde ses mains, l'implantation de ses cheveux, la façon dont ils bouclent sur le front, la forme de son visage, les sourcils, la bouche. Même la manière dont il se déplace. Ralph de Bricassart, Meggie, Ralph de Bricassart.

Meggie céda; l'ampleur de son soulagement se devina dans la façon dont son corps se laissa aller, détendu, décontracté.

— La hauteur que l'on devine dans son regard. Pour moi, c'est ce qui paraît le plus frappant. Est-ce réellement évident? Est-ce que tout le monde est au courant, m'man?

— Bien sûr que non, affirma catégoriquement Fee. Les gens ne cherchent pas plus loin que la couleur des yeux, la forme du nez, la conformation générale. Tout cela peut faire penser à Luke. Je sais parce que, pendant des années, j'ai observé ton manège avec Ralph de Bricassart. Il lui aurait suffi de lever le petit doigt pour que tu te jettes dans ses bras; alors, quand je te parle de divorce, tu pourrais t'abstenir de réflexion du genre « c'est contraire aux lois de l'Eglise ». Tu grillais d'enfreindre une loi de l'Eglise infiniment plus sérieuse que celle qui concerne le divorce. Sans vergogne, Meggie, voilà ce que tu étais. Sans vergogne! (Un soupçon de rudesse se glissa dans sa voix.) Mais tu avais affaire à un homme obstiné. Avant tout, il tenait à être un prêtre parfait; tu n'arrivais qu'en second rang. Quelle idiotie! Ça ne lui a servi à rien. Ce n'était qu'une question de temps avant que l'inévitable se produise.

De l'autre côté de la véranda, un homme laissa tomber un marteau et lâcha une bordée de jurons; Fee se raidit, frissonna.

— Dieu du ciel, je serai heureuse quand la pose de ces moustiquaires sera terminée! (Elle revint au sujet qui lui tenait à cœur.) Crois-tu vraiment m'avoir abusée quand tu as refusé que Ralph de Bricassart célèbre ton mariage avec Luke? Je n'étais pas dupe. Tu le voulais en tant qu'époux, non en tant qu'officiant. Puis il est passé à Drogheda avant son départ pour Athènes, et tu n'étais pas là. Alors, j'ai su que, tôt ou tard, il se mettrait à ta recherche et te trouverait. Il errait dans la propriété comme une âme en peine. Tu as manœuvré habilement en épousant Luke, Meggie. Tant qu'il te savait en train de languir pour lui, Ralph ne voulait pas de toi, mais dès l'instant où tu appartenais à un autre, il a présenté tous les symptômes classiques du chien du jardinier. Bien sûr, il s'était persuadé que l'attachement qu'il te portait était pur, mais le fait demeure qu'il avait besoin de toi. Tu lui étais nécessaire comme aucune femme ne l'avait jamais été pour lui et, vraisemblablement, ne le sera jamais. Curieux, ajouta Fee qui semblait réellement intriguée. Je me suis toujours demandé ce qu'il pouvait bien te trouver, mais je suppose que les mères sont un peu aveugles en ce qui concerne leurs filles, tout au moins jusqu'à ce qu'elles soient trop vieilles pour envier leur jeunesse. Tu as les mêmes réactions envers Justine que celles que j'avais envers toi.

Elle s'adossa à son fauteuil, se balança légèrement,

yeux mi-clos, mais elle ne cessait d'observer Meggie à la façon dont un entomologiste se penche sur un insecte.

— Quel que soit ce qu'il voyait en toi, il l'a découvert dès l'instant où il t'a vue, et ça n'a jamais cessé de l'enchanter, reprit-elle. Le plus pénible pour lui était de te voir grandir, mais la réalité lui est apparue quand il est venu pour découvrir que tu étais partie, mariée. Pauvre Ralph! Il ne lui restait qu'à se lancer à ta recherche, et il t'a trouvée, n'est-ce pas? Je l'ai compris quand tu es rentrée à la maison avant la naissance de Dane. Dès l'instant où tu avais eu Ralph de Bricassart, il n'était plus nécessaire que tu restes avec Luke.

— Oui, convint Meggie avec un soupir. Ralph m'a trouvée, mais ça n'a rien résolu pour nous. Je savais qu'il n'abandonnerait jamais son Dieu. C'est pour cette raison que j'étais décidée à tirer de lui la seule chose que je puisse jamais espérer : un enfant, son fils, Dane.

— J'ai l'impression d'écouter un écho, dit Fee avec un rire grinçant. Il me semble m'entendre prononcer ces mêmes paroles.

— Frank?

Le fauteuil racla le sol; Fee se leva, se mit à marcher de long en large, faisant résonner le dallage; finalement, elle revint se planter devant sa fille qu'elle considéra attentivement.

— Eh bien, eh bien... Du tac au tac, hein, Meggie? Et toi, depuis combien de temps étais-tu au courant?

— Depuis que j'étais toute petite. Depuis le jour où Frank est parti.

— Son père était déjà marié. Il était beaucoup plus âgé que moi, un homme politique de premier plan. Si je te disais son nom, tu le reconnaîtrais immédiatement. Beaucoup de rues portent son nom en Nouvelle-Zélande, peut-être même une ville ou deux. Mais, pour les besoins de la cause, je l'appellerai Pakeha. C'est le

170

mot maori pour désigner l'homme blanc, mais ça suf-
fira. Il est mort, maintenant, évidemment. J'ai en moi
un peu de sang maori, mais le père de Frank était
métis. Cet aspect ressortait davantage chez Frank parce
que nous le lui avions légué l'un et l'autre. Dieu, que j'ai
aimé cet homme! Peut-être était-ce la voix du sang, je ne
sais pas. Il était beau, grand, brun, avec des yeux noirs
brillants et rieurs. L'opposé absolu de Paddy... cultivé,
raffiné, plein de charme. Je l'aimais à la folie. Et je
croyais que je n'aimerais jamais personne d'autre; je
me suis vautrée dans cette illusion si longtemps que,
lorsque je m'en suis débarrassée, il était trop tard...
trop tard! (Sa voix se cassa; elle se tourna en direction
du jardin.) J'ai beaucoup à me faire pardonner, Meggie,
tu peux me croire.

— Alors, c'est pour ça que tu aimais Frank plus que
nous tous, laissa tomber Meggie.

— Je le croyais parce qu'il était le fils de Pakeha et
que les autres appartenaient à Paddy. (Elle s'assit, émit
un soupir douloureux, triste.) Et ainsi, l'histoire se
renouvelle. J'ai ri intérieurement en voyant Dane, tu
peux me croire.

— M'man, tu es une femme extraordinaire.

— Vraiment? (Le fauteuil gémit, elle se pencha en
avant.) Laisse-moi te confier un petit secret, Meggie.
Extraordinaire ou simplement ordinaire, je suis une
femme très malheureuse. Pour une raison quelconque,
j'ai été malheureuse depuis le jour où j'ai connu
Pakeha, essentiellement par ma faute. Je l'ai aimé, mais
j'ai succombé comme jamais une femme ne devrait suc-
comber. Et il y a eu Frank... Je me raccrochais à Frank
et ignorais le reste. J'ignorais Paddy, qui était le meilleur être qui m'ait jamais approchée, mais je ne m'en
apercevais pas, trop occupée que j'étais à le comparer à
Pakeha. Oh, je lui étais reconnaissante et ne pouvais
m'empêcher de l'admirer... (Elle haussa les épaules.)

Enfin, c'est du passé... Ce que je voulais te dire c'est que tout ça est néfaste. Tu le sais, n'est-ce pas?

— Non. A mon sens, c'est l'Eglise qui peut être considérée comme néfaste en interdisant ce bonheur à ces prêtres.

— Curieuse coïncidence qu'Eglise soit du genre féminin. Tu as volé l'époux d'une autre femme, Meggie, tout comme moi.

— Ralph n'était pas lié à aucune autre femme que moi. L'Eglise n'est pas une femme, Maman... c'est une institution, sans plus.

— N'essaie pas de te justifier vis-à-vis de moi. Je connais par avance toutes les réponses. Je pensais comme toi, à l'époque. Le divorce était hors de question pour lui. Il était l'un des premiers hommes de sa race à accéder à un poste politique aussi élevé; il lui fallait choisir entre moi et son peuple. Quel homme aurait pu résister à un destin si noble? Exactement comme ton Ralph a choisi l'Eglise, n'est-ce pas? Alors, j'ai cru que ça m'était égal. Je prendrais ce qu'il pouvait me donner, j'aurais de lui un enfant à aimer.

Soudain, Meggie se rebella en voyant sa mère faire preuve de compassion à son endroit; elle lui en voulait d'insinuer qu'elle aussi avait tout gâché.

— Mais j'ai fait preuve de beaucoup plus de subtilité que toi, maman. Mon fils a un nom que personne ne peut lui enlever, pas même Luke.

Un son sifflant s'extirpa de la gorge de Fee.

— C'est écœurant! Oh, comme tu sais tromper ton monde, Meggie! Et dire qu'on te donnerait le bon Dieu sans confession! Eh bien, mon père m'a acheté un mari pour donner un nom à Frank et se débarrasser de moi. Je parie que tu ne savais pas ça! D'ailleurs, comment as-tu su?

— Ça me regarde.

— Tu paieras, Meggie. Crois-moi, tu paieras. Tu ne

172

t'en tireras pas mieux que moi. J'ai perdu Frank de la façon la plus atroce qu'une mère puisse perdre son fils. Je ne peux même pas le voir et j'en meurs d'envie... Tu verras! Toi aussi, tu perdras Dane.

— Je ferai en sorte de le retenir. Tu as perdu Frank parce qu'il ne pouvait pas s'atteler à la même charrette que papa. Je me suis assurée que Dane n'aurait pas de père pour lui passer la bride. C'est moi qui l'attellerai à Drogheda. Pourquoi crois-tu que je m'efforce déjà d'en faire un éleveur? Il sera en sécurité à Drogheda.

— Papa l'a-t-il été? Stuart l'a-t-il été? On n'est nulle part en sécurité, et tu ne garderas pas Dane ici s'il veut s'en aller. Papa n'a pas réussi à atteler Frank... parce que Frank ne pouvait être attelé. Et tu crois que toi, une femme, seras capable de passer le harnais au fils de Ralph de Bricassart? Tu te trompes lourdement. Ça va de soi. Ni l'une ni l'autre n'avons été capables de retenir le père, comment pourrions-nous espérer retenir le fils?

— Je ne pourrais perdre Dane que si tu ouvrais la bouche, m'man. Et je te préviens, je te tuerais plutôt.

— Ne t'inquiète pas. Tu n'auras pas à te balancer au bout d'une corde à cause de moi. Ton secret sera bien gardé; je ne suis qu'une spectatrice attentive. Oui, c'est exactement ça, une spectatrice.

— Oh, m'man! Qu'est-ce qui a pu te rendre ainsi? Si atrocement murée en toi-même?

Fee soupira.

— Simplement ce qui s'est produit longtemps avant ta naissance, dit-elle d'un ton pathétique.

Mais Meggie secoua le poing avec véhémence.

— A d'autres! Après ce que tu viens de me dire? Tu ne t'en tireras pas en mettant tout sur le dos du passé! Balivernes, balivernes, balivernes! Tu m'entends, m'man? Tu as vécu les plus belles années de ta vie en te laissant engluer dans le passé, comme une mouche prise dans du sirop!

Les lèvres de Fee se fendirent en un large sourire; elle éprouvait une réelle satisfaction.

— Autrefois, je croyais qu'avoir une fille était loin d'être aussi important que d'avoir des fils, mais je me trompais. Tu me réjouis, Meggie, comme jamais mes fils ne pourront me réjouir. Une fille est une égale. Ce qui n'est pas le cas des fils, tu sais. Ceux-ci ne sont que des mannequins sans défense que nous dressons pour les abattre tout à loisir.

Meggie ouvrit de grands yeux.

— Tu es impitoyable. Dis-moi, alors, à quel moment nous fourvoyons-nous?

— En naissant, répondit Fee.

Les hommes rentraient chez eux par milliers, se dépouillant de leurs uniformes kaki et de leurs chapeaux à large bord relevé sur le côté pour endosser des vêtements civils. Et le gouvernement travailliste, toujours au pouvoir, s'intéressa de très près aux grandes propriétés des plaines occidentales. Il était injuste que des terres aussi vastes appartiennent à une seule famille alors que des hommes ayant combattu pour l'Australie avaient besoin de s'installer et, par ailleurs, le pays devait exiger un rendement supérieur de son agriculture et de son élevage. Six millions d'individus pour une superficie aussi étendue que celle des Etats-Unis d'Amérique, et une poignée seulement qui détenait d'immenses domaines. Les plus grandes propriétés devaient être démembrées au profit des anciens combattants.

Bugela passe de 60000 hectares à 28000, deux anciens combattants reçurent chacun 16000 hectares de Martin King. La surface de Rudna Hunish se montait à 50000 hectares et Ross MacQueen en perdit 25000 au profit de deux autres anciens combattants. C'était ainsi. Evidemment, le gouvernement indemnisait les éleveurs; mais à des tarifs plus bas que les cours habituels. Et ça faisait mal. Oh, combien ça faisait mal! Aucune objection n'était retenue par Canberra; des propriétés aussi vastes que Bugela et Rudna Hunish devaient être démembrées. Il était évident qu'aucune famille n'avait réellement besoin d'une telle surface puisque le district de Gilly comptait de nombreux domaines prospères de moins de 20 000 hectares.

Ce qui faisait le plus de mal était de savoir que, cette fois, tout semblait indiquer que les anciens combattants persévéreraient. Après la Première Guerre mondiale, la plupart des grands domaines avaient fait l'objet d'un démembrement analogue, mais l'opération avait été mal menée; les nouveaux éleveurs n'avaient ni formation ni expérience et, progressivement, les descendants de colons avaient racheté à vil prix les terres qui leur avaient été enlevées. Cette fois, le gouvernement était prêt à prendre en charge la formation de ceux qui désiraient s'installer.

Presque tous les descendants de colons appartenaient au parti conservateur et, par principe, abhorraient le gouvernement travailliste, assimilant celui-ci aux ouvriers des villes industrielles, aux syndicats et aux intellectuels marxistes volontiers taxés de veulerie. Le plus difficile à admettre fut de constater que les Cleary, chauds partisans du gouvernement travailliste, ne perdraient pas un seul hectare de l'immense superficie de Drogheda. Etant donné que l'Eglise catholique en était propriétaire, le domaine fut naturellement déclaré intouchable. les hurlements suscités par ce favoritisme purent être entendus de Canberra, mais on n'en tint pas compte en haut lieu. Il était particulièrement pénible pour les descendants de colons, qui s'étaient toujours considérés comme le groupe de pression le plus important du pays, de constater que celui qui brandissait le fouet à Canberra pouvait pratiquement agir à sa guise.

L'Australie était essentiellement fédérale, ses gouvernements d'Etat virtuellement impuissants.

Ainsi, tel un géant dans un monde de lilliputiens, Drogheda continuait avec la totalité de ses cent mille hectares intacts.

La pluie venait et repartait, parfois suffisante, parfois trop abondante, parfois insuffisante, mais, grâce à Dieu, le pays ne connut plus de grandes sécheresses. Progressivement, le nombre des moutons et la qualité de la laine s'améliorèrent par rapport à l'époque ayant précédé la grande sécheresse, ce qui n'était pas un mince exploit. L'élevage connaissait une faveur accrue. Les hommes parlaient de Haddon Rig près de Warren et s'efforçaient de concurrencer son propriétaire, Max Falkiner, pour les meilleurs béliers et brebis à l'Exposition royale de Pâques de Sydney. Et le prix de la laine commença à enregistrer de faibles hausses, puis monta en flèche. L'Europe, les Etats-Unis et le Japon avaient besoin de toute la belle laine que l'Australie pouvait produire. D'autres pays fournissaient une laine plus rude pour l'industrie du tapis et du feutre, mais seules les longues et soyeuses fibres des mérinos australiens permettaient de fabriquer un lainage si fin qu'il glissait sous les doigts comme une caresse. Et ce genre de laine atteignait sa qualité optimale sur les plaines de terre noire du nord-est de la Nouvelle-Galles du Sud et du sud-ouest du Queensland.

On eût dit qu'après toutes ces années de difficultés venait la juste récompense. Les bénéfices de Drogheda dépassèrent tout ce qu'on pouvait imaginer. Chaque année des millions de livres. Assise à son bureau, Fee rayonnait; Bob ajouta deux autres ouvriers-éleveurs sur ses registres d'embauche. Sans les lapins, les conditions pastorales eussent été idéales, mais ces animaux constituaient toujours un réel fléau.

Dans la grande maison, la vie devint soudain très agréable. Les moustiquaires empêchaient les mouches d'entrer; à présent qu'elles étaient posées, tout le monde s'était habitué à leur aspect et chacun se demandait comment on avait pu s'en passer si longtemps. De multiples avantages compensaient leur laideur, comme le fait de pouvoir manger au frais sous la véranda quand il faisait très chaud parmi les entrelacs frémissants des glycines.

Les grenouilles aussi appréciaient les moustiquaires; de petites bestioles vertes au délicat manteau d'or scintillant. Sur leurs petites pattes palmées, elles se glissaient le long du treillage et, très solennelles et dignes, considéraient les convives. Soudain, l'une d'elles sautait, attrapait un papillon presque aussi gros qu'elle et se figeait de nouveau alors que les deux tiers de l'insecte se débattaient follement dans la gueule vorace. Leur manège amusait Dane et Justine et ils s'ingéniaient à supputer le temps qu'il faudrait à la grenouille pour engloutir totalement un gros papillon tout en regardant à travers le treillage et en avalant toutes les dix minutes un autre morceau d'insecte. Le papillon durait longtemps et se débattait encore fréquemment lorsque l'ultime bout d'aile disparaissait.

— Mince! Drôle de destin! gloussait Dane. Tu te rends compte de ce que ça doit être? Une moitié de soi en train d'être digérée tandis que l'autre est encore vivante!

Avides de lecture — la passion de Drogheda — les deux jeunes O'Neill disposaient d'un excellent vocabulaire, compte tenu de leur âge. Intelligents, vifs, ils s'intéressaient à tout. La vie était particulièrement agréable pour eux. Ils montaient des poneys pur-sang dont la taille augmentait en même temps que la leur; ils supportaient vaillamment leurs cours par correspondance et faisaient leurs devoirs sur la table de la cuisine de

Mme Smith; ils jouaient dans leur cabane à l'abri du poivrier; ils avaient des animaux de compagnie, chats et chiens, et même un goanna qui marchait parfaitement en laisse et répondait à son nom. Leur animal favori, un petit cochon rose, appelé Iggle-Piggle, se révélait aussi intelligent qu'un chien.

Loin de la surpopulation urbaine, ils étaient rarement malades et ne souffraient jamais de rhumes ou de grippes. Meggie était terrifiée à l'idée de la poliomyélite, de la diphtérie, de tout ce qui pouvait surgir et les emporter; aussi recevaient-ils tous les vaccins possibles. Ils menaient une existence idéale, riche d'activités physiques et de stimulations intellectuelles.

Lorsque Dane eut dix ans et Justine onze, on les envoya en pension à Sydney, Dane à Riverview, comme l'exigeait la tradition, et Justine à Kincoppal. Quand elle les accompagna à l'avion pour la première fois, Meggie contempla longuement leurs petits visages blêmes, vaillamment composés, collés à la vitre, les mouchoirs agités; jamais encore ils n'avaient quitté la maison. Elle souhaitait ardemment partir avec eux, voir par elle-même comment ils seraient installés, mais les autres membres de la famille s'y étaient opposés si violemment qu'elle avait cédé. Tous, de Fee à Jims et Patsy, estimaient qu'il valait infiniment mieux les laisser voler de leurs propres ailes.

— Ne les chouchoute pas, intervint Fee avec sévérité.

Meggie eut l'impression d'abriter deux personnalités distinctes quand le DC 3 décolla dans un nuage de poussière et s'éleva dans l'air miroitant. Elle avait le cœur lourd à la pensée de perdre Dane, et léger à la pensée de perdre Justine. Pas d'ambivalence dans les sentiments qu'elle éprouvait pour Dane; sa nature gaie, égale, donnait et acceptait l'amour aussi simplement qu'il respirait. Mais Justine était un adorable et horrible monstre. On ne pouvait s'empêcher de l'aimer, car il y avait beaucoup à aimer chez elle : sa force, son intégrité, son indépendance — beaucoup de choses. Malheureusement, elle ne s'ouvrait pas à l'amour comme Dane, et jamais elle n'avait donné à Meggie le merveilleux sentiment de lui être indispensable. Elle ne se liait pas, ne se laissait aller à aucune espièglerie, et avait la désastreuse habitude de remettre les gens à leur place, surtout, semblait-il, sa mère. Meggie retrouvait en elle beaucoup de ce qui l'avait exaspérée chez Luke mais, au moins, Justine n'était pas pingre. De cela, on pouvait rendre grâce au ciel.

La ligne aérienne régulière permettait aux enfants de passer toutes leurs vacances, même les plus courtes, à Drogheda. Pourtant, après la période d'adaptation, Dane et Justine apprécièrent l'école. Dane éprouvait toujours une certaine nostalgie après une visite à Drogheda, mais Justine s'habitua à Sydney comme si elle y avait toujours vécu et, pendant les vacances, elle avait hâte de se retrouver en ville. Les jésuites de Riverview étaient enchantés, Dane se révélait un écolier modèle, aussi bien en classe que sur le terrain de sport. Par contre, les religieuses de Kincoppal étaient loin d'être enchantées; aucune fille, dotée d'yeux aussi étranges et d'une langue aussi acérée que Justine, ne pouvait espérer jouir d'une plus grande popularité. En avance d'un an sur Dane, elle était peut-être plus appliquée que lui, mais seulement en classe.

Le *Sydney Morning Herald* du 4 août 1952 ne manqua pas d'intérêt. Sa première page comportait rarement plus d'une photographie, disposée au centre et en haut, illustrant l'article intéressant du jour. Et, ce jour-là, la photo était un beau portrait de Ralph de Bricassart.

Sa Grandeur, l'archevêque Ralph de Bricassart,

actuellement adjoint du secrétaire d'Etat au Saint-Siège à Rome, a ce jour été nommé cardinal de Bricassart par Sa Sainteté, le pape Pie XII.

Ralph, Raoul, cardinal de Bricassart s'est illustré en servant longtemps l'Eglise catholique romaine d'Australie, depuis son arrivée en tant que prêtre nouvellement ordonné en juillet 1919 jusqu'à son départ pour le Vatican en mars 1938.

Né le 23 septembre 1893 en république d'Irlande, le cardinal de Bricassart est le deuxième fils d'une famille qui peut remonter sa filiation jusqu'au baron Ranulf de Bricassart, compagnon de Guillaume le Conquérant qui débarqua en Angleterre en 1066. Par tradition, le cardinal de Bricassart entra dans les ordres. Admis au séminaire à l'âge de dix-sept ans, il fut envoyé en Australie peu après son ordination. Il passa ses premiers mois dans notre pays au service du défunt évêque Michael Clabby, du diocèse de Winnemurra.

En juin 1920, il fut transféré à la paroisse de Gillanbone, dans le nord-ouest de la Nouvelle-Galles du Sud. Il devint monseigneur et demeura à Gillanbone jusqu'en décembre 1928. Puis il accéda au poste de secrétaire particulier de Sa Grandeur l'archevêque Cluny Dark, et occupa les mêmes fonctions auprès de l'archevêque légat du pape du moment, Son Eminence le cardinal di Contini-Verchese. Sur ces entrefaites, il fut nommé évêque. Lorsque le cardinal di Contini-Verchese se vit affecté à Rome pour y entamer une remarquable carrière au Vatican, Mgr de Bricassart fut nommé archevêque et nous revint d'Athènes en tant que légat du pape. Il tint cette importante fonction jusqu'à sa nomination à Rome en 1938; depuis lors, son ascension dans la hiérarchie centrale au sein de l'Eglise catholique romaine a été spectaculaire. Actuellement, âgé de 58 ans, il passe pour l'un des rares hommes ayant une influence prépondérante dans la politique pontificale.

Un envoyé spécial du Sydney Morning Herald *s'est entretenu hier avec plusieurs des anciens paroissiens du cardinal de Bricassart dans le district de Gillanbone. Son souvenir est resté vivace et empreint de beaucoup d'affection. Cette riche région d'élevage du mouton est à prédominance catholique.*

« Le père de Bricassart a fondé la bibliothèque de la Sainte-Croix, nous a dit Harry Gough, maire de Gillanbone. Elle rendait, surtout à l'époque, de remarquables services et avait été généreusement dotée dès le départ par la défunte Mary Carson et, après la mort de celle-ci, par le cardinal lui-même qui ne nous a jamais oubliés et s'est toujours montré attentif à tous nos besoins. »

« Le cardinal de Bricassart était le plus bel homme qu'il m'ait jamais été donné de voir, nous confie Mme Fiona Cleary, doyenne de Drogheda, l'un des plus vastes et plus prospères domaines de la Nouvelle-Galles du Sud. Pendant son séjour à Gilly, il a apporté un grand soutien spirituel à ses paroissiens et, notamment, aux habitants de Drogheda qui, ainsi que vous le savez, appartient maintenant à l'Eglise catholique. Pendant les inondations, il nous a aidés à déplacer nos troupeaux; il est venu à notre secours lors des incendies, ne serait-ce que pour enterrer nos morts. En fait, c'était un homme extraordinaire dans tous les domaines et il possédait infiniment de charme. Nous nous le rappelons parfaitement, bien que son départ remonte à plus de vingt ans. Oui, je crois qu'il est juste de prétendre qu'il manque à beaucoup d'entre nous dans la région de Gilly. »

Pendant la guerre, l'archevêque de Bricassart servit Sa Sainteté loyalement et avec une ferme constance; il mit tout en œuvre pour convaincre le maréchal Albert Kesselring de déclarer Rome ville ouverte après que l'Italie fut devenue l'ennemie de l'Allemagne. Florence, qui avait demandé en vain le même privilège, perdit nombre de ses trésors qui, par la suite, lui furent restitués uniquement parce que l'Allemagne était sortie vaincue du conflit. Dans les années qui suivirent immédiatement la guerre, le cardinal de Bricassart aida des milliers de personnes déplacées à trouver asile dans de nouveaux pays et contribua puissamment à favoriser le programme australien d'immigration.

Bien qu'irlandais de naissance et en dépit du fait qu'il ne semble pas devoir d'exercer son influence dans notre pays en tant que cardinal de Bricassart, nous n'en avons pas moins le sentiment que, dans une large mesure, l'Australie peut à juste titre revendiquer cet homme remarquable comme l'un de ses fils.

Meggie rendit le journal à Fee à laquelle elle dédia un sourire triste.

— On doit le féliciter, ainsi que je l'ai dit à l'envoyé du *Herald.* Mais ils n'ont pas imprimé ça, n'est-ce pas? commenta Meggie. Pourtant, ils ont fait paraître ton petit panégyrique presque mot pour mot. Quelle langue acérée tu peux avoir! Enfin, je sais de qui Justine la tient! Je me demande combien de personnes seront assez malignes pour lire entre les lignes de ta déclaration.

— Lui le sera en tout cas... si jamais il lit l'article.

— Je me demande s'il se souvient de nous, laissa tomber Meggie avec un soupir.

— Sans aucun doute. Après tout, il trouve encore le temps d'administrer Drogheda personnellement. Bien sûr qu'il se souvient de nous, Meggie. Comment pourrait-il en être autrement?

— C'est vrai, j'avais oublié Drogheda. Nous représentons l'investissement le plus rentable. Il doit être très satisfait. Avec notre laine qui va chercher deux livres le kilo dans les ventes aux enchères, cette année, le chèque de Drogheda doit faire pâlir d'envie les mines d'or.

C'est une vraie toison d'or... Un rapport de plus de quatre millions de livres simplement en rasant nos agneaux bêlants!

— Ne sois pas cynique, Meggie, ça ne te va pas, dit Fee dont l'attitude, bien que toujours hautaine, se tempérait depuis quelque temps de respect et d'affection. Nous pouvons nous estimer heureux, tu ne crois pas? N'oublie pas que notre argent tombe chaque année, qu'elle soit bonne ou mauvaise. Ralph a versé cent mille livres à Bob en tant que prime et chacun d'entre nous en a reçu cinquante mille. S'il nous obligeait à quitter Drogheda demain, nous pourrions nous permettre d'acheter Bugela, même au prix actuel de la terre qui a monté en flèche. Et combien a-t-il donné à tes enfants? Des milliers et des milliers de livres. Sois-lui au moins reconnaissante.

— Mais mes enfants ignorent sa prodigalité et je ferai en sorte qu'ils continuent à l'ignorer. Dane et Justine grandiront en pensant qu'il leur faut faire leur chemin dans la vie sans l'aide du cher Ralph Raoul, cardinal de Bricassart. Amusant que son deuxième prénom soit Raoul; très normand, tu ne trouves pas?

Fee se leva, s'approcha de la cheminée et jeta la première page du *Herald* dans les flammes. Ralph, Raoul, cardinal de Bricassart frissonna, lui adressa un clin d'œil et se ratatina.

— Que feras-tu s'il revient, Meggie?

— Pas de risques, riposta Meggie avec un reniflement.

— Il pourrait très bien revenir, assura Fee d'un air énigmatique.

Et il revint, en décembre. Très discrètement, sans que personne eût été prévenu, au volant d'une voiture de sport Aston Martin qu'il conduisit lui-même depuis Sydney. La presse n'avait pas mentionné se présence en Australie et personne à Drogheda ne se doutait de sa prochaine venue. Quand la voiture s'immobilisa sur l'aire de stationnement flanquant la maison, personne ne l'entendit et ne vint l'accueillir sur la véranda.

Depuis Gilly, il avait ressenti les kilomètres dans chaque fibre de son corps, respiré les odeurs de la brousse, celle des moutons, de l'herbe sèche qui scintillait constamment dans le soleil. Kangourous et émeus, galahs et foannas, bourdonnements et vibrations de millions d'insectes, fourmis traversant la route en colonnes visqueuses et, partout, moutons gras et dodus. Il adorait cette vision car, sous un certain angle, elle était conforme à ce qu'il aimait en toutes choses; elle ne semblait pas avoir été effleurée par le passage du temps.

Seules, les moustiquaires étaient nouvelles, mais il remarqua avec amusement que, sans aucun doute, Fee s'était opposée à ce que la véranda de la grande maison faisant face à la route de Gilly fût close; dans cette partie, seules les fenêtres s'ornaient de treillage. Elle avait raison, évidemment; une large surface de grillage aurait compromis l'harmonie des lignes de cette ravissante façade géorgienne. Combien de temps vivaient les eucalyptus? Ceux-ci avaient dû être transplantés à peu près quatre-vingts ans auparavant. Dans leurs branches hautes, les bougainvillées formaient un fouillis retombant de cuivre et de pourpre.

L'été était déjà là, plus que deux semaines avant Noël, et les roses de Drogheda atteignaient leur plein épanouissement. Des roses partout, roses et blanches et jaunes, pourpres comme le sang artériel, écarlates comme la soutane d'un cardinal. Parmi les glycines encore vertes grimpaient des rosiers assoupis, fleurs roses et blanches qui retombaient sur le toit de la véranda, le long du treillage, s'accrochaient amoureusement aux volets noirs du premier étage, leurs rameaux étirés vers le ciel. Les châteaux d'eau disparaissaient presque totalement à la vue, tout comme leurs supports. Et une tonalité se retrouvait partout parmi les roses, une sorte de gris pâle rosé. Cendres de roses? Oui, c'était là le nom de cette teinte. Meggie avait dû les planter, ce ne pouvait être que Meggie.

Il entendit le rire de Meggie et se figea, terrifié, puis il s'obligea à avancer en direction du son, des délicieux trilles argentins. Exactement la façon qu'elle avait de rire quand elle était petite fille. Elle était là! Là-bas derrière un buisson de roses gris-rose, près d'un poivrier. Il écarta de la main les grappes de fleurs, l'esprit en déroute sous l'impact de leur parfum et de ce rire.

Mais Meggie n'était pas là; il vit seulement un jeune garçon accroupi sur la pelouse drue en train de taquiner un petit cochon rose qui se précipitait maladroitement sur lui, galopait de côté, glissait. Ne se sachant pas observé, l'enfant rejetait sa tête flamboyante en arrière et riait. Le rire de Meggie, jaillissant de cette gorge étrangère. Sans en avoir l'intention, le cardinal de Bricassart laissa retomber ses roses et passa à travers le buisson sans se préoccuper des épines. Le garçon, proche de l'adolescence, devait avoir entre douze et quatorze ans; il leva les yeux, surpris. Le cochon couina, sa queue se remit en spirale étroite, et il disparut.

Vêtu seulement d'un vieux short kaki, pieds nus, le gamin laissait voir un hâle doré et une peau satinée; son corps délié augurait déjà la force par la largeur des jeunes épaules, les muscles bien développés des mollets et des cuisses, soulignant le ventre plat, les hanches étroites. Ses cheveux, un peu longs et bouclés, avaient exactement le ton décoloré de l'herbe de Drogheda; ses yeux, sous des cils épais et étonnamment longs, réflétaient un bleu intense. Il évoquait un angelot parti en escapade.

— Bonjour, dit le garçon en souriant.
— Bonjour, répondit le cardinal, incapable de résister au charme de ce sourire. Qui es-tu?

— Dane O'Neill, se présenta le gamin. Et vous?

— Je m'appelle Ralph de Bricassart.

Dane O'Neill. Il était donc le fils de Meggie. Elle n'avait pas quitté Luke en fin de compte; elle était retournée à lui et avait mis au monde ce splendide garçon qui aurait pu être le sien s'il n'avait auparavant pris l'Eglise pour épouse. Quel âge avait-il quand il avait contracté ce mariage avec l'Eglise? Guère plus que ce gamin et il n'était certainement pas plus mûr. S'il avait attendu, ce garçon aurait fort bien pu être son fils. Quelle absurdité, cardinal de Bricassart! Si tu n'avais pas épousé l'Eglise, tu serais resté en Irlande pour y élever des chevaux et tu n'aurais jamais connu ton destin, jamais connu Drogheda, ni Meggie Cleary.

— Puis-je vous être utile? demanda poliment le garçon en se relevant avec une grâce souple que le cardinal reconnut et imagina être celle de Meggie.

— Ton père est-il là, Dane?

— Mon père? répéta le gamin dont les fins sourcils se rejoignirent sous l'effet de la surprise. Non, il n'est pas là. Il n'a jamais été ici.

— Oh, je vois! Alors, ta mère est-elle là?

— Elle est à Gilly, mais elle sera bientôt de retour. Mais Mémé est à la maison. Si vous voulez la voir, je peux vous conduire. (Les yeux d'un bleu intense le considérèrent, s'élargirent, s'étrécirent.) Ralph de Bricassart. J'ai entendu parler de vous. Oh, le cardinal de Bricassart! Votre Eminence, je suis désolé. Je ne voulais pas me montrer grossier.

Bien qu'il eût abandonné ses vêtements d'ecclésiastique pour des bottes, une culotte de cheval et une chemise blanche, Ralph portait au doigt l'anneau orné d'un rubis qu'il ne devait jamais retirer tout au long de sa vie. Dane O'Neill s'agenouilla, saisit la main effilée du cardinal dans les siennes, tout aussi effilées, et baisa respectueusement l'anneau.

186

— Relève-toi, Dane. Je ne suis pas ici en tant que cardinal de Bricassart. Je suis ici en tant qu'ami de ta mère et de ta grand-mère.

— Je suis désolé, Votre Eminence. Je croyais que j'aurais reconnu votre nom dès l'instant où il aurait été prononcé. Nous parlons souvent de vous ici. Mais votre prononciation est un peu différente et votre prénom m'a dérouté. Ma mère sera très heureuse de vous voir, je le sais.

— Dane, Dane, où es-tu? lança une voix impatiente, grave, et délicieusement rauque.

Les frondaisons retombantes s'écartèrent pour livrer passage à une fillette d'une quinzaine d'années qui, après s'être courbée, se redressa prestement. Il sut immédiatement à qui il avait affaire grâce aux yeux et à la chevelure. La fille de Meggie. Couverte de taches de rousseur, visage aigu, traits accusés, ressemblant malheureusement bien peu à sa mère.

— Oh! bonjour. Excusez-moi. Je ne savais pas que nous avions un visiteur. Je suis Justine O'Neill.

— Jussy, c'est le cardinal de Bricassart! chuchota Dane. Baise son anneau, et vite!

Les yeux pâles, à l'égal de ceux d'un aveugle, jetèrent des éclairs de mépris.

— Tu es cucul la praline quand il est question de religion, Dane, rétorqua-t-elle sans même baisser la voix. Baiser un anneau est contraire aux règles de l'hygiène; très peu pour moi. D'ailleurs qu'est-ce qui nous prouve qu'il s'agit vraiment du cardinal de Bricassart? Moi, il me fait plutôt l'effet d'un éleveur de la vieille école. Tu sais, comme M. Gordon.

— C'est lui, c'est lui, insista Dane. Je t'en prie, Jussy, sois aimable! Sois aimable; fais-le pour moi!

— Je serai aimable, mais uniquement pour toi. Mais je ne baiserai pas son anneau, même pour toi. Dégoûtant. Je ne sais même pas qui l'a embrassé en dernier lieu. Peut-être quelqu'un qui avait un rhume.

— Inutile de baiser mon anneau, Justine. Je suis ici en vacances. Pour le moment, je ne suis pas cardinal.

— Tant mieux, parce que je vous avouerai franchement que je suis athée, déclara calmement la fille de Meggie Cleary. Après quatre ans passés à Kincoppal, j'ai acquis la conviction que la religion n'est qu'un ramassis d'inepties.

— C'est votre droit, rétorqua le cardinal en s'efforçant désespérément de paraître aussi digne et sérieux que son interlocutrice. Puis-je aller trouver votre grand-mère?

— Bien sûr. Avez-vous besoin de nous? s'enquit Justine.

— Non merci. Je connais le chemin.

— Parfait, laissa-t-elle tomber en se tournant vers son frère encore bouche bée devant le visiteur. Allons, viens, Dane. Viens m'aider!

Justine le tira brutalement par le bras tandis que Dane restait immobile, suivant des yeux la haute silhouette du cardinal qui disparaissait derrière les rosiers.

— Tu es vraiment cucul la praline, Dane. Qu'est-ce qu'il a de tellement extraordinaire?

— C'est un cardinal! riposta Dane. Tu te rends compte? Un vrai cardinal en chair et en os à Drogheda!

— Les cardinaux sont les princes de l'Eglise, dit Justine. Dans le fond tu as probablement raison, c'est très exceptionnel. Mais il ne me plaît pas.

Où aurait-il pu trouver Fee sinon à son bureau? Il passa par une porte-fenêtre pour entrer dans le salon, ce qui l'obligea à pousser le treillage. Elle dut l'entendre, mais elle continua à travailler, le dos courbé, ses ravissants cheveux d'or devenus argentés. Avec difficulté, il se souvint qu'elle devait avoir soixante-douze ans.

— Bonjour, Fee, lança-t-il.

Lorsqu'elle leva la tête, il remarqua un changement dont il ne put préciser la nature; l'indifférence était là, mais plusieurs autres éléments s'y mêlaient. Comme si elle avait acquis moelleux et dureté simultanément, était devenue plus humaine, mais humaine à la façon de Mary Carson. Dieu, ce matriarcat de Drogheda! Cela arriverait-il à Meggie aussi quand son tour viendrait?

— Bonjour, Ralph, dit-elle comme s'il franchissait la porte-fenêtre chaque jour. Je suis heureuse de vous voir.

— Moi aussi, je suis heureux de vous voir.

— Je ne savais pas que vous étiez en Australie.

— Personne ne le sait. J'ai pris quelques semaines de vacances.

— Vous les passerez ici, j'espère?

— Comment pourrais-je les passer ailleurs? (Des yeux, il fit le tour des murs magnifiquement ornés; son regard se posa sur le portrait de Mary Carson.) Vous avez un goût exceptionnel, Fee, d'une sûreté étonnante. Cette pièce peut rivaliser avec n'importe quelle salle du Vatican. Ces ovales noirs sur lesquels se détachent des roses sont un trait de génie.

— Je vous remercie. Nous faisons humblement de notre mieux. Personnellement, je préfère la salle à manger. Je l'ai redécorée depuis votre dernier passage. Rose, blanche et verte. Ça paraît atroce, mais attendez de la voir. Pourtant, je me demande pourquoi je me donne tout ce mal. C'est votre maison, pas la nôtre.

— Pas tant qu'il y aura un Cleary vivant, Fee, rétorqua-t-il avec calme.

— Comme c'est réconfortant! Eh bien, vous avez fait du chemin depuis que vous étiez curé de Gilly. Avez-vous lu l'article que le *Herald* a consacré à votre nomination?

Il accusa le coup.

— Je l'ai lu. Votre langue s'est aiguisée, Fee.

— Oui, et qui plus est, je m'en délecte. Toutes ces années que j'ai passées, refermée sur moi-même, sans jamais dire un mot... Je ne savais pas ce que je perdais. (Elle sourit.) Meggie est à Gilly, mais elle ne tardera peut-être pas à être de retour.

Dane et Justine entrèrent par la porte-fenêtre.

— Mémé, est-ce qu'on peut aller faire une promenade à cheval jusqu'à la Tête du Forage?

— Tu connais le règlement. Pas de promenade à cheval sans l'autorisation expresse de ta mère. Je suis désolée, mais ce sont ses ordres. Dites-moi, vous oubliez la politesse la plus élémentaire. Venez que je vous présente à notre visiteur.

— Je l'ai déjà rencontré.

— Oh!

— Comment se fait-il que tu ne sois pas en pension? demanda le prélat à Dane en souriant.

— Pas en décembre, Votre Eminence. Nous avons deux mois de vacances pour l'été.

Trop de temps s'était écoulé; il avait oublié que, dans l'hémisphère sud, les enfants bénéficient de leurs grandes vacances en décembre et janvier.

— Comptez-vous rester ici longtemps, Votre Eminence? s'enquit Dane, toujours fasciné.

— Son Eminence restera parmi nous aussi longtemps qu'il le pourra, Dane, intervint Fee. Mais je pense qu'il se lassera de s'entendre constamment appeler Votre Eminence. Comment allons-nous l'appeler? Oncle Ralph?

— Oncle! s'exclama Justine. Il n'en est pas question, Mémé! Nos oncles sont Bob, Jack, Hughie, Jims et Patsy. Alors, ce sera Ralph tout court.

— Ne sois pas grossière, Justine! s'interposa Fee. Où sont passées tes bonnes manières?

— Non, Fee, elle a raison. Je préfère que tout le

190

monde m'appelle simplement Ralph, intervint vivement le cardinal en se demandant pourquoi cette gamine se montrait si agressive à son endroit.

— Je ne pourrai jamais! protesta Dane, le souffle coupé. Je ne pourrai jamais vous appeler simplement Ralph.

Le cardinal de Bricassart traversa la pièce, prit les épaules nues entre ses mains et sourit; ses yeux bleus se faisaient très doux et brillaient d'un vif éclat dans la pénombre du salon.

— Bien sûr que tu le peux, Dane. Ce n'est pas un péché.

— Allez, viens, Dane! lança Justine. Retournons à la cabane.

Le cardinal de Bricassart et son fils se tournèrent vers Fee, l'enveloppèrent ensemble d'un même regard.

— Que le Ciel nous vienne en aide! s'exclama Fee. Allons, va, Dane. Va jouer dehors. (Elle frappa dans ses mains.) File!

Le garçon se précipita dehors et Fee reporta son attention sur ses registres. La prenant en pitié, le cardinal annonça qu'il se rendait aux cuisines. Comme l'endroit avait peu changé! Toujours éclairé par des lampes à pétrole. Dégageant toujours une odeur d'encaustique et le parfum des roses débordant des grands vases.

Il resta longtemps à bavarder avec Mme Smith et les servantes; elles avaient beaucoup vieilli depuis son dernier passage et, assez bizarrement, l'âge leur seyait mieux qu'à Fee. Elles respiraient le bonheur. Un bonheur authentique, presque parfait. Pauvre Fee qui n'était pas heureuse. Il brûlait d'autant plus de retrouver Meggie, de voir si elle était heureuse.

Mais quand il quitta les cuisines, Meggie n'était pas encore de retour et, pour tuer le temps, il alla se promener en direction du ruisseau. Quelle impression de paix émanait du cimetière! Six plaques de bronze se détachaient sur le caveau exactement comme lors de son dernier passage. Il lui faudrait prendre les dispositions nécessaires pour être enterré là; il devrait se rappeler de donner les instructions voulues dès son retour à Rome. Non loin du mausolée, il remarqua deux nouvelles tombes, celle du vieux Tom, le jardinier, et celle de l'épouse de l'un des ouvriers-éleveurs employé à Drogheda depuis 1946. Une sorte de record. Mme Smith pensait que l'homme était resté avec eux uniquement parce que sa femme était enterrée là. Le parapluie traditionnel du cuisinier chinois avait perdu sa couleur après des années d'exposition à l'ardent soleil; l'initial rouge impérial était passé par diverses teintes avant d'atteindre un rose blanchâtre. Presque cendres de roses. Meggie, Meggie. Tu es retournée à lui et tu lui as donné un fils.

Il faisait très chaud; un vent léger se leva, agita le feuillage des saules pleureurs le long du ruisseau, fit tinter les clochettes suspendues au parapluie du cuisinier chinois; elles entamèrent leur triste mélopée métallique : Hi Sing, Hi Sing, Hi Sing. ICI REPOSE CHARLIE LA CHOPE UN BRAVE TYPE. Les lettres aussi s'étaient à demi effacées, au point d'être presque indéchiffrables. C'était dans l'ordre des choses. Les cimetières devraient retourner au sein de la terre nourricière, perdre leur contenu d'humains sous l'usure du temps jusqu'à ce que ceux-ci disparaissent totalement et que le vent seul en garde le souvenir en soupirant. Il ne voulait pas être enseveli dans une crypte du Vatican, parmi des hommes tels que lui. Ici, parmi les êtres ayant réellement vécu.

En se tournant, son regard rencontra l'œil glauque de l'ange de marbre. Il leva la main, le salua et reporta son attention au-delà de l'herbe, en direction de la grande maison. Et elle venait, Meggie. Mince, dorée, en culotte de cheval et chemise blanche, exactement semblable à la sienne, un feutre d'homme gris rejeté sur la nuque, bottée de marron. Comme un garçon. Comme son fils, qui aurait dû être le sien. Il était homme mais, lorsque lui aussi serait étendu là, il ne resterait rien qui pût lui rappeler cet état.

Elle se rapprocha, enjamba la barrière blanche, vint si près qu'il ne vit plus que ses yeux, ces yeux gris emplis de lumière qui n'avaient rien perdu de leur beauté et de leur pouvoir sur son cœur. Les bras dorés montèrent à la rencontre de son cou, et il sentit de nouveau son destin à portée de ses mains; on eût dit qu'il ne l'avait jamais quittée; cette bouche sous la sienne, vivante, pas un rêve, si longuement désirée, si longuement. Un autre genre de sacrement, sombre comme la terre, n'ayant rien à voir avec le ciel.

— Meggie, Meggie, murmura-t-il, le visage enfoui dans les cheveux blonds libérés du chapeau tombé sur l'herbe, la pressant contre lui.

— Tout ça n'a pas d'importance, n'est-ce pas? Rien ne change jamais, dit-elle, les yeux clos.

— Non, rien ne change, assura-t-il avec conviction.

— Nous sommes à Drogheda, Ralph, je t'ai prévenu. A Drogheda, c'est à moi que tu appartiens. Pas à Dieu.

— Je sais. Je l'accepte. Mais je suis venu. (Il l'attira vers le tapis herbeux.) Pourquoi, Meggie?

— Pourquoi quoi?

Elle lui caressait les cheveux d'une main plus blanche que celle de Fee, encore vigoureuse, encore belle.

— Pourquoi es-tu retournée à Luke? Pourquoi lui as-tu donné un fils? s'enquit-il, torturé par la jalousie.

A travers les fenêtres grises, lumineuses, l'âme de Meggie le regardait, mais elle lui voilait ses pensées.

— Il m'y a obligée, dit-elle doucement. Une seule fois. Mais j'ai eu Dane; aussi, je ne le regrette pas. Dane valait largement tout ce que j'ai enduré pour lui.

— Excuse-moi, je n'avais pas le droit de te poser la

question. Au départ, c'est moi qui t'ai jetée dans les bras de Luke, n'est-ce pas?

— Oui, c'est vrai.

— C'est un garçon splendide. Ressemble-t-il à Luke?

Intérieurement, elle sourit, saisit une touffe d'herbe, glissa la main dans l'entrebâillement de la chemise, la lui posa contre la poitrine.

— Pas vraiment. Aucun de mes enfants ne ressemble vraiment à Luke ou à moi.

— Je les aime parce qu'ils sont à toi.

— Tu es toujours aussi sentimental. L'âge te va bien, Ralph. J'en étais certaine et j'espérais avoir la chance de le constater. Trente ans que je te connais! On dirait trente jours.

— Trente ans? Tant que ça?

— J'ai quarante et un ans, mon cher. Ça fait bien le compte. (Elle se leva.) On m'a chargée de venir te chercher. Mme Smith a préparé un merveilleux thé en ton honneur et, un peu plus tard, quand il fera plus frais, nous mangerons un jambon rôti, accompagné de beaucoup de fritons.

Il marcha à côté d'elle, lentement.

— Ton fils a ton rire, Meggie. C'est le premier son humain qui m'a accueilli à Drogheda. J'ai cru que c'était toi. J'ai couru pour te retrouver, et c'est lui que j'ai découvert à ta place.

— Il est donc la première personne que tu aies vue à Drogheda?

— Oui, probablement.

— Qu'as-tu pensé de lui, Ralph? demanda-t-elle, anxieusement.

— Il m'a plu. Comment aurait-il pu en être autrement puisque c'est ton fils? Mais j'ai été tout de suite conquis par lui, beaucoup plus que par ta fille. Elle n'éprouve d'ailleurs aucune sympathie à mon endroit.

— Justine est ma fille, mais c'est une vraie garce. Tu

vois, j'ai appris à jurer en prenant de l'âge, surtout à cause de Justine. Et un peu à cause de toi. Et un peu aussi à cause de Luke. Et un peu à cause de la guerre. C'est drôle comme tout ça s'additionne.

— Tu as beaucoup changé, Meggie.

— Vraiment? (La bouche douce, pleine, s'incurva en un sourire.) Je ne crois pas. Pas vraiment. C'est seulement le grand Nord-Ouest qui m'use peu à peu, me dépouille de mes couches successsives, comme les sept voiles de Salomé. Ou comme un oignon, ainsi que le dirait Justine. Aucune poésie chez cette enfant. Je suis toujours la même vieille Meggie, Ralph; seulement un peu plus nue.

— Peut-être.

— Mais toi, tu as changé, Ralph.

— En quoi, ma Meggie?

— Comme si le piédestal oscillait à la moindre brise et que la vue de là-haut soit décevante.

— C'est bien le cas, avoua-t-il avec un rire silencieux. Et dire qu'à une époque j'ai eu la témérité de prétendre que tu n'avais rien d'exceptionnel! Je me rétracte. Tu es une femme unique, Meggie, unique!

— Que s'est-il passé?

— Je ne sais pas. Ai-je découvert que les idoles de l'Eglise elles-mêmes avaient des pieds d'argile? Me suis-je vendu pour une vulgaire assiettée de soupe? Est-ce que je m'accroche au néant? (Ses sourcils se rejoignirent sous l'effet de la douleur.) C'est peut-être là toute l'affaire résumée en quelques mots. Je ne suis qu'un tas de poncifs. C'est un monde vieux, aigri, pétrifié que celui du Vatican.

— J'étais plus réelle, mais tu ne le voyais pas.

— Je ne pouvais pas agir autrement, vraiment pas! Je savais où j'aurais dû aller, mais sans parvenir à m'y résoudre. Avec toi, j'aurais pu être un homme meilleur, bien que moins auguste. Mais je ne pouvais tout simplement pas, Meggie. Oh, comme je voudrais te le faire comprendre!

Elle lui glissa une main fine le long du bras, tendrement.

— Mon cher Ralph, je le comprends. Je sais, je sais... Chacun de nous a quelque chose en lui qui ne peut être étouffé, même si cela nous fait hurler de douleur, au point de vouloir en mourir. Nous sommes ce que nous sommes, c'est tout. Comme la vieille légende celte de l'oiseau au poitrail transpercé d'une épine qui exhale son cœur dans son chant et meurt. Parce qu'il le faut, qu'il y est obligé. Nous pouvons savoir que nous nous trompons avant même d'agir, mais cette connaissance n'affecte pas le résultat ni ne le change. Chacun chante son propre petit couplet, convaincu que c'est le chant le plus merveilleux que le monde ait jamais entendu. Ne comprends-tu pas? Nous sécrétons nos propres épines, sans jamais nous interrompre pour en évaluer le coût. Nous ne pouvons qu'endurer la souffrance en nous disant qu'elle en valait largement la peine.

— C'est ce que je ne comprends pas. La souffrance. (Il baissa les yeux sur la main qui lui tenait si doucement le bras et lui causait pourtant une douleur si insupportable.) Pourquoi cette souffrance, Meggie?

— Demande à Dieu, Ralph, répondit-elle. Il fait autorité en matière de souffrance, n'est-ce pas? Il nous a fait ce que nous sommes. Il a créé le monde entier. Donc, il a aussi créé la souffrance.

Bob, Jack, Hughie, Jims et Patsy assistaient au dîner comme tous les samedis soir. Le lendemain, le père Watty devait venir dire la messe, mais Bob lui téléphona pour le prévenir que tout le monde avait l'intention de s'absenter. Pieux mensonge, afin de préserver l'incognito du cardinal. Les cinq fils Cleary ressemblaient plus que jamais à Paddy, plus vieux, parlant plus lentement, aussi immuables et endurants que la terre. Et comme ils aimaient Dane! Ils semblaient ne jamais le quitter des yeux; ils parurent le suivre hors de la pièce quand il alla se coucher. Il n'était pas difficile de voir qu'ils n'attendaient que le jour où il aurait l'âge de se joindre à eux pour diriger Drogheda.

Le cardinal découvrit aussi la raison de l'inimitié de Justine. Dane s'était entiché de lui; suspendu à ses lèvres, il ne le quittait pas. La fillette était tout simplement jalouse.

Après que les enfants furent allés se coucher, il considéra ses hôtes : les frères, Meggie, Fee.

— Fee, abandonnez votre bureau un instant, dit-il. Venez vous asseoir ici, avec nous. Je veux vous parler... à tous.

Elle se tenait encore bien et ne s'était pas empâtée; la poitrine un peu moins ferme, peut-être, la taille légèrement épaissie; transformations dues davantage à l'âge qu'à un surcroît de poids. En silence, elle s'assit dans l'un des grands fauteuils crème en face du cardinal, Meggie à sa gauche, ses fils sur les bancs de marbre les plus proches.

— C'est au sujet de Frank, commença-t-il.

Le nom plana sur eux avec de lointaines résonances.

— Que voulez-vous nous dire au sujet de Frank? demanda calmement Fee.

Meggie posa son tricot, regarda sa mère, puis Ralph.

— Parlez, dit-elle vivement, incapable de supporter un instant de plus la feinte sérénité de sa mère.

— Frank a purgé sa peine en prison pendant plus de trente ans. Vous en rendez-vous compte? demanda le cardinal. Je sais que vous avez été tenus au courant par l'entremise de personnes qui m'étaient dévouées, comme convenu, mais je leur avais demandé d'éviter de vous peiner. Franchement, je ne voyais pas quel bien cela vous ferait d'apprendre les détails déchirants de la solitude et du désespoir de Frank puisqu'aucun de nous ne pouvait y porter remède. Je pense que Frank aurait été libéré il y a plusieurs années s'il ne s'était acquis une réputation de violence et d'instabilité au cours de ses premières années d'incarcération à Goulburn. Même pendant la guerre, alors que d'autres détenus se sont vus libérés pour partir sous les drapeaux, la demande de ce pauvre Frank a été refusée.

Fee leva les yeux qu'elle avait gardés fixés sur ses mains.

— C'est son tempérament, dit-elle sans trace d'émotion.

Le cardinal semblait éprouver quelques difficultés à trouver les mots convenant à la situation; pendant qu'il les cherchait, les membres de la famille ne le quittaient pas des yeux, étreints par l'angoisse et l'espoir, bien que ce ne fût peut-être pas le bien-être de Frank qui les préoccupât.

— Mon retour en Australie après une aussi longue absence vous a sans doute intrigués, reprit le cardinal sans regarder Meggie. Je ne me suis pas toujours occupé de vous autant que je l'aurais dû, et j'en ai conscience. Depuis le jour où je vous ai connus, j'ai toujours pensé d'abord à moi, accordant la priorité à ma personne. Et quand le Saint-Père a récompensé mes efforts en faveur de l'Eglise par la barrette de cardinal, je me suis demandé si je pouvais rendre un service quelconque à la famille Cleary afin de lui montrer combien je m'intéressais à elle. (Il prit une longue inspiration, posa les yeux sur Fee, évitant le regard de Meggie.) Je suis revenu en Australie pour voir ce que je pourrais faire au sujet de Frank. Vous souvenez-vous, Fee, du jour où je vous ai parlé après la mort de Paddy et de Stu? Vingt ans ont passé, et je n'ai jamais pu oublier l'expression de vos yeux. Tant d'énergie et de vitalité... anéanties.

— Oh! s'écria brusquement Bob, les yeux rivés sur sa mère. Oui, c'est bien ça.

— Frank va être libéré sur parole, reprit le cardinal. C'était la seule chose que je pouvais faire pour vous prouver mon attachement.

S'il s'était attendu à un éclair soudain et éblouissant jailli des ténèbres retenant Fee depuis si longtemps, il eût été déçu; tout d'abord, il n'apparut guère qu'une légère lueur et, peut-être, le tribut de l'âge ne permettrait-il jamais à cette pâle étincelle de devenir brasier. Pourtant, il en perçut toute l'ardeur dans les yeux des fils de Fee, et il éprouva une impression de devoir accompli telle qu'il n'en avait pas connue depuis la guerre, depuis la nuit où il s'était entretenu avec le jeune soldat allemand au nom si imposant.

— Merci, dit Fee.

— Sera-t-il le bienvenu à Drogheda? demanda-t-il en se tournant vers les fils Cleary.

— C'est son foyer. Il est ici chez lui, répondit évasivement Bob.

Tout le monde approuva, sauf Fee qui semblait abîmée dans ses pensées.

— Ce n'est plus le même Frank, reprit doucement le cardinal. Je suis allé le voir dans sa cellule de Goulburn pour lui annoncer la nouvelle avant de venir ici, et j'ai été obligé de lui avouer que tout le monde à Drogheda avait toujours été au courant de ce qui lui était arrivé. Si je vous précise que cette révélation ne l'a pas fait sortir de ses gonds, vous aurez peut-être une idée du changement intervenu chez lui. Il était tout simplement... reconnaissant. Et impatient de revoir sa famille... Vous, surtout, Fee.

— Quand sera-t-il libéré? demanda Bob après s'être raclé la gorge.

Le plaisir qu'il ressentait à l'idée d'une possible joie dispensée à sa mère le disputait manifestement à la crainte de ce qui pourrait se produire quand Frank serait de retour.

— Dans une semaine ou deux. Il arrivera par le train de nuit. Je voulais qu'il prenne l'avion, mais il m'a dit qu'il préférait le chemin de fer.

— Patsy et moi irons le chercher à la gare, proposa Jims avec empressement. (Puis, ses traits s'affaissèrent.) Oh, nous ne serions même pas capables de le reconnaître!

— Non, intervint Fee. J'irai le chercher moi-même, seule. Je ne suis pas encore gâteuse, que je sache. Je peux très bien conduire jusqu'à Gilly.

— M'man a raison, déclara énergiquement Meggie, prévenant le concert de protestations de ses frères. Laissons m'man aller l'accueillir seule à la gare. C'est elle qu'il doit voir en premier.

— Eh bien, le travail m'attend, bougonna Fee en se levant pour retourner à son bureau.

Les cinq frères se dressèrent comme un seul homme.

— Quant à nous, il est temps d'aller nous coucher, dit Bob avec un bâillement appliqué. (Il sourit timidement au cardinal.) Nous nous retrouverons au bon vieux temps quand vous nous direz la messe demain matin.

Meggie plia son tricot, le roula autour de ses aiguilles, se leva.

— Moi aussi, je vais vous souhaiter une bonne nuit, Ralph.

— Bonne nuit, Meggie.

Il la suivit des yeux pendant qu'elle quittait la pièce, puis se tourna vers le dos courbé de Fee.

— Bonsoir, Fee.

— Excusez-moi. Vous me parliez?

— Je vous souhaitais une bonne nuit.

— Oh! Bonne nuit, Ralph.

Il ne désirait pas monter à l'étage sur les pas de Meggie.

— Je crois que je vais aller faire un petit tour avant

200

de monter me coucher. Il y a une chose que je tiens à vous dire, Fee.

— Oui? Quoi donc? fit-elle d'un ton distrait.

— Je ne suis pas dupe de votre attitude... pas un seul instant.

Elle émit un rire grinçant, un son étrange.

— Vraiment? Je me le demande.

Tard et, dehors, les étoiles. Les étoiles du sud, tournoyant dans le ciel. Il avait perdu son emprise sur elles, bien qu'elles fussent toujours là, trop distantes pour réchauffer, trop faibles pour réconforter. Plus proches de Dieu qui les lui dérobait. Longtemps, il resta debout, le regard levé, écoutant le bruissement du vent dans les arbres, un sourire aux lèvres.

Il ne tenait pas à rencontrer Fee et il préféra emprunter l'escalier à l'autre extrémité de la maison; la lampe posée sur le bureau brillait encore et il distinguait la silhouette courbée sur les registres. Pauvre Fee. Comme elle devait redouter le moment de se coucher; peut-être, avec le retour de Frank, cet instant deviendrait-il plus facile. Peut-être.

En haut de l'escalier, un silence compact l'accueillit; sur la console, une lampe de cristal posait dans le hall une tache de lumière falote à l'intention de ceux qui, pour une raison quelconque, auraient à déserter leurs chambres au cours de la nuit. La flamme vacillait lorsqu'une bouffée de brise venait gonfler les rideaux. Il continua à avancer, silencieusement, sur le tapis épais.

La porte de la chambre de Meggie était grande ouverte et laissait échapper un flot de lumière; occultant un instant la lueur, il referma le battant derrière lui et donna un tour de clef. Elle avait passé un peignoir lâche et était assise sur une chaise près de la fenêtre d'où elle regardait sans le voir l'enclos intérieur, mais elle tourna la tête, le vit s'approcher du lit, s'asseoir sur le bord. Lentement, elle se leva et alla à lui.

— Viens, je vais t'aider à ôter tes bottes. C'est pour ça que je n'en porte jamais qui soient trop montantes. Je ne peux pas les retirer sans un tire-botte et ces engins abîment le cuir.

— C'est exprès que tu as choisi cette couleur, Meggie?

— Cendres de roses? demanda-t-elle en souriant. Ça a toujours été ma couleur favorite. Elle ne jure pas avec mes cheveux.

Il lui posa le pied sur la croupe pendant qu'elle lui retirait une botte et agit de même pour l'autre.

— Etais-tu tellement certaine que je viendrais te retrouver, Meggie?

— Je te l'ai dit. A Drogheda, tu es à moi. Si tu n'étais pas venu, je serais allée te retrouver dans ta chambre. Ne t'y trompe pas.

Elle le débarrassa de sa chemise et, un instant, sa main se posa avec une sensualité fiévreuse sur le dos nu; puis elle alla jusqu'à la lampe et l'éteignit tandis qu'il posait ses vêtements sur le dossier d'une chaise. Il l'entendait se déplacer dans l'obscurité, se dépouiller de son peignoir. *Et demain, je dirai la messe. Mais ce sera demain matin, et la magie se sera dissipée depuis longtemps. Il y a encore la nuit, et Meggie. Je l'ai voulue. Elle aussi est un sacrement.*

Dane était déçu.

— Je croyais que vous porteriez une soutane rouge.

— Cela m'arrive quelquefois, Dane, mais seulement dans l'enceinte du palais. A l'extérieur, je porte une soutane noire avec une ceinture rouge, comme celle-ci.

— Vous habitez vraiment un palais?

— Oui.

— Il est plein de lustres?

— Oui, mais Drogheda aussi.

— Oh, Drogheda! fit Dane d'un air dégoûté. Je parie

que les nôtres sont tout petits à côté des vôtres. Comme j'aimerais voir votre palais, et vous en soutane rouge!

— Qui sait, Dane? Peut-être le verras-tu un jour, répliqua le cardinal en souriant.

Une curieuse expression jouait dans les yeux du garçon; son regard reflétait une certaine hauteur, voire une certaine distance. Lorsque le cardinal se tourna au cours de la messe, il la retrouva, encore renforcée, mais il ne la reconnut pas, tout au plus lui parut-elle familière. Aucun homme ne se voit dans un miroir tel qu'il est, et aucune femme non plus.

Luddie et Anne Mueller étaient attendues pour Noël, comme tous les ans. La grande maison abritait des êtres au cœur léger, se préparant à passer de merveilleuses fêtes de la Nativité, telles qu'ils n'en avaient pas connues depuis des années. Minnie et Cat chantaient en travaillant, le visage bouffi de Mme Smith rayonnait, Meggie abandonnait Dane au cardinal sans commentaires et Fee paraissait beaucoup plus heureuse, moins rivée à son bureau. Les hommes saisissaient toutes les occasions pour revenir chaque soir à la maison car, après un dîner tardif, le salon bruissait de conversations, et Mme Smith avait pris l'habitude de préparer un en-cas comprenant des toasts au fromage, des petits pains beurrés et des brioches au raisin. Le cardinal protestait disant qu'une si bonne et abondante nourriture ne manquerait pas de le faire grossir mais, après trois jours passés à respirer l'air de Drogheda, à fréquenter les habitants de Drogheda, à absorber les aliments de Drogheda, il sembla se défaire du regard farouche, presque hagard, qu'il avait à son arrivée.

Une forte chaleur régna le quatrième jour. Le cardinal était parti avec Dane pour aller chercher un troupeau de moutons, Justine boudait, seule, sous le poivrier, et Meggie se vautrait paresseusement sur les coussins d'une banquette cannée de la véranda. Elle se sentait détendue, comblée, très heureuse. Une femme peut fort bien s'en passer plusieurs années durant, mais c'était bon, bon avec lui, l'homme, l'unique. Lorsqu'elle était avec Ralph, tout son être s'ouvrait à la vie, excepté la partie réservée à Dane. Malheureusement, lorsqu'elle était avec Dane, tout son être s'ouvrait à la vie, excepté la partie réservée à Ralph. Ce n'était que quand tous deux étaient présents simultanément dans son univers, comme maintenant, qu'elle se sentait vraiment complète. Eh bien, c'était dans l'ordre des choses. Dane était son fils, mais Ralph était son homme.

Pourtant, une ombre troublait son bonheur; Ralph n'avait pas compris. Aussi gardait-elle son secret. S'il était incapable de le découvrir par lui-même, pourquoi le lui dirait-elle? Qu'avait-il jamais fait pour mériter qu'elle le lui apprenne? Qu'il pût penser un seul instant qu'elle était volontairement retournée à Luke l'accablait. Il ne méritait pas qu'elle le lui dise s'il la croyait capable d'une telle abjection. Parfois, elle sentait les yeux pâles et ironiques de Fee fixés sur elle, et elle lui rendait son regard, imperturbable. Fee comprenait. Elle comprenait vraiment. Elle comprenait la haine mitigée, le ressentiment, le besoin de faire payer les années de solitude. Un chasseur de chimères, tel était Ralph de Bricassart; et pourquoi lui ferait-elle don de la plus exquise chimère qui fût, son fils? Qu'il en soit privé. Qu'il souffre sans même le savoir.

La sonnerie du téléphone retentit, l'indicatif réservé à Drogheda. Meggie écouta le tintement distraitement, puis, se rendant compte que sa mère avait dû s'éloigner, elle se leva de mauvaise grâce et alla répondre.

— Mme Fiona Cleary, je vous prie, dit une voix d'homme.

Quand Meggie l'eût appelée, Fee s'approcha vivement, lui prit le récepteur des mains.

204

— Fiona Cleary à l'appareil, dit-elle.

Tandis qu'elle écoutait, debout, son visage perdit peu à peu ses couleurs, ses traits se tirèrent, retrouvèrent l'expression qu'ils avaient eue au cours des jours ayant suivi la mort de Paddy et de Stu.

— Merci, dit-elle avant de raccrocher, soudain ratatinée, vulnérable.

— Qu'est-ce que c'est, m'man?

— Frank a été libéré. Il a pris le train du soir et arrive en fin d'après-midi. (Elle consulta sa montre.) Il me faut partir bientôt. Il est déjà 2 heures passées.

— Laisse-moi t'accompagner, proposa Meggie, si débordante de bonheur qu'elle ne pouvait supporter une possible déception de sa mère.

Elle avait le sentiment que ces retrouvailles ne seraient pas une joie sans mélange pour Fee.

— Non, Meggie. Ça ira. Occupe-toi de tout ici, et qu'on ne serve pas le dîner avant que je sois de retour.

— C'est merveilleux, hein, m'man, de penser que Frank rentre à la maison pour Noël.

— Oui, répondit Fee. C'est merveilleux.

Personne n'empruntait plus le train du soir maintenant qu'il était possible de rallier Gillanbone par la voie des airs; le convoi poussif avait parcouru mille kilomètres depuis Sydney, abandonnant la plupart de ses passagers de deuxième classe dans de petites villes le long du parcours et il ne restait que bien peu de voyageurs débarquant à Gilly.

Le chef de gare connaissait Mme Cleary de vue, mais jamais il ne lui serait venu à l'idée d'engager la conversation avec elle; il se contenta donc de la regarder descendre les marches de bois de la passerelle enjambant la voie et la laissa seule, debout, très droite, sur le quai. Une femme qui a de l'allure, songea-t-il; robe et chapeau à la mode, chaussures à talons hauts. Beau corps, pas très ridée pour une femme de son âge, à croire que la vie d'épouse d'éleveur conserve.

De ce fait, superficiellement, Frank reconnut sa mère plus rapidement qu'elle ne le reconnut, bien que son cœur le lui eût désigné immédiatement. Il avait cinquante-deux ans, et ses années d'absence étaient celles qui l'avaient vu passer du stade de la jeunesse à celui d'âge mûr. L'homme qui se dressait dans le soleil couchant de Gilly était trop maigre, presque décharné, très pâle. Il avait le front dégarni, portait des vêtements informes qui pendaient sur une charpente ayant encore un reflet de puissance malgré sa petite taille; ses mains bien dessinées serraient le bord d'un chapeau de feutre gris. Il n'était pas voûté, ne paraissait pas malade, mais il restait planté là, gauchement, triturant son chapeau entre ses doigts sans paraître croire que quelqu'un pouvait être là à l'attendre, sans savoir comment agir.

Parfaitement maîtresse d'elle-même, Fee avança sur le quai d'un pas alerte.

— Bonjour, Frank, dit-elle.

Il leva les yeux qui, autrefois, brillaient, étincelaient, et qui, à présent, s'enfonçaient dans le visage d'un homme vieillissant. Pas du tout les yeux de Frank. Epuisés, patients, d'une extrême lassitude. Mais quand ils s'imprégnèrent de la vue de Fee, ils se meublèrent d'une extraordinaire expression, blessée, totalement sans défense, appel à l'aide d'un homme en train de mourir.

— Oh, Frank! s'exclama-t-elle en l'étreignant. (Elle lui nicha la tête au creux de son épaule.) Tout va bien, chantonna-t-elle. Tout va bien, continua-t-elle d'une voix plus douce encore.

Au début, il resta silencieux et affaissé sur son siège. Mais quand la Rolls prit de la vitesse et sortit de la ville, il commença à s'intéresser à ce qui l'entourait. Il jeta un coup d'œil par la portière.

— Rien n'a changé, murmura-t-il.

— Non. Le temps s'écoule lentement ici.

Ils passèrent le pont de planches disjointes qui enjambait le mince filet d'eau bourbeux, bordé de saules pleureurs; la plus grande partie du lit de la rivière laissait voir un enchevêtrement de racines sur fond de gravier, des flaques formant des taches brunes, des eucalyptus poussant un peu partout, crevant la vase pierreuse.

— La Barwon, dit-il. Je pensais ne jamais la revoir.

Derrière eux s'élevait un énorme nuage de poussière; devant eux, la route se dévidait, toute droite, comme un exercice de perspective, à travers une immense plaine herbeuse, sans arbres.

— Une nouvelle route, m'man?

Il semblait s'efforcer désespérément de trouver un sujet de conversation, vouloir tout mettre en œuvre pour que la situation parût normale.

— Oui. Elle a été construite pour relier Gilly à Milparinka juste après la guerre.

— On aurait pu en profiter pour la goudronner un peu.

— Pourquoi? Nous sommes habitués à manger de la poussière par ici, et tu t'imagines ce que ça aurait coûté s'il avait fallu l'empierrer assez solidement pour qu'elle résiste à la boue? La nouvelle route est droite, bien entretenue, et supprime treize portails sur les vingt-sept d'autrefois. Il n'en reste que quatorze entre Gilly et la maison, et tu vas voir ce qu'on en a fait, Frank. Plus besoin de les ouvrir et de les fermer.

La Rolls avança sur une rampe en direction d'un panneau d'acier qui se souleva paresseusement; dès que la voiture eut passé et se fut éloignée de quelques mètres sur la piste, le panneau redescendit de lui-même.

— Décidément, on n'arrête pas le progrès, commenta Frank.

— Nous avons été les premiers dans la région à faire

installer les rampes automatiques, mais seulement entre le route de Milparinka et la maison, évidemment. Les portails des enclos doivent encore être ouverts et fermés à la main.

— Eh bien, je suppose que le type qui a inventé ce système a dû avoir son lot de portails à ouvrir et refermer, dit Frank avec un sourire.

Ce fut le premier signe de détente auquel il se laissa aller; puis il s'abîma de nouveau dans le silence et sa mère concentra son attention sur la route, voulant à tout prix éviter de le brusquer. Quand ils franchirent le dernier portail métallique et entrèrent dans l'enclos intérieur, Frank exhala un soupir; la surprise lui coupait le souffle.

— J'avais oublié à quel point c'était beau! s'exclama-t-il.

— C'est notre foyer, dit Fee. Nous en avons pris soin.

Elle conduisit la Rolls jusqu'au garage, escorta son fils vers la grande maison, mais, cette fois, il portait sa valise lui-même.

— Préfères-tu une chambre dans la grande maison ou un cottage d'invité pour toi tout seul?

— Je préfère le cottage. Merci. (Ses yeux épuisés se posèrent sur le visage de sa mère.) Ça me paraîtra agréable de pouvoir m'isoler un peu, expliqua-t-il.

Ce fut la seule allusion qu'il fit jamais aux conditions de sa détention.

— Je crois que tu y seras mieux, dit-elle en le précédant dans le salon. La grande maison regorge d'invités en ce moment. Nous avons le cardinal, Dane et Justine sont en vacances, et Luddie et Anne Mueller doivent arriver après-demain pour passer les fêtes de Noël.

Elle tira un cordon de sonnette pour demander le thé et fit tranquillement le tour de la pièce afin d'allumer les lampes à pétrole.

— Luddie et Anne Mueller? s'enquit-il.

Elle suspendit son geste, abandonnant un instant la mèche d'une lampe qu'il lui fallait remonter et le considéra.

— Beaucoup de temps a passé, Frank. Les Mueller sont des amis de Meggie. (La mèche ajustée à la hauteur voulue, elle s'assit dans son fauteuil à oreilles.) Nous dînerons dans une heure mais, avant, nous prendrons une tasse de thé, ne serait-ce que pour nous débarrasser la bouche de la poussière de la route.

Frank s'assit gauchement sur le bord d'une ottomane crème et promena un regard stupéfait dans la pièce.

— C'est si différent du temps de tante Mary...

— Ça, je le crois, convint Fee en souriant.

Puis Meggie entra, et il lui fut plus difficile de retrouver sa sœur en cette femme mûre que de voir sa mère vieillie. Tandis que Meggie l'étreignait, l'embrassait, il détourna le visage, se ratatina sous sa veste informe, et chercha des yeux sa mère qui le regardait et semblait lui dire : ça n'a pas d'importance, tout cela te paraîtra bientôt normal, laisse seulement s'écouler un peu de temps. Passa une minute de silence pendant qu'il cherchait quelques mots à dire à cette étrangère, et la fille de Meggie entra; une grande gamine, maigre, qui s'assit avec raideur, ses longues mains lissant les plis de sa robe, yeux pâles fixés sur un visage, puis sur un autre. Elle est plus âgée que Meggie ne l'était quand j'ai quitté la maison, songea-t-il. Le fils de Meggie entra avec le cardinal et alla s'asseoir sur le sol, à côté de sa sœur; un beau garçon, calme, au regard lointain.

— Frank, c'est merveilleux! s'écria le cardinal en lui serrant la main. (Il se tourna vers Fee, le sourcil interrogateur.) Une tasse de thé? Excellente idée.

Les fils Cleary arrivèrent ensemble, et ce fut très pénible car ils ne lui avaient jamais pardonné. Frank savait pourquoi : pour le mal qu'il avait fait à leur mère. Mais il était incapable de trouver quoi que ce soit à leur dire susceptible de leur faire comprendre; il ne pouvait leur parler de sa peine, de sa solitude, ni les supplier de lui pardonner. Le seul être qui comptait réellement était sa mère, et elle n'avait jamais pensé qu'il y eût quoi que ce soit à pardonner.

Ce fut le cardinal qui mit tout en œuvre pour garder une certaine cohésion à la soirée; il entretint la conversation autour de la table pendant le dîner et, ensuite, au salon, causant avec une aisance de diplomate et faisant en sorte d'inclure Frank dans le clan.

— Bon, je voulais vous poser la question depuis mon arrivée... Où sont passés les lapins? demanda le cardinal. J'ai vu des millions de terriers... et pas le moindre lapin.

— Ils sont tous morts, répondit Bob.

— Morts?

— Oui, d'une maladie appelée myxomatose. Entre les lapins et les années de sécheresse, l'Australie était à peu près au bout du rouleau en tant que nation productrice vers 1947. Nous étions désespérés, continua Bob qui se précipitait sur la perche tendue, heureux de pouvoir discuter d'un sujet qui excluait Frank.

A ce moment, sans s'en douter, Frank s'aliéna Bob en disant :

— Je savais que les choses allaient mal, mais pas à ce point-là.

Il s'adossa à son siège, espérant avoir donné satisfaction au cardinal en contribuant un peu à la conversation.

— Eh bien, je n'exagère pas, croyez-moi! rétorqua Bob sèchement. Comment Frank pourrait-il être au courant?

— Que s'est-il passé? demanda vivement le cardinal.

— Il y a deux ans, l'Organisation de recherches scientifiques et industrielles du Commonwealth s'est lancée dans un programme expérimental à Victoria, inoculant aux lapins un virus cultivé en vue de se débarrasser de ce fléau. Je ne sais pas très bien ce qu'est un virus, mais je crois qu'il s'agit d'une sorte de germe. Les chercheurs appelaient leur virus la myxomatose. Au début, ça n'a pas très bien marché, pourtant tous les lapins qui l'attrapaient en mouraient. Mais environ un an après l'inoculation de départ, la maladie s'est mise à progresser comme le feu dans les broussailles; on croit qu'elle est transmise par les moustiques, mais il paraît que ça a aussi un rapport avec une espèce de chardon jaune. Depuis, les lapins sont morts par millions et par millions. Ça les a totalement détruits. De temps à autre on en rencontre quelques-uns, malades, avec la tête tout enflée, pas beaux à voir. Mais c'est une réussite sensationnelle, Ralph, vraiment. Aucune autre bête ne peut attraper la myxomatose, pas même les espèces proches. Grâce aux types de l'Organisation de recherches, les lapins ne sont plus un fléau.

Le regard du cardinal se fixa sur Frank.

— Vous vous rendez compte de ce que cela représente, n'est-ce pas, Frank?

Le pauvre Frank secoua la tête, souhaitant que tous l'abandonnent à son anonymat.

— La guerre biologique menée sur une grande échelle... reprit le cardinal. Je me demande si le reste du monde sait qu'ici même, en Australie, entre 1949 et 1952, une guerre biologique a été engagée contre une population de milliards d'individus et est parvenue à supprimer l'espèce?... Eh bien, c'est réalisable! Il ne s'agit pas seulement d'articles à sensation dans les journaux, c'est un fait scientifique. Les pays qui disposent d'une telle arme pourraient tout aussi bien oublier leurs bombes atomiques ou à hydrogène. Je sais qu'il fallait le faire, que c'était absolument nécessaire, et c'est là probablement une réalisation scientifique de première importance qui n'a pas été ébruitée. Mais ça n'en est pas moins terrifiant.

Dane avait attentivement suivi la conversation.

— La guerre biologique? Je n'en ai jamais entendu parler. Qu'est-ce que c'est exactement, Ralph?

— Les mots sont nouveaux, Dane. Mais je suis diplomate au Vatican et, malheureusement, obligé de me tenir au courant de termes tels que « guerre biologique ». Pour simplifier, le mot équivaut à la myxomatose. La culture d'un germe susceptible de tuer ou de paralyser un genre spécifique d'êtres vivants.

Sans en avoir conscience, Dane se signa et se rejeta en arrière contre les genoux du cardinal de Bricassart.

— Alors, nous ferions mieux de prier, dit-il simplement. Vous ne croyez pas?

Le cardinal baissa les yeux sur la tête blonde, sourit.

Les efforts que déploya Fee amenèrent Frank à s'adapter à la vie de Drogheda; sans tenir compte du sourd antagonisme qui animait le clan des frères Cleary, elle continua à agir comme si son fils aîné ne s'était absenté que pour quelque temps, n'avait jamais attiré le déshonneur sur la famille ni douloureusement peiné sa mère. Paisiblement et discrètement, elle lui trouva l'abri qu'il semblait souhaiter, loin de ses autres fils; elle ne l'encouragea pas non plus à retrouver une partie de son ancienne vitalité, d'autant que celle-ci ne l'animait plus; Fee l'avait compris dès l'instant où il avait levé les yeux vers elle sur le quai de la gare de Gilly. Le dynamisme dont Frank avait autrefois fait preuve avait été anéanti par une existence qu'il se refusait à évoquer. Elle ne pouvait que s'efforcer de le rendre aussi heureux que possible, et la meilleure façon d'y parvenir consistait à voir dans le Frank actuel celui qu'il avait toujours été.

Il n'était pas question qu'il travaillât dans les enclos car ses frères s'y seraient opposés, et il ne voulait d'ailleurs pas mener un genre de vie qu'il avait toujours détesté. La croissance des plantes semblait le captiver;

aussi Fee l'incita-t-elle à s'intéresser aux jardins sans pour autant lui assigner une besogne précise. Et, progressivement, ses frères s'habituèrent au retour de la brebis galeuse dans le giron de la famille; ils comprirent que la menace qu'avait autrefois fait peser Frank sur leur tranquillité s'était évanouie. Rien ne pourrait jamais modifier les sentiments que lui portait leur mère; peu importait qu'il fût en prison ou à Drogheda, elle le chérissait toujours aussi tendrement. La présence de Frank à Drogheda la rendait heureuse, et c'est tout ce qui comptait. Il ne s'immisçait pas dans leur existence et se conformait à l'image de ce qu'il avait toujours été, ni plus ni moins.

Cependant, la présence de Frank à Drogheda n'apportait pas une joie réelle à Fee; comment l'aurait-elle pu d'ailleurs? Le voir chaque jour lui communiquait simplement un autre genre de tristesse que celle qu'elle avait ressentie pendant son absence. La terrible douleur de devoir constater la perte d'une vie, la perte d'un homme. Celle de son fils préféré, tant aimé, qui avait dû connaître des souffrances dépassant tout ce qu'elle pouvait imaginer.

Un jour, alors que Frank était de retour à Drogheda depuis environ six mois, Meggie entra dans le salon et trouva sa mère assise, regardant par l'une des grandes portes-fenêtres en direction de Frank qui taillait la haie de rosiers bordant l'allée. Elle se détourna et quelque chose dans son visage soigneusement composé incita Meggie à porter les mains à son cœur.

— Oh, m'man! dit-elle, désemparée.

Fee la regarda, secoua la tête et sourit.

— Ça n'a pas d'importance, Meggie.

— Si seulement je pouvais faire quelque chose!

— Tu le peux. Ne change rien à ton attitude. Je te suis très reconnaissante. Tu es devenue une alliée.

LIVRE VI

1954 - 1965

DANE

17

— Bon, dit Justine à sa mère, ma décision est prise. Je sais ce que je vais faire.

— Je croyais que tout était déjà réglé. Tu vas suivre les cours des Beaux-Arts à l'Université de Sydney, non?

— Oh, c'était du bluff pour te tranquilliser pendant que je préparais mes plans. Mais maintenant tout est au point; alors, je peux dévoiler mes batteries.

Meggie s'arracha un instant à sa besogne consistant à découper des formes de sapin dans la pâte étalée devant elle; Mme Smith étant souffrante, mère et fille aidaient à la cuisine. Elle considéra Justine avec lassitude, impatience, impuissance. Comment pouvait-on agir avec un être de cette sorte? Si Justine annonçait qu'elle avait l'intention de partir pour Sydney afin d'entrer dans un bordel comme pensionnaire, Meggie doutait de pouvoir l'en dissuader. Chère, horrible Justine, reine des têtes de mule.

— Vide ton sac, je grille d'impatience, dit Meggie en se remettant à découper des biscuits.

— Je vais être actrice.

— Quoi?

— Actrice.

— Seigneur! (Et d'abandonner de nouveau le moule à sapin.) Ecoute, Justine, je ne suis pas une empêcheuse de danser en rond et je n'ai pas l'intention de te faire de la peine. Mais crois-tu réellement que tu aies le physique de l'emploi?

— Oh, m'man! s'exclama Justine d'un air écœuré. Pas une vedette de cinéma; une actrice! Je ne veux pas tortiller des fesses, faire valoir mes seins ou me passer la langue sur les lèvres! Je veux faire du théâtre! (Elle entassait des morceaux de bœuf dégraissés dans un tonnelet de saumure.) J'ai suffisamment d'argent pour envisager n'importe quelle formation de mon choix, non?

— Oui, grâce au cardinal de Bricassart.

— Alors il n'y a pas à revenir là-dessus. Je vais suivre les cours d'Albert Jones au théâtre Culloden, et j'ai écrit à l'Académie royale d'Art dramatique à Londres pour demander mon inscription sur les listes d'attente.

— Tu as vraiment réfléchi, Jussy?

— Oui. J'y ai réfléchi depuis très longtemps. (Le dernier morceau de bœuf sanguinolent disparut dans la saumure; elle remit le couvercle du tonnelet, l'enfonça d'un coup de poing.) Voilà! J'espère ne plus jamais avoir à tripoter du bœuf pour la conserve jusqu'à la fin de mes jours.

Meggie lui tendit une plaque recouverte de biscuits.

— Mets ça au four, tu veux? 150 degrés. Je dois avouer que cette nouvelle me surprend. Je croyais que les petites filles qui rêvaient d'être comédiennes jouaient constamment un rôle vis-à-vis des autres, mais la seule personne avec laquelle je t'aie jamais vue jouer n'était autre que toi.

— Oh, m'man! Te voilà repartie à confondre vedette de cinéma et actrice. Vraiment, tu es indécrottable!

— Eh bien, les vedettes de cinéma ne sont-elles pas des actrices?

— D'une catégorie très inférieure, à moins qu'elles n'aient commencé par la scène. Après tout, même Laurence Olivier se permet un film de temps à autre.

Une photo dédicacée de Laurence Olivier trônait sur la coiffeuse de Justine; Meggie avait simplement estimé qu'il devait s'agir d'une toquade de collégienne, bien que, sur le moment, elle eût pensé que sa fille faisait preuve de goût. Les amies de Justine, qui venaient parfois passer quelques jours avec elle à Drogheda, gardaient précieusement les photographies de leurs idoles infiniment plus populaires.

— Je ne comprends toujours pas, marmonna Meggie en secouant la tête. Actrice!

Justine haussa les épaules.

— Eh bien, où pourrais-je me permettre de crier, de hurler, de rugir, ailleurs que sur une scène? Ici, on ne m'y autorise pas, ni à l'école ni nulle part! J'aime crier, hurler et rugir, nom de Dieu!

— Mais tu es tellement douée pour les beaux-arts, Jussy! Pourquoi ne pas persévérer dans ce sens? insista Meggie.

Justine s'écarta de l'immense cuisinière à gaz, tapota du doigt le manomètre d'une bouteille de butane.

— Il faudra que je dise à l'aide-jardinier de changer les bouteilles; il n'y a presque plus de pression. Mais ça ira encore pour aujourd'hui. (Les yeux clairs considérèrent Meggie avec pitié.) Tu n'as vraiment pas les pieds sur terre, m'man. Je croyais qu'il n'y avait que les gosses pour ne pas envisager le côté pratique d'une carrière. Je n'ai pas l'intention de crever de faim dans un grenier et d'être célèbre après ma mort. Je compte avoir ma part de gloire tant que je serai vivante et je

216

veux mener une existence dorée, dans une réelle aisance. Aussi, la peinture sera mon violon d'Ingres et je jouerai la comédie pour gagner ma vie. Qu'est-ce que tu dis de ça?

— Drogheda tc servira des revenus confortables, Jussy, déclara Meggie à bout d'arguments, rompant ainsi le vœu de silence qu'elle s'était imposé pour les questions d'argent et quelles que soient les circonstances. Tu n'en arriverais jamais à mourir de faim dans un grenier; si tu préfères peindre, rien ne t'en empêche.

L'expression de Justine, soudain éveillée, montra un nouvel intérêt.

— Et ça représente quoi, ces revenus, m'man?

— Suffisamment pour que tu n'aies pas besoin de travailler si tu le voulais.

— Charmante perspective! Je finirais par papoter au téléphone et jouer au bridge; c'est tout ce qu'ont trouvé la plupart des mères de mes camarades. Parce que j'habiterai Sydney, pas Drogheda, tu sais. Je préfère de beaucoup Sydney à Drogheda. (Une lueur d'espoir brilla dans ses yeux.) Est-ce que j'ai assez d'argent pour me faire enlever mes taches de rousseur avec ce nouveau traitement électrique?

— Je crois que oui. Pourquoi?

— Parce qu'à ce moment-là on remarquera peut-être mon visage.

— Je croyais que la beauté n'avait pas d'importance pour une actrice.

— Oh, ça suffit, m'man! Mes taches de rousseur sont une croix.

— Tu es certaine que tu ne préférerais pas peindre?

— Tout à fait sûre, affirma Justine en esquissant quelques pas de danse. Je vais monter sur les planches et il n'y a pas à revenir là-dessus.

— Et comment as-tu été autorisée à suivre les cours du théâtre Culloden?

— J'ai passé une audition.

— Et tu as été admise, toi?

— Tu as une foi touchante en ta fille, m'man. Evidemment, j'ai été admise! Je suis du tonnerre, tu sais. Un jour, je serai célèbre.

Meggie mélangea un colorant alimentaire vert dans un bol contenant déjà du glaçage et commença à en badigeonner les sapins déjà cuits.

— C'est important pour toi, Justine, la célébrité?

— Et comment! (Elle versa du sucre sur le beurre si mou qu'il adhérait déjà au bol; en dépit de la cuisinière à gaz qui avait remplacé le vieux poêle à charbon, il n'en faisait pas moins très chaud dans la cuisine.) Je suis bien décidée à tout faire pour devenir célèbre.

— Tu n'as pas l'intention de te marier?

Les traits de Justine se crispèrent en une moue de mépris.

— Très peu pour moi! Passer ma vie à essuyer des morves et à torcher des culs merdeux? Faire des mamours à un type qui serait loin de me valoir tout en croyant qu'il m'est très supérieur? Oh, non! Ça, zéro pour la question!

— Franchement, tu exagères. Où diable as-tu appris à parler comme ça?

Justine commença à casser des œufs dans une jatte, vivement et avec adresse, n'utilisant qu'une seule main.

— Dans ce si select collège de jeunes filles, évidemment. (Elle saisit un fouet, battit vigoureusement les œufs.) En vérité, nous formons une équipe de filles très bien. Très cultivées. Rares sont les troupeaux d'oies blanches susceptibles d'apprécier la délicatesse de ces vers latins, par exemple :

Il y avait un Romain de Vinidium
Dont la vêture était faite d'iridium;
Quand on lui demandait pourquoi une telle veste,

Il répliquait « *Id est Bonum sanguinem Praesidium* ».
Les lèvres de Meggie se crispèrent.

— Je vais certainement m'en vouloir de t'avoir posé la question, mais qu'a répondu le Romain?

— C'est une protection foutrement bonne.

— C'est tout? Je m'attendais à bien pire. Tu m'étonnes. Mais pour en revenir à ce que nous disions, ma chère petite, en dépit de tes efforts à changer de conversation, que reproches-tu au mariage?

Justine imita l'un des rares éclats de rire ironiques de sa grand-mère qui tenaient plutôt du reniflement.

— M'man! Vraiment, tu devrais être la dernière à me poser cette question.

Meggie sentit le sang lui affluer au visage et elle baissa les yeux sur le plateau d'arbres vert clair.

— Ne sois pas impertinente. Il est vrai qu'avec tes dix-sept ans, tu sais tout.

— Tu ne trouves pas ça curieux? dit Justine à l'adresse de la jatte. Dès qu'on ose s'aventurer sur un terrain strictement réservé aux parents, on devient impertinente. J'ai simplement dit : tu devrais être la dernière à me poser cette question. C'est parfaitement exact, bon Dieu! Je n'entends pas nécessairement par là que tu es une ratée, une pécheresse, ou pire encore. En vérité, j'estime que tu as fait preuve de beaucoup de bon sens en te passant de ton mari. Pourquoi en aurais-tu eu besoin? L'influence masculine pour élever tes gosses ne manquait pas avec les oncles; tu as suffisamment d'argent pour vivre. Je suis d'accord avec toi! Le mariage est bon pour les oiseaux.

— Tu es exactement comme ton père!

— Encore un faux-fuyant. Chaque fois que je te contrarie, je deviens exactement comme mon père. Eh bien, je suis obligée de te croire sur parole puisque je n'ai jamais eu l'occasion de rencontrer cet honorable gentleman.

— Quand pars-tu? demanda Meggie en désespoir de cause.

Justine sourit.

— Il te tarde de te débarrasser de moi, hein? Je te comprends, m'man, et je ne t'en veux pas le moins du monde. Tu sais, je ne peux pas m'en empêcher. J'adore choquer les gens, surtout toi. Qu'est-ce que tu dirais de m'accompagner à l'aérodrome demain?

— Disons après-demain. Demain, je t'emmènerai à la banque. Il vaut mieux que tu saches de combien d'argent tu peux disposer. Et, Justine...

Justine saupoudrait de farine la pâte qu'elle pliait adroitement, mais elle leva les yeux en remarquant l'altération survenue dans la voix de sa mère.

— Oui?

— Si jamais tu as des ennuis, reviens à la maison, je t'en prie. Il y aura toujours ta place à Drogheda; je tiens à ce que tu t'en souviennes. Rien de ce que tu pourras faire ne saurait être assez grave pour t'empêcher de revenir.

Le regard de Justine s'adoucit.

— Merci, m'man. Dans le fond tu n'es pas un mauvais cheval. Seulement une vieille radoteuse.

— Vieille? s'insurgea Meggie. Je ne suis pas vieille! Je n'ai que quarante-trois ans!

— Seigneur, tant que ça?

Meggie saisit un biscuit, le jeta à la tête de sa fille.

— Oh! quel monstre tu fais! s'exclama-t-elle en riant. Maintenant, j'ai l'impression d'avoir cent ans!

Justine sourit.

A cet instant, Fee entra pour voir comment allaient les choses dans la cuisine; Meggie salua son arrivée avec soulagement.

— M'man, sais-tu ce que Justine vient de me dire?

Maintenant, les yeux de Fee ne pouvaient guère que se pencher sur les registres de Drogheda, mais derrière ses pupilles opacifiées l'intelligence se devinait, plus vive que jamais.

— Comment pourrais-je savoir ce que Justine vient de te dire? s'enquit-elle gentiment en regardant les biscuits verts avec un petit frisson de dégoût.

— Parfois, j'ai l'impression que Justine et toi avez vos petits secrets en dehors de moi, riposta Meggie. Et maintenant que ma fille vient de me mettre au courant de ses projets, tu entres ici à point nommé alors que tu ne mets jamais les pieds dans la cuisine.

— Hum... heureusement qu'ils sont meilleurs qu'ils en ont l'air, commenta Fee en grignotant un biscuit. Je t'assure, Meggie, que je n'encourage pas ta fille à me prendre pour complice pour faire des cachotteries derrière ton dos. De quel nouveau chambardement es-tu responsable, Justine? demanda-t-elle en se tournant vers sa petite-fille qui versait sa mixture onctueuse dans des moules farinés.

— J'ai dit à m'man que je voulais faire du théâtre, mémé, c'est tout.

— C'est tout, hein? Est-ce vrai, ou s'agit-il seulement de l'une de tes plaisanteries d'un goût douteux?

— Oh, c'est vrai! Je vais faire mes débuts au Culloden.

— Tiens, tiens, tiens! s'exclama Fee qui s'appuya à la table tout en observant sa fille non sans ironie. Toujours étonnant de devoir constater combien les décisions des enfants nous échappent, n'est-ce pas, Meggie?

Meggie ne répondit pas.

— Tu es contre, mémé? grogna Justine, prête à se battre.

— Moi? Contre? Ce que tu fais de ta vie ne me regarde pas. D'ailleurs, je pense que tu peux faire une bonne actrice.

— Vraiment? s'écria Meggie, suffoquée.

— Bien sûr, riposta Fee. Justine n'est pas du genre à

faire un choix à la légère, n'est-ce pas, ma petite fille?

— Non, admit Justine en souriant.

Elle repoussa une mèche, collée par la transpiration, qui lui retombait sur l'œil. Meggie observa son expression tandis qu'elle considérait sa grand-mère avec une affection qu'elle paraissait incapable de lui vouer.

— Tu es une bonne petite fille, Justine, déclara Fee en avalant le reste du biscuit dans lequel elle avait mordu avec peu d'enthousiasme. Pas mauvais du tout. Mais j'aurais préféré que tu les glaces en blanc.

— On ne peut pas glacer des arbres en blanc! s'insurgea Meggie.

— Bien sûr que si quand il s'agit de sapins, rétorqua Fee. Ça pourrait être de la neige.

— Trop tard à présent, intervint Justine en riant. Ils sont vert dégueuli.

— Justine!

— Oh, désolée, m'man! Je n'avais pas l'intention de t'offenser. J'oublie toujours que tu as l'estomac fragile.

— Je n'ai pas l'estomac fragile! lança Meggie, exaspérée.

— Je suis venue voir si je pouvais avoir une tasse de thé, dit Fee qui tira une chaise à elle et s'assit. Sois gentille, Justine, mets la bouilloire sur le feu.

Meggie s'assit près de sa mère.

— Crois-tu vraiment que Justine puisse envisager de faire du théâtre, m'man? demanda-t-elle d'un ton anxieux.

— Pourquoi pas? répondit Fee en suivant des yeux sa petite-fille qui se livrait au rituel du thé.

— Ça n'est peut-être qu'une toquade passagère.

— Est-ce une toquade passagère, Justine? s'enquit Fee.

— Non, déclara énergiquement Justine en déposant tasses et soucoupes sur la vieille table de cuisine.

— Mets les biscuits sur une assiette, Justine, ne les

présente pas dans leur boîte, dit machinalement Meggie. Et, pour l'amour de Dieu, n'apporte pas tout le
bidon de lait sur la table, mets-en un peu dans un petit
pot!

— Oh, m'man, excuse-moi, m'man, répondit Justine
tout aussi machinalement. Je ne vois pas très bien à
quoi riment tous ces chichis dans la cuisine. Je serai
obligée de remettre les biscuits qui resteront dans leur
boîte et de laver les assiettes en plus.

— Contente-toi de faire ce qu'on te dit; c'est tellement plus agréable.

— Pour en revenir à nos moutons, reprit Fee, je ne
crois pas qu'il y ait matière à discussion. A mon avis, on
devrait laisser Justine faire un essai, qui sera probablement couronné de succès.

— Je voudrais bien en être aussi sûre, marmonna
Meggie d'un ton triste.

— Est-ce que tu as fait miroiter la célébrité et la
gloire à ta mère, Justine? s'enquit Fee.

— Célébrité et gloire entrent en ligne de compte,
admit Justine. (Elle posa la vieille théière marron sur la
table en un geste de défi et s'assit vivement.) Ne rous-
pète pas, m'man. Je ne vais pas faire le thé dans la
théière d'argent pour le boire dans la cuisine. Un point,
c'est tout.

— Cette théière convient parfaitement, dit Meggie
avec un sourire.

— Oh, il est délicieux! Rien de tel qu'une bonne tasse
de thé, remarqua Fee avec un soupir de satisfaction.
Justine, pourquoi t'obstines-tu à présenter les choses à
ta mère sous un jour aussi défavorable? Tu sais parfaitement que ce n'est pas une question de célébrité et de
gloire, mais bien de toi-même.

— De moi-même, mémé?

— Evidemment, de toi-même. Tu as le sentiment
d'être faite pour devenir actrice, n'est-ce pas?

— Oui.

— Alors, pourquoi ne pas l'avoir expliqué à ta mère? Pourquoi la bouleverser avec des bêtises que tu prends plaisir à débiter avec désinvolture?

Justine haussa les épaules, but son thé et poussa sa tasse vide vers sa mère afin qu'elle la remplît.

— Sais pas, marmotta-t-elle.

— Je ne sais pas, corrigea Fee. J'espère que tu articuleras correctement sur les planches. Mais c'est bien pour toi-même que tu veux être comédienne, n'est-ce pas?

— Oui, probablement, admit Justine de mauvaise grâce.

— Encore ce stupide et ridicule orgueil des Cleary! Il te sera fatal à toi aussi, Justine, si tu n'apprends pas à le maîtriser. Cette peur idiote qu'on puisse rire de toi ou te tourner en ridicule! Je me demande bien ce qui peut te laisser croire que ta mère serait capable de se montrer aussi cruelle, dit Fee en appliquant une tape sur la main de sa petite-fille. Ne rue pas dans les brancards, Justine. Montre-toi un peu plus souple.

— Je ne peux pas, assura Justine en secouant la tête.

Fee soupira.

— Eh bien, en admettant qu'elle te soit utile en quoi que ce soit, tu as ma bénédiction pour ce projet, mon enfant.

— Merci, mémé. Je l'apprécie.

— Alors, sois assez aimable pour prouver ton appréciation de façon plus concrète en allant chercher ton oncle Frank; tu lui diras que le thé est servi dans la cuisine.

Justine sortit, et Meggie dévisagea longuement sa mère.

— M'man, tu es étonnante.

Fee sourit.

— Peut-être. Mais tu es bien obligée d'admettre que

224

je n'ai jamais dicté la moindre règle de conduite à mes enfants.

— Non, en effet, acquiesça Meggie avec tendresse. Et tous, nous t'en savons gré.

Dès son retour à Sydney, Justine prit les dispositions voulues pour se faire enlever ses taches de rousseur, ce qui, malheureusement, ne pouvait se réaliser du jour au lendemain. Elle en avait tant qu'il lui faudrait compter environ douze mois pour en être débarrassée et, ensuite, elle ne pourrait jamais s'exposer au soleil sous peine de voir les éphélides réapparaître. Puis elle se mit en quête d'un appartement; à l'époque, en dénicher un à Sydney n'était pas un mince exploit car ses habitants construisaient des maisons particulières et considéraient la vie dans les immeubles collectifs comme une malédiction. Pourtant, elle finit par découvrir un logement de deux pièces à Neutral Bay dans l'une de ces vieilles bâtisses victoriennes qui, après avoir connu des jours meilleurs, avaient été transformées en appartements sans confort. Le loyer se montait à cinq livres dix shillings par semaine; somme outrageusement élevée si l'on tenait compte du fait que la salle de bains et la cuisine étaient partagées par tous les autres locataires. Cependant, Justine s'en trouva très satisfaite. Bien qu'elle eût reçu une excellente formation ménagère, l'intérieur ne comptait guère pour elle.

La vie à Bothwell Gardens lui parut infiniment plus passionnante que son apprentissage de comédienne au Culloden où il semblait qu'elle dût passer son temps à se faufiler derrière les portants en observant d'autres élèves en train de répéter, à donner une réplique occasionnelle et à apprendre par cœur d'interminables textes de Shakespeare, Shaw et Sheridan.

A part l'appartement de Justine, Bothwell Gardens comptait cinq autres logements, plus celui de Mme

225

Devine, la propriétaire. Celle-ci, une Londonienne geignarde, aux yeux protubérants, affichait un souverain mépris à l'égard de l'Australie et des Australiens, qu'elle ne répugnait pourtant pas à voler. Le principal souci de sa vie semblait être le prix du gaz et de l'électricité, et sa principale faiblesse résidait en la personne du voisin de palier de Justine, un jeune Anglais qui exploitait sans vergogne sa nationalité auprès de l'irascible propriétaire.

— Je n'hésite pas à titiller l'intérêt de la vieille bique de temps à autre en évoquant l'Angleterre, confia-t-il à Justine. Ça m'évite de trop l'avoir sur mon dos. Elle n'autorise pas les femmes à avoir des radiateurs électriques, même en hiver, mais elle m'en a donné un et je peux m'en servir même en plein été si ça me chante.

— Salaud, laissa tomber Justine sans grande conviction.

Il s'appelait Peter Wilkins et était voyageur de commerce.

— Venez me voir un de ces jours et je vous préparerai une bonne tasse de thé, dit-il à Justine dont les yeux pâles et déroutants le captivaient.

Justine se rendit à son invitation, choisissant un moment où Mme Devine ne hantait pas jalousement les couloirs, et elle ne tarda pas à devoir repousser les assauts de Peter. Des années de travail et d'équitation à Drogheda l'avaient dotée d'une force peu commune et elle n'éprouvait aucun scrupule à violer les règles désuètes de combat interdisant les coups au-dessous de la ceinture.

— Bon Dieu, Justine! haleta un beau jour Peter en essuyant les larmes que la douleur lui avait fait monter aux yeux. Laisse-toi aller, que diable! Il faut que tu le perdes un jour ou l'autre. Fini le temps de la reine Victoria. On ne met pas son pucelage en conserve pour le mariage!

— Je n'ai pas l'intention de le mettre en conserve pour le mariage, répliqua-t-elle en ajustant sa robe. Mais je ne sais pas encore très bien à qui je vais faire cet honneur, c'est tout.

— Te fais pas d'illusions, t'es plutôt tocarde, fit-il méchamment, aiguillonné par la douleur.

— Oh, je sais. Rien qu'un sac d'os, Pete. Rengaine tes salades, tu n'arriveras pas à me blesser avec des mots. Et il ne manque pas d'hommes prêts à s'envoyer n'importe quelle fille s'il s'agit d'une pucelle.

— Et aussi pas mal de femmes! Suis mon regard vers l'appartement d'en face.

— Oh, je sais, je sais, dit Justine.

Les deux filles qui vivaient dans l'appartement d'en face étaient lesbiennes et elles avaient salué l'arrivée de Justine avec joie, mais elles avaient rapidement déchanté en s'apercevant que la nouvelle venue n'était pas intéressée ni même intriguée. Au début, Justine ne sut pas très bien à quoi elles voulaient en venir, mais lorsque ses voisines le lui firent crûment comprendre, elle haussa les épaules avec indifférence. De ce fait, après une période d'adaptation, elle leur prêta une oreille attentive, devint une confidente neutre, leur havre de toutes les tempêtes; elle régla la caution de Billie pour la sortir de prison, emmena Bobbie à l'hôpital Mater pour un lavage d'estomac après une explication particulièrement orageuse avec Billie, refusa de prendre parti pour l'une ou l'autre d'entre elles lorsque Pat, Al, Georgie et Ronnie se profilèrent tour à tour à l'horizon. C'est un genre de vie sentimentale assez décevant, pensa-t-elle. Les hommes ne valent guère mieux, mais il y a tout de même le piment qu'apporte la différence intrinsèque.

Ainsi, entre ses relations du Culloden et de Bothwell Gardens, auxquelles s'ajoutaient les jeunes filles qu'elle avait connues à Kincoppal, Justine avait beaucoup d'amis, et elle-même était considérée comme une vraie amie. Elle ne confiait jamais ses ennuis à ceux qui l'abreuvaient des leurs; elle avait Dane pour s'épancher bien que ce qu'elle considérait comme des soucis n'eût guère d'emprise sur elle. Son extraordinaire autodiscipline fascinait particulièrement ses amis; on eût dit qu'elle s'était entraînée depuis l'enfance à ne pas laisser les circonstances affecter son bien-être.

Chacun de ses amis se demandait avec intérêt quand, comment, et avec qui Justine se déciderait enfin à devenir une vraie femme, mais elle prenait tout son temps.

Arthur Lestrange, l'éternel jeune premier de la troupe d'Albert Jones, avait passé le cap des quarante ans avec quelque nostalgie l'année ayant précédé l'arrivée de Justine au Culloden. Il avait une bonne prestance, était un acteur consciencieux sur lequel on pouvait compter et son visage viril, aux traits nets, ombré de boucles blondes, suscitait invariablement les applaudissements du public. La première année, il ne remarqua pas Justine qui savait se montrer discrète et faisait exactement ce qu'on lui demandait. Mais, au bout de douze mois, son traitement pour faire disparaître ses taches de rousseur s'acheva et elle commença à se détacher du décor au lieu de s'y fondre.

Débarrassée des taches de rousseur, elle se maquilla, ombra cils et sourcils et devint une fille assez jolie au visage de farfadet. Elle n'avait rien de la beauté saisissante de Luke O'Neill ni de la finesse de sa mère, mais elle était assez bien faite, quoique maigre. Seule, sa flamboyante chevelure tranchait sur son physique assez falot. Pourtant, sur scène, il en allait tout autrement; elle parvenait à faire croire à son public qu'elle était aussi belle qu'Hélène de Troie ou aussi laide qu'une sorcière.

Arthur la remarqua pour la première fois à l'occasion d'une répétition où on lui avait demandé de réciter un passage de *Lord Jim*, de Conrad, en prenant plusieurs accents. Elle fut vraiment extraordinaire. Il devina l'exaltation qui habitait Albert Jones et finit par comprendre pourquoi celui-ci consacrait tant de temps à Justine. Une imitatrice-née, mais beaucoup plus que cela. Elle conférait du caractère à chaque parole qu'elle prononçait. Et il y avait sa voix, un don du ciel pour n'importe quelle actrice, profonde, rauque, pénétrante.

Aussi quand il l'aperçut, une tasse de thé à la main, un livre sur les genoux, il alla s'asseoir à côté d'elle.

— Que lisez-vous?

Elle leva la tête, sourit.

— Proust.

— Vous ne le trouvez pas un peu ennuyeux?

— Ennuyeux. Proust? Seulement si on est insensible aux commérages. En fin de compte, Proust n'est pas autre chose qu'une vieille commère, vous savez.

Il éprouva la désagréable impression qu'elle le jugeait avec condescendance sur le plan intellectuel, mais il ne lui en voulut pas, voyant là un péché de jeunesse.

— Je vous ai entendue dans le passage de Conrad. Magnifique.

— Merci.

— Nous pourrions peut-être prendre une tasse de café ensemble quand vous aurez un moment; ça nous donnera l'occasion de parler de votre avenir.

— Si vous voulez, dit-elle en se replongeant dans son livre.

Il se félicita de l'avoir invitée à prendre le café plutôt que de l'avoir priée à dîner; sa femme le réduisait à la portion congrue et un repas exigeait de celle qu'il conviait une somme de gratitude qu'il n'était pas sûr de trouver chez Justine. Cependant, il ne tarda pas à passer à l'action après son invitation désinvolte et emmena Justine dans un petit établissement sombre au bas d'Elizabeth Street où il était relativement certain que sa femme ne viendrait pas le chercher.

Par bravade, Justine avait appris à fumer, écœurée de passer pour une dinde chaque fois qu'on lui offrait des cigarettes. Dès qu'ils se furent installés, elle tira de son sac un paquet de cigarettes pas encore entamé, en ôta la cellophane en s'assurant que la partie inférieure de l'enveloppe protégeait encore le reste du paquet. Arthur observa son application avec amusement et intérêt.

— Pourquoi diable vous donner tant de mal? Contentez-vous d'arracher la cellophane d'un seul coup, Justine.

— Ça fait désordre.

Il saisit le paquet et caressa pensivement l'enveloppe presque intacte.

— Maintenant, si j'étais un disciple de l'éminent Sigmund Freud...

— Eh bien, si vous étiez Freud... (Elle leva la tête, vit la serveuse plantée près de la table.) Un cappuccino.

Il lui déplut de l'entendre passer elle-même sa commande, mais il s'abstint de tout commentaire, impatient d'exprimer la pensée qui lui trottait en tête.

— Un café viennois, je vous prie. Maintenant, revenons-en à ce que je vous disais au sujet de Freud. Je me demande ce qu'il penserait de votre geste. Il dirait peut-être...

Elle lui prit le paquet des mains, l'ouvrit, en tira une cigarette qu'elle alluma sans lui laisser le temps de lui présenter du feu.

— Il dirait quoi?

— Il penserait que vous désirez garder les tissus membraneux intacts. Vous ne croyez pas?

Le rire de Justine s'éleva dans l'atmosphère enfumée; plusieurs têtes d'homme se tournèrent avec curiosité.

— Vraiment? Est-ce là une façon détournée de me demander si je suis encore vierge, Arthur?

Il claqua la langue, exaspéré.

— Justine! Je m'aperçois que, entre autres choses, je

230

devrais vous enseigner l'art subtil du travestissement de la pensée.

— Entre quelles autres choses, Arthur? demanda-t-elle en s'accoudant à la table, yeux pétillants dans la pénombre.

— Eh bien, qu'avez-vous besoin d'apprendre?

— En vérité, je suis relativement instruite.

— En tout?

— Tudieu, vous savez vraiment mettre l'accent sur certains mots, hein? Très bien, il faudra que je me rappelle la façon dont vous avez dit ça.

— Certaines choses ne peuvent être apprises que par l'expérience, murmura-t-il d'une voix douce en portant la main à ses cheveux pour ramener une boucle rebelle derrière l'oreille.

— Vraiment? Jusqu'ici l'observation m'a suffi.

— Ah, mais qu'en est-il lorsqu'il s'agit d'amour? demanda-t-il avec une inflexion chaude dans le dernier mot. Comment pouvez-vous jouer Juliette sans savoir ce qu'est l'amour?

— Vous marquez un point. Je suis d'accord avec vous.

— Avez-vous jamais été amoureuse?

— Non.

— Savez-vous quoi que ce soit sur l'amour?

Cette fois, il mit l'accent sur « quoi que ce soit » et non sur « amour ».

— Rien du tout.

— Ah! Alors, Freud ne se serait pas trompé, n'est-ce pas?

Elle prit son paquet de cigarettes et examina le cartonnage encore revêtu de son enveloppe. Elle sourit.

— Peut-être sur certains points.

D'un mouvement vif, il saisit le reste de l'enveloppe de cellophane qu'il tira et tint dans sa main, puis, d'un geste théâtral, il l'écrasa et laissa retomber la boule informe dans le cendrier où elle crissa, se tordit, se gonfla.

— J'aimerais vous faire découvrir ce qu'est une femme.

Pendant un instant, elle ne dit mot, fascinée par les sursauts de la cellophane dans le cendrier; puis, elle gratta une allumette et y mit délibérément le feu.

— Pourquoi pas? fit-elle à l'adresse de la brève lueur. Oui, pourquoi pas?

— Sera-ce un divin épisode nimbé de clair de lune et de roses, une cour passionnée, ou une aventure fugace et aiguë comme une flèche? déclama-t-il, la main sur le cœur.

Elle rit.

— Trêve de romantisme, Arthur! Personnellement, j'espère que ce sera long et aigu. Mais pas de clair de lune ni de roses, je vous en prie. Je ne suis pas du genre à apprécier une cour passionnée.

Il la considéra avec un peu de tristesse, secoua la tête.

— Oh, Justine! Toute femme apprécie une cour passionnée... même vous, jeune vestale au sang de glace. Un jour, vous vous en apercevrez... vous soupirerez.

— Peuh! fit-elle en se levant. Allons, venez, Arthur. Finissons-en avec cette formalité avant que j'aie changé d'avis.

— Maintenant? Ce soir?

— Pourquoi pas? J'ai suffisamment d'argent sur moi pour payer une chambre d'hôtel si vous êtes à court.

L'hôtel *Métropole* n'était pas très éloigné; ils avancèrent dans les rues assoupies, bras dessus bras dessous, en riant. L'heure était trop avancée pour les dîners et pas assez pour la sortie des théâtres; peu de monde sur les trottoirs, seulement quelques matelots américains dont le navire effectuait une visite de courtoisie et des groupes de jeunes filles qui semblaient s'intéresser aux vitrines sans pour autant quitter les marins des yeux.

Personne ne prêta attention à eux, ce qui convenait parfaitement à Arthur. Il entra dans une pharmacie pendant que Justine attendait dehors et en ressortit, rayonnant.

— Maintenant, nous pouvons y aller, ma chérie.

— Qu'avez-vous acheté? Des capotes anglaises?

Il eut un haut-le-corps.

— Pas question. Une capote anglaise me ferait l'effet d'être enveloppé dans une page du *Reader's Digest*... un condensé visqueux. Non, je vous ai acheté un peu de vaseline. Au fait, comment êtes-vous au courant de l'existence des capotes anglaises?

— Après avoir passé sept ans dans un pensionnat catholique? Que croyez-vous que nous y faisions? Que nous passions notre temps à prier? (Elle sourit.) A dire vrai, nous ne faisions pas grand-chose, mais nous parlions, et de tout.

M. et Mme Smith contemplèrent leur royaume, qui n'était pas si mal pour une chambre d'hôtel de Sydney à l'époque. L'avènement des Hilton se ferait encore attendre. Une très vaste pièce avec une vue splendide sur le pont de Sydney. Pas de salle de bains, évidemment, mais une cuvette et un pot à eau sur une table de toilette au dessus de marbre, digne accompagnement du volumineux mobilier victorien.

— Alors, qu'est-ce que je fais maintenant? demanda-t-elle en tirant les rideaux. Quelle vue magnifique, hein?

— Oui. Quant à ce que vous devez faire... il faut évidemment que vous retiriez votre culotte.

— Rien d'autre? s'enquit-elle malicieusement.

Il soupira.

— Otez tous vos vêtements, Justine. Il faut sentir le contact de la peau pour que ce soit vraiment bon.

Vive, précise, elle se dépouilla de tous ses vêtements sans la moindre timidité, grimpa sur le lit, écarta les jambes.

— C'est bien comme ça, Arthur?

— Seigneur Dieu! s'exclama-t-il en pliant soigneusement son pantalon car sa femme ne manquait jamais de l'examiner pour s'assurer qu'il n'était pas froissé.

— Quoi? Qu'y a-t-il?

— Vous êtes une vraie rousse, hein?

— A quoi vous attendiez-vous? A des plumes écarlates?

— Les facéties ne sont pas particulièrement indiquées pour créer une ambiance favorable, chérie. Alors, je t'en prie, arrête. (Il rentra le ventre, se tourna, gagna le lit et s'y étendit; après quoi, il s'employa à la couvrir de petits baisers, soigneusement appliqués sur le visage, le cou et le sein gauche.) Oh, que tu es adorable! murmura-t-il en la prenant dans ses bras. Là, ça te plaît?

— On dirait. Oui, c'est très agréable.

Tomba le silence, rompu seulement par des bruits de baisers et des soupirs épisodiques. Une énorme coiffeuse surmontée d'une psyché se dressait au pied du lit, le miroir encore incliné par un précédent client à l'esprit lascif pour réfléchir l'arène amoureuse.

— Eteins la lumière, Arthur.

— Chérie, il n'en est pas question! Leçon numéro un : tous les gestes d'amour supportent la lumière.

Ayant procédé au cérémonial préliminaire en usant de ses doigts et enduit l'endroit voulu de vaseline, Arthur se mit en position entre les jambes de sa conquête. Un peu endolorie, mais très décontractée, sinon emportée par l'extase, tout au moins éprouvant un sentiment quelque peu maternel, Justine regarda au-dessus de l'épaule d'Arthur en direction du pied du lit et du miroir.

Raccourcies, les jambes paraissaient grotesques, celles d'Arthur sombres et velues coincées entre les siennes, lisses et maintenant dépourvues de taches de rousseur; pourtant, la majeure partie du miroir réfléchissait les fesses d'Arthur et, tandis qu'il s'agitait, elles se relâchaient, se contractaient, s'élevaient et retombaient, avec deux touffes de cheveux blond jaunâtre qui apparaissaient sporadiquement entre les globes jumeaux et lui adressaient joyeusement des signes comme à guignol.

Justine regarda, regarda encore. Elle s'enfonça énergiquement le poing dans la bouche, émit des gargouillis, des gémissements.

— Là, là, ma chérie. Ça va. Ça y est. Je t'ai dépucelée, chuchota-t-il. Maintenant, ça ne devrait plus te faire mal.

Sentant la poitrine lisse se soulever sous lui, il l'étreignit plus étroitement et murmura des mots inarticulés.

Soudain, elle rejeta la tête en arrière, ouvrit la bouche et exhala un long gémissement qui se mua en un rire tonitruant, irrépressible. Plus il cédait à la fureur et à la flaccidité, plus les rires de sa partenaire se faisaient sonores; elle pointait un doigt frénétique vers le pied du lit tandis que les larmes lui inondaient les joues. Elle sentait tout son corps en proie à des convulsions qui n'avaient pourtant rien à voir avec celles qu'avait envisagées le pauvre Arthur.

Sous bien des rapports, Justine était infiniment plus proche de Dane que leur mère ne l'était, et ce que tous deux éprouvaient pour m'man appartenait à m'man. Cela n'influait en rien sur ce qu'ils ressentaient l'un pour l'autre. Leurs liens s'étaient forgés très tôt et ils se renforçaient plutôt qu'ils ne se relâchaient. Lorsque m'man eut raccroché sa selle, ils étaient déjà assez grands pour s'installer devant la table de cuisine de Mme Smith pour y étudier leurs cours par correspondance; l'habitude du réconfort mutuel s'était alors instaurée entre eux, et à jamais.

Bien qu'ils fussent de caractères très dissemblables, ils n'en partageaient pas moins nombre de goûts et de désirs; quant à ceux qui ne leur étaient pas communs, chacun d'eux les tolérait chez l'autre avec un respect instinctif, en tant qu'indispensable piment de particularité. Ils se connaissaient très bien, l'un l'autre. La tendance naturelle de Justine la poussait à déplorer les lacunes humaines chez ses semblables et à ignorer les siennes propres, tandis que la nature de Dane l'incitait à comprendre et à pardonner les lacunes humaines chez ses semblables et à se montrer impitoyable pour celles dont il était affligé. Elle se sentait d'une force invincible; il se savait d'une faiblesse dangereuse.

Et, assez curieusement, tout cela conspirait à former une amitié presque parfaite au nom de laquelle rien n'était impossible. Pourtant, comme Justine se montrait avec lui volontiers prolixe, Dane en savait beaucoup plus sur sa sœur et sur ce qu'elle ressentait que l'inverse. En un sens, elle lui apparaissait comme un peu sotte sur le plan moral car, pour elle, rien n'était sacré, et Dane comprenait que sa fonction consistait à fournir à Justine les scrupules dont elle était dépourvue. Aussi acceptait-il son rôle d'auditeur patient avec une tendresse et une compassion qui auraient éveillé la colère de sa sœur si elle y avait percé de tels sentiments. Mais aucun doute à ce sujet n'effleurait jamais Justine; elle lui avait rebattu les oreilles de n'importe quoi et absolument tout depuis qu'il avait l'âge de lui prêter attention.

— Devine ce que j'ai fait hier soir? lui demanda-t-elle en ramenant soigneusement le bord de son chapeau de paille pour se protéger du soleil.

— Tenu ton premier rôle de vedette? proposa Dane.

— Cloche! Tu penses bien que je te l'aurais dit pour que tu puisses venir m'applaudir. Essais encore de deviner.

— Tu as fini par encaisser un coup de poing que Bobbie destinait à Billie?

— Tu gèles. C'est froid comme le sein d'une belle-mère.

Il haussa les épaules.

— Je donne ma langue au chat.

Ils étaient assis dans l'herbe juste au-dessous de la cathédrale Sainte-Marie. Dane avait téléphoné à sa sœur pour lui dire qu'il devait assister à une cérémonie particulière devant se tenir dans le sanctuaire; pourrait-elle venir le rejoindre dans le parc? Bien sûr qu'elle le pouvait; elle mourait d'envie de lui raconter le dernier épisode.

Ayant presque achevé sa dernière année à Riverview, Dane était le major de l'école, capitaine de l'équipe de cricket, de rugby, de handball et de tennis. Et qui plus est, le premier de sa classe. A dix-sept ans, il mesurait plus d'un mètre quatre-vingt-cinq; sa voix avait fini par se stabiliser dans le registre de baryton, et il avait échappé miraculeusement aux afflictions telles que boutons, maladresses et pomme d'Adam tressautante. Il était si blond qu'il n'avait pas réellement besoin de se raser mais, par ailleurs, il ressemblait davantage à un jeune homme qu'à un collégien. Seul, l'uniforme de Riverview lui assignait son état.

Une belle journée, chaude, ensoleillée. Dane ôta son canotier réglementaire et s'étendit sur l'herbe, Justine assise à ses côtés, penchée, les bras autour des genoux pour s'assurer que chaque centimètre de sa peau bénéficiait de l'ombre. Il souleva paresseusement une paupière, dévoila un œil bleu qui se braqua sur sa sœur.

— Alors, qu'est-ce que tu as fait hier soir, Jus?

— J'ai perdu mon pucelage... tout au moins, je le crois.

Dane ouvrit grands les deux yeux.

— Espèce de folingue!

— Peuh! J'estime qu'il était grand temps. Comment pourrais-je devenir bonne comédienne en continuant à

237

ignorer tout ce qui se passe entre un homme et une femme?

— Tu devrais te garder pour l'homme que tu épouseras.

Elle lui dédia une grimace exaspérée.

— Franchement, Dane, tu es parfois si vieux jeu que j'en suis gênée. Et si je ne rencontrais pas l'homme que je dois épouser avant d'avoir quarante ans? Qu'est-ce que tu voudrais que je fasse? Que je me serve de mes fesses pour m'asseoir pendant tout ce temps-là? C'est ce que tu veux faire, toi? Te garder pour le mariage?

— Je ne crois pas que je me marierai.

— Eh bien, moi non plus. Alors, dans ce cas, pourquoi l'entourer d'un ruban bleu et le rengainer dans mon coffre aux espoirs inexistants? Je ne veux pas mourir idiote.

Il sourit.

— Il n'en est plus question maintenant. (Il roula sur le ventre, se prit le menton dans la main et la considéra attentivement, une expression douce, inquiète sur visage.) Ça s'est bien passé? Je veux dire... est-ce que ça a été atroce? Est-ce que tu as été écœurée?

A l'évocation du souvenir, un léger tremblement agita les lèvres de Justine.

— Je n'ai pas été écœurée en tout cas. Ça n'a pas été atroce non plus. D'un autre côté, j'ai bien peur de rester fermée à l'extase dont tout le monde parle. J'irai simplement jusqu'à dire que c'est agréable. Et, en plus, je n'ai pas pris n'importe qui; j'ai choisi avec discernement un homme très attirant, suffisamment vieux pour avoir de l'expérience.

Il soupira.

— Tu es vraiment folingue, Justine. J'aurais été beaucoup plus heureux si tu m'avais dit : « Ce n'est pas un Adonis, mais nous nous sommes rencontrés et je n'ai pu résister. » Je comprends que tu ne veuilles pas attendre jusqu'au mariage, mais il n'en reste pas moins que c'est un acte que tu devrais souhaiter en raison de la personne, et non en raison de l'acte en soi, Jus. Pas étonnant que tu n'aies pas connu l'extase!

L'expression de triomphe joyeux déserta le visage de Justine.

— Oh, le diable t'emporte! Maintenant, je me sens moche. Si je ne te connaissais pas aussi bien, je croirais que tu essaies de me rabaisser... en tout cas, de rabaisser les motifs qui m'animent.

— Mais tu me connais. Jamais je ne te rabaisserai. Pourtant, il arrive que tes motifs soient carrément saugrenus, bêtes. (Il adopta un ton monocorde, solennel.) Je suis la voix de ta conscience, Justine O'Neill!

— Et tu es aussi une cloche! (Oubliant son souci d'ombre, elle se rejeta dans l'herbe à côté de lui pour qu'il ne vît pas son visage.) Ecoute, tu sais pourquoi, non?

— Oh, Jussy!... commença-t-il tristement.

Mais les mots qu'il s'apprêtait à ajouter se perdirent car elle reprit la parole, très vite, avec un rien de véhémence.

— Jamais, jamais, jamais je n'aimerai qui que ce soit! Si on aime les autres, ils vous tuent. Si on a besoin des autres, ils vous tuent. C'est vrai, je t'assure!

Il éprouvait toujours de la peine en la sentant fermée à l'amour, une peine d'autant plus grande qu'il savait être la cause de cette insensibilité. L'une des raisons primordiales de l'importance qu'elle revêtait à ses yeux résidait dans le fait qu'elle l'aimait suffisamment pour ne jamais lui tenir rigueur de quoi que ce soit, et qu'il n'eût jamais senti un quelconque amoindrissement de l'amour qu'elle lui portait dû à la jalousie ou au ressentiment. Il souffrait de la voir évoluer sur un cercle extérieur dont il était le moyeu. Il avait longuement prié pour que les choses changent, mais en vain. Cet échec n'avait en rien entamé sa foi, ayant seulement mis l'accent sur le fait que quelque part, à un moment quelconque, il lui faudrait payer pour l'émotion concentrée sur lui, gâchée sur lui aux dépens de Justine. Pourtant, elle portait beau; elle était parvenue à se persuader qu'elle se trouvait très bien sur cette orbite extérieure, mais il sentait le chagrin qui la minait. Il *savait*. Il y avait tant en elle à aimer et si peu en lui. Sans le moindre espoir de voir les choses sous un autre jour, il estimait qu'il avait bénéficié de la part du lion en matière d'amour à cause de sa beauté, de sa nature plus douce, de son aptitude à communiquer avec sa mère et les autres habitants de Drogheda. Et parce qu'il appartenait au sexe masculin. Bien peu de chose lui échappait et il avait profité des confidences et de la camaraderie de Justine comme personne. Sa sœur accordait à m'man une importance beaucoup plus grande qu'elle n'était prête à l'admettre.

Mais j'expierai, pensa-t-il. J'ai eu tout. D'une façon quelconque, il faudra que je paie, que je compense ce qui a manqué à Justine.

Soudain, ses yeux tombèrent sur sa montre et il sursauta en voyant l'heure. Il se redressa vivement; aussi considérable que fût la dette qu'il savait avoir envers sa sœur, il y avait Quelqu'un à Qui il devait encore davantage.

— Il faut que je m'en aille, Jus.

— Toi et ta bigoterie! Quand vas-tu enfin laisser tomber toutes ces mômeries?

— Jamais, j'espère.

— Quand est-ce que je te vois?

— Eh bien, puisque nous sommes vendredi, demain, évidemment. 11 heures, ici.

— D'accord, sois sage.

Il s'était déjà éloigné de quelques mètres, canotier réglemèntaire de Riverview sur le crâne, mais il se retourna pour lui sourire.

— Ne le suis-je pas toujours?

Elle lui rendit son sourire.

— Si, bien sûr. Tu es plus sage que nature; c'est moi qui me colle toujours dans des histoires impossibles. A demain.

D'immenses portes, intérieurement capitonnées de rouge, défendaient la cathédrale Sainte-Marie; Dane poussa un vantail et se glissa dans le sanctuaire. Il avait quitté Justine un peu plus tôt qu'il n'était strictement nécessaire. Mais il faisait toujours en sorte d'entrer à l'église avant qu'il y eût foule, que l'édifice n'abritât soupirs, toux, bruissements, chuchotements. Seul, il se sentait tellement mieux. Un sacristain allumait les cierges du maître-autel; un diacre, songea-t-il sans risque d'erreur. Tête inclinée, il fit une génuflexion et se signa en passant devant le tabernacle, puis il se glissa silencieusement entre deux rangées de bancs.

A genoux, il posa le front entre ses mains jointes et laissa son esprit errer librement. Il ne priait pas consciemment, mais devenait plutôt partie intégrante de l'atmosphère qui lui paraissait dense et pourtant éthérée, ineffablement sainte, propre à la méditation. C'était comme s'il se transformait en flamme emprisonnée dans l'une des petites lampes de verre rouge du sanctuaire, toujours vacillante, sur le point de s'éteindre, pourtant soutenue par un apport d'essence vitale, irradiant une lueur minuscule mais durable, trouant l'ombre. Immobile, informe, oublieux de son identité humaine; c'était là ce que Dane ressentait dans un sanctuaire. Nulle part ailleurs il n'éprouvait un tel bien-être, une telle paix; un havre aux antipodes de la douleur. Ses cils se baissèrent, ses paupières se fermèrent.

De la galerie où se trouvaient les grandes orgues s'éleva un raclement de pieds, un souffle préliminaire, l'expulsion d'air des tuyaux. Les garçons appartenant à la chorale arrivaient tôt pour répéter avant la cérémonie. Ce n'était que la bénédiction du vendredi, mais l'un des amis et professeurs de Dane à Riverview officiait, et Dane avait tenu à y assister.

L'orgue exhala quelques accords, assourdis par un accompagnement perlé et, sous les sombres arches en dentelle de pierre, une voix juvénile, céleste, s'éleva, fluide, séraphique et douce, si imprégnée d'innocente pureté que les rares fidèles présents fermèrent les yeux, pleurant leur jeunesse perdue.

> Panis angelicus
> Fit panis hominum,
> Dat panis caelicus
> Figuris terminum.
> O res mirabilis,
> Manducat Dominus,
> Pauper, pauper,
> Servus et humilis...

Pain des anges, pain céleste, O prodige. Des profondeurs, j'ai crié vers Toi, O Seigneur! Seigneur, entends ma voix! Que Ton oreille soit attentive à ma supplique. Ne Te détourne pas, O Seigneur, ne Te détourne pas. Car Tu es mon Souverain, mon Maître, mon Dieu, et je suis ton humble serviteur. A Tes yeux, une seule chose compte, la bonté. Peu T'importe que Tes serviteurs soient beaux ou laids, pour Toi, seul le cœur importe; en toi, tout est guérison, en Toi, je connais la paix.

Seigneur, loin de Toi est la solitude. Je prie pour que s'achève bientôt la douleur de la vie. Nul ne comprend que, si doué, j'éprouve tant de peine à vivre. Mais Toi, Tu le sais, et Tu es mon seul réconfort. Quel que soit ce que Tu exiges de moi, O Seigneur, je me plierai à Ta volonté car je T'aime. Et si j'osais Te demander une faveur, ce serait qu'en Toi tout le reste soit à jamais oublié...

— Tu es bien silencieuse, m'man? dit Dane. A quoi penses-tu? A Drogheda?

— Non, répondit Meggie d'une voix atone. Je pense que je vieillis. Je me suis découvert plusieurs cheveux blancs en les brossant ce matin. Mes articulations s'ankylosent.

— Tu ne seras jamais vieille, m'man, assura-t-il tranquillement.

— Je souhaiterais que tu dises vrai, mon chéri. Malheureusement, ce n'est pas le cas. Je commence à éprouver le besoin des eaux de la Tête de Forage, ce qui est un signe certain de vieillissement.

Ils étaient étendus, baignés du chaud soleil hivernal, sur des serviettes posées à même l'herbe de Drogheda, près de la Tête du Forage. A l'extrémité de la grande mare bouillonnante qui grondait, écumait, les vapeurs de soufre se dispersaient avant de se fondre dans le néant. C'était l'un des grands plaisirs de l'hiver que de se baigner dans les eaux de la Tête du Forage. Tous les maux et douleurs dus à l'âge cèdent un peu, songea Meggie en se tournant sur le dos, la tête à l'ombre du gros tronc d'arbre abattu sur lequel elle et le père Ralph s'étaient assis si longtemps auparavant. Un très long temps, en vérité. Elle était incapable d'évoquer le plus léger écho de ce qu'elle avait dû ressentir sous le premier baiser de Ralph.

Puis elle entendit Dane se lever et elle ouvrit les yeux. Il avait toujours été son enfant chéri, son ravissant petit garçon. Bien qu'elle l'ait vu changer et grandir avec une fierté de propriétaire, elle n'en avait pas moins assisté à cette transformation en conservant l'image du bébé rieur qui venait se superposer aux traits de l'adulte. Elle n'avait pas encore admis qu'en réalité il n'avait plus rien d'un enfant.

Cependant, Meggie en prit soudain conscience à cette

minute même en le voyant se découper au-dessus d'elle sur le ciel clair dans son maillot de bain très court.

Mon Dieu, tout est fini! L'enfance, l'adolescence. C'est un homme. Orgueil, ressentiment, attendrissement féminin devant la vive, la terrifiante conscience de quelque imminente tragédie, colère, adoration, tristesse; Meggie perçut tout cela dans son être en levant les yeux vers son fils. Il est terrible d'avoir mis au monde un homme, et plus terrible encore d'avoir mis au monde un homme tel que celui-ci. Si extraordinairement mâle, si extraordinairement beau.

Ralph de Bricassart, plus un peu d'elle-même. Comment n'eût-elle pas été touchée en voyant dans son extrême jeunesse le corps de l'homme qui s'était joint à elle dans l'amour? Elle ferma les yeux, gênée, se reprochant d'avoir pensé à son fils en tant qu'homme. Quand il la regardait, voyait-il une femme en elle maintenant, ou restait-elle cette merveilleuse énigme, m'man? Que le diable l'emporte, que le diable l'emporte! Comment avait-il osé grandir?

— As-tu quelques idées sur les femmes, Dane? demanda-t-elle à brûle-pourpoint en ouvrant les yeux.

Il sourit.

— Les oiseaux et les abeilles, tu veux dire?

— Ça, tu ne peux pas l'ignorer, pas avec une sœur comme Justine! Dès qu'elle découvrait ce qui se cachait dans les manuels de physiologie, elle le claironnait à tous. Non. Je te demande simplement si tu as jamais mis en pratique les exposés cliniques de Justine.

Il secoua négativement la tête et se laissa glisser sur l'herbe à côté de sa mère. Il la regarda droit dans les yeux.

— C'est drôle que tu me poses cette question, m'man. Il y a déjà pas mal de temps que je voulais aborder ce sujet avec toi, mais je ne savais pas comment m'y prendre.

— Tu n'as que dix-huit ans, mon chéri. Il est encore un peu tôt pour mettre la théorie en pratique.

Seulement dix-huit ans. Seulement. Et un homme.

— C'est de ça que je voulais te parler. Ne pas mettre la théorie en pratique. Pas du tout.

Comme le vent était froid quand il soufflait de la ligne de partage des eaux! Bizarre qu'elle ne l'ait pas remarqué jusque-là. Où était son peignoir?

— Ne pas mettre la théorie en pratique. Pas du tout, répéta-t-elle d'un ton monocorde sans apporter la moindre interrogation à ses paroles.

— Oui, c'est ça. Je ne veux pas. Jamais. Non que je n'y aie pas songé ni souhaité avoir une femme et des enfants. J'y ai pensé. Mais je ne peux pas. Parce qu'il n'y a pas assez de place pour les aimer en même temps que Dieu, pas de la façon dont je veux aimer Dieu. Voilà longtemps que je le sais. Je crois l'avoir toujours su, et, plus je vais, plus mon amour pour Dieu grandit. C'est un grand mystère que d'aimer Dieu.

Meggie demeurait étendue, le regard fixé sur ces yeux bleus, calmes, lointains. Les yeux de Ralph, tels qu'ils étaient. Mais brillant d'un feu inconnu de Ralph. Avait-il aussi été embrasé à dix-huit ans? L'avait-il été? S'agissait-il d'une exaltation qu'on ne pouvait ressentir qu'à dix-huit ans? Quand elle était entrée dans la vie de Ralph, il avait dépassé ce stade de dix ans. Pourtant, son fils était un mystique, elle l'avait toujours su. Et elle ne croyait pas qu'à une phase quelconque de sa vie, Ralph eût été enclin au mysticisme. Elle avala sa salive, ramena le peignoir plus étroitement sur elle.

— Alors, je me suis demandé ce que je pouvais faire pour lui prouver combien je L'aimais, continua Dane. Je me suis longtemps débattu avec cette question; je me refusais à envisager la réponse. Parce que je voulais une vie d'homme, j'y tenais. Mais je savais ce que Dieu attendait de moi. Je savais... Il n'y a qu'une chose que je puisse Lui offrir pour Lui prouver que rien d'autre que Lui n'existera jamais dans mon cœur. Je dois lui apporter en offrande son seul rival; c'est le sacrifice qu'il exige de moi. Je suis Son serviteur et Il n'aura aucun rival. Il me fallait choisir. Il me laissera profiter de toutes les joies, sauf de celle-là. (Il soupira, arracha un brin de l'herbe de Drogheda.) Je dois Lui prouver que je comprends pourquoi il m'a tant donné à ma naissance. Je dois Lui prouver que j'ai conscience du peu d'importance que représente ma vie d'homme.

— Non! Tu ne peux pas! Je ne te laisserai jamais faire une chose pareille! s'écria Meggie, la main tendue vers le bras de son fils, l'agrippant.

Comme sa peau était douce! Le signe d'une grande force sous l'épiderme, comme Ralph, exactement comme Ralph! Et pas une fille ravissante qui puisse poser sa main sur cette peau, la poser comme un droit!

— Je veux être prêtre, reprit Dane. Je vais entrer à Son service totalement , lui offrir tout ce que j'ai et tout ce que je suis, être Son prêtre. Pauvreté, chasteté, obéissance. Il n'en exige pas moins de tous les serviteurs qu'Il a choisis. Ce ne sera pas facile, mais je suis résolu.

L'expression des yeux de sa mère! Comme s'il l'avait tuée, écrasée contre la terre, sous son talon. Il ne s'était pas douté qu'il lui faudrait aussi sacrifier sa mère, imaginant seulement combien elle serait fière de lui, le bonheur qu'elle éprouverait à accorder son fils à Dieu. On lui avait dit qu'elle serait émue, exaltée, totalement d'accord. Au lieu de quoi, elle le considérait comme si la perspective de la prêtrise était pour elle une sentence de mort.

— Je n'ai jamais rien souhaité d'autre, dit-il, désespéré en rencontrant le regard éteint. Oh, m'man, ne comprends-tu pas? Je n'ai jamais, jamais voulu être autre chose que prêtre! Je ne peux être autre chose que prêtre!

Elle laissa retomber sa main, abandonnant le bras de son fils; il baissa les yeux et vit les marques blanches laissées par les doigts, les petits arcs sur sa peau, là où les ongles s'étaient profondément incrustés. Elle leva la tête et éclata d'un rire fou, de grands éclats de rire hystériques, amers, sarcastiques.

— Oh, c'est trop beau pour être vrai! haleta-t-elle lorsqu'elle fut enfin en mesure de parler, essuyant d'une main tremblante les larmes qui perlaient à ses yeux. Quelle incroyable ironie! Cendres de roses, disait-il ce soir-là en chevauchant vers la Tête du Forage. Et je n'ai pas compris ce qu'il entendait par ces mots. Tu n'es que cendres et cendres tu redeviendras. A l'Eglise tu appartiens, à l'Eglise tu seras donné. Oh, c'est beau, beau! Maudit soit Dieu! Dieu, l'infâme! Le pire ennemi des femmes, voilà ce qu'est Dieu! Tout ce que nous nous efforçons de faire, Il fait en sorte de le défaire!

— Oh, non! Non! Non, m'man, je t'en prie!

Il pleura sur elle, sur sa peine qu'il ne comprenait pas, pas plus qu'il ne comprenait les mots qu'elle proférait. Ses larmes coulaient, son cœur se serrait; déjà le sacrifice commençait et d'une manière qu'il n'aurait jamais imaginée. Mais, bien qu'il pleurât sur elle, il ne pouvait renoncer au sacrifice, même pour elle. L'offrande devait être accomplie, et plus elle serait dure à accomplir, plus elle aurait de valeur à Ses yeux.

Elle l'avait fait pleurer et jamais jusque-là il n'avait versé de larmes par sa faute. Sa propre hargne, sa douleur devaient être résolument écartées. C'était injuste de faire retomber sur lui le châtiment qu'elle encourait. Il était ce que ses gènes l'avaient fait. Ou son Dieu. Ou le Dieu de Ralph. Il était la lumière de sa vie, son fils. Il ne devait pas avoir à souffrir à cause d'elle, jamais.

— Dane, ne pleure pas, murmura-t-elle en caressant les marques laissées par sa colère sur le bras duveteux.

Je suis désolée. Je disais n'importe quoi. Tu m'as causé un choc, c'est tout. Evidemment, je suis heureuse pour toi, je le suis vraiment! Comment ne le serais-je pas? J'ai été surprise, je ne m'y attendais pas, c'est tout. (Elle émit un rire incertain.) Tu m'as assené la nouvelle sans grand ménagement, tu sais.

Les yeux de Dane s'éclaircirent; il considéra sa mère avec un rien de doute. Pourquoi s'était-il imaginé l'avoir tuée? C'était bien là les yeux de m'man tels qu'il les avait toujours connus, débordants d'amour, bien vivants. Il la prit dans ses bras jeunes, vigoureux, la serra contre lui.

— Tu es sûre que ça ne te fait pas de peine?

— De la peine? Une bonne mère catholique aurait-elle de la peine en apprenant que son fils veut devenir prêtre? Impossible! (D'un bond, elle se redressa.) Brrr! Le temps s'est refroidi. Rentrons.

Négligeant les chevaux, ils étaient venus en Land Rover; Dane s'installa au volant tandis que sa mère prenait place à côté de lui.

— Où comptes-tu aller? demanda Meggie en ravalant un sanglot.

— Probablement au séminaire Saint-Patrick. En tout cas, jusqu'à ce que j'aie arrêté ma décision. Peut-être entrerai-je dans un ordre. J'aimerais assez être jésuite, mais je n'en suis pas encore suffisamment certain pour me diriger dès maintenant vers la Compagnie de Jésus.

Meggie gardait les yeux rivés sur l'herbe brune qui s'élevait, retombait devant le pare-brise constellé d'insectes.

— J'ai une bien meilleure idée, Dane.

— Ah, oui?

Il était obligé de se concentrer sur la conduite du véhicule; par moments, la piste disparaissait et des troncs d'arbres récemment tombés la barraient à certains endroits.

— Je t'enverrai à Rome, au cardinal de Bricassart. Tu te souviens de lui, n'est-ce pas?

— Si je me souviens de lui? Quelle question, m'man! Jamais je ne l'oublierai, même si je devais vivre mille ans. Pour moi, il incarne le prêtre parfait. Si je parvenais à me conformer à son image, je serais comblé.

— La perfection est toujours relative, commenta Meggie non sans une pointe d'aigreur. Mais je te confierai à lui parce que je sais qu'il s'occupera de toi, ne serait-ce que pour m'être agréable. Tu pourras entrer dans un séminaire de Rome.

— C'est vrai, m'man? C'est vrai? (Soudain, l'angoisse remplaça la joie qui illuminait ses yeux.) Aurons-nous assez d'argent? Ce serait beaucoup moins coûteux si je restais en Australie.

— Grâce à ce même cardinal de Bricassart, mon chéri, tu ne manqueras jamais d'argent.

Devant la porte des cuisines, elle le poussa à l'intérieur.

— Va annoncer la nouvelle aux servantes et à Mme Smith, dit-elle. Elles seront folles de joie.

Elle se força à poser un pied devant l'autre, marcha pesamment jusqu'à la grande maison, jusqu'au salon où Fee était assise, exceptionnellement non à son bureau, mais en train de causer avec Anne Mueller devant le plateau du thé de l'après-midi. Quand Meggie entra, les deux femmes levèrent la tête, comprirent à son expression que quelque chose de grave s'était produit.

Pendant dix-huit ans, les Mueller étaient venus régulièrement séjourner à Drogheda et ils pensaient qu'il en serait toujours ainsi. Mais Luddie Mueller était mort subitement dans le courant de l'automne précédent, et Meggie avait immédiatement écrit à Anne pour lui proposer de venir vivre à Drogheda. La place ne manquait pas et on pouvait même lui offrir un cottage d'amis si elle préférait s'isoler; elle paierait sa pension si sa fierté lui interdisait une hospitalité totale bien que, grâce au ciel, on disposât de suffisamment d'argent pour entretenir mille invités en permanence. Meggie vit dans les circonstances une possibilité de compenser quelque peu les bienfaits dispensés par les Mueller pendant ses années de solitude dans le Queensland du Nord, et Anne y trouva une planche de salut. Sans Luddie, Himmelhoch lui pesait. Pourtant, elle avait engagé un directeur de plantation, se refusant à vendre la propriété; à sa mort, celle-ci irait à Justine.

— Que se passe-t-il, Meggie? s'enquit Anne.

Meggie se laissa tomber sur un siège.

— J'ai l'impression d'avoir été foudroyée par un éclair justicier.

— Quoi?

— Vous aviez raison toutes les deux. Vous aviez prévu que je le perdrais. Je ne vous croyais pas. Je croyais vraiment être plus forte que Dieu, mais jamais une femme n'a pu se mesurer à Dieu. C'est un homme.

Fee versa une tasse de thé à sa fille.

— Tiens, bois ça, dit-elle comme si le thé avait un pouvoir reconstituant à l'égal du cognac. Comment l'as-tu perdu?

— Il veut devenir prêtre.

Un rire nerveux se mêla à ses pleurs.

Anne ramassa ses cannes, clopina jusqu'au fauteuil de Meggie, s'assit maladroitement sur l'accotoir et caressa les ravissants cheveux d'or roux.

— Oh! ma chérie! Mais ce n'est pas si terrible que ça!

— Vous êtes au courant au sujet de Dane? demanda Fee en se tournant vers Anne.

— Je l'ai toujours été, répondit Anne.

Meggie se calma.

— Ce n'est pas si terrible? C'est le commencement de la fin. La justice immanente. J'ai volé Ralph à Dieu et je

250

paie ma faute avec mon fils. Tu m'as dit que c'était du vol, maman, t'en souviens-tu? Je ne voulais pas te croire, mais tu avais raison, comme toujours.

— Va-t-il entrer à Saint-Patrick? s'enquit Fee, toujours pratique.

Le rire de Meggie éclata, presque normal.

— Ce serait trop simple, m'man. Je vais l'envoyer à Ralph, évidemment. Une moitié de lui est Ralph; alors que celui-ci profite enfin de lui. (Elle haussa les épaules.) Dane est plus important que Ralph, et je savais qu'il voudrait aller à Rome.

— Avez-vous avoué à Ralph qu'il est le père de Dane? s'enquit Anne qui n'avait jamais abordé la question.

— Non, et je ne le lui dirai jamais, jamais!

— Ils se ressemblent tant qu'il aurait pu s'en douter.

— Qui, Ralph? Il ne se doute jamais de rien! Et je garderai mon secret. Je lui envoie mon fils, sans plus. Pas le sien.

— Attention à la jalousie des dieux, Meggie, murmura doucement Anne. Ils n'en ont peut-être pas encore fini avec vous.

— Que pourraient-ils m'infliger de plus? rétorqua Meggie dans un gémissement.

Lorsque Justine apprit la nouvelle, elle donna libre cours à sa fureur bien que, depuis trois ou quatre ans, elle se doutât un peu que les choses tourneraient de la sorte. Pour Meggie, la décision de Dane intervint comme un éclair foudroyant, mais pour Justine ce fut une douche glacée à laquelle elle s'attendait obscurément.

D'une part, ayant été à l'école à Sydney avec lui, Justine était sa confidente et elle l'avait entendu évoquer des sujets qu'il ne mentionnait jamais devant sa mère. Justine était au courant de l'importance vitale que Dane accordait à la religion, pas seulement à Dieu, mais à la signification mystique des rites catholiques. S'il était né dans une famille protestante, il aurait fini par se tourner vers le catholicisme pour satisfaire un besoin de son âme. Pas pour Dane, un Dieu austère, calviniste. Il lui fallait un Dieu enchâssé dans les vitraux, baigné d'encens, drapé de dentelles et de broderies d'or, chanté par une musique élaborée, et adoré à travers les belles cadences latines.

Et puis, n'était-ce pas par une sorte d'ironie perverse qu'un être doté d'une aussi merveilleuse beauté considérât celle-ci comme une infirmité et déplorât son existence? Car tel était le cas de Dane. Il se refermait sur lui-même à la moindre allusion concernant sa personne physique; Justine estimait qu'il aurait infiniment préféré naître laid, dénué de toute séduction. Elle comprenait en partie pourquoi il éprouvait ce sentiment et, peut-être parce que la propre carrière de Justine reposait sur une profession essentiellement narcissique, elle avait plutôt tendance à approuver l'attitude de son frère à l'égard de son apparence physique. Par contre, elle ne comprenait absolument pas la raison qui le poussait à détester sa beauté au lieu de se contenter de l'ignorer.

La sensualité n'était pas chez lui un point fort; Justine l'avait compris mais sans en percer exactement les raisons. Etait-ce parce qu'il avait appris à sublimer ses passions de façon presque parfaite, ou parce que, en dépit de ses attraits physiques, quelque pulsion cérébrale essentielle lui faisait défaut? La première supposition était vraisemblablement la bonne puisqu'il se livrait chaque jour à un sport violent afin d'être certain d'aller se coucher complètement épuisé. Elle savait parfaitement que ses inclinations étaient « normales », c'est-à-dire hétérosexuelles, et elle connaissait le type de filles qui l'attirait — grandes, brunes et voluptueuses. Pourtant, il n'était pas sensuellement éveillé; il ne percevait pas le charme tactile des objets sur lesquels il posait la main, ni les odeurs de l'atmosphère qui l'entourait, pas plus qu'il n'était sensible aux formes et aux couleurs. Pour connaître une attirance sexuelle, il fallait que l'impact de l'objet fût provocant, irrésistible, et ce n'était que lors de ces rares occasions qu'il semblait prendre conscience du fait qu'il existait un plan terrestre, foulé par la plupart des hommes aussi longtemps qu'ils le pouvaient, celui du choix.

Il vint lui faire part de ses intentions dans les coulisses du Culloden après une représentation. Toutes les dispositions avaient été prises avec Rome ce jour-là; il mourait d'envie de le lui annoncer tout en sachant qu'elle ferait grise mine. Il ne lui avait jamais parlé de sa vocation religieuse avant qu'il l'eût souhaité car le sujet déclenchait invariablement la hargne de sa sœur. Mais quand il passa dans les coulisses ce soir-là, il lui était trop difficile de contenir sa joie plus longtemps.

— Tu es une cloche, dit-elle avec dégoût.

— Ma résolution est prise.

— Idiot.

— Traite-moi de tous les noms si ça te chante, ça ne changera rien, Jus.

— Tu crois que je ne le sais pas? C'est la meilleure façon de me libérer de ce que j'ai sur le cœur.

— Les occasions ne devraient pas te manquer sur scène quand tu joues Electre. Tu es vraiment sensationnelle, Jus.

— Après cette nouvelle, je serai encore meilleure, fit-elle d'un ton grinçant. Tu vas entrer à Saint-Patrick?

— Non, je pars pour Rome. Le cardinal de Bricassart m'y attend. M'man a tout arrangé.

— Oh, non, Dane! C'est si loin!

— Alors, pourquoi ne viens-tu pas aussi, tout au moins jusqu'en Angleterre? Avec l'expérience que tu as déjà acquise et ton talent, tu devrais pouvoir te faire engager sans grande difficulté.

Assise devant son miroir, encore vêtue de la robe

d'Electre, elle se démaquillait; cerclés de lourdes arabesques noires, ses yeux étranges semblaient encore plus étranges. Elle opina avec lenteur.

— Mais oui, c'est vrai, je pourrais... marmotta-t-elle, pensive. Il est grand temps que je me décide... L'Australie devient un peu trop petite pour moi... D'accord, mon vieux! Allons-y pour l'Angleterre!

— Du tonnerre! Tu imagines ce que ça va être! J'ai droit à des vacances, tu sais. On en accorde toujours dans les séminaires, exactement comme dans les universités. Nous pourrons prévoir de les passer ensemble, voyager un peu en Europe, rentrer quelque temps à Drogheda. Oh, Jus, j'ai pensé à tout! Du moment que je te saurai toute proche, ce sera vraiment parfait!

Elle rayonna.

— Oui, hein? La vie ne serait plus la même si je ne t'avais plus pour confident.

— Je craignais que tu me dises ça, répondit-il avec un sourire. Mais sérieusement, Jus, tu m'inquiètes. Je préfère te savoir pas trop loin pour que je puisse te voir de temps en temps. Sinon, qui serait la voix de ta conscience?

Il se laissa glisser entre un énorme casque grec et un terrifiant masque de pythonisse pour s'asseoir à même le sol et mieux voir sa sœur; il se fit tout petit afin de ne pas gêner les allées et venues. Il n'existait que deux loges de vedette au Culloden et Justine n'y avait pas encore droit. Elle se trouvait dans le vestiaire général au milieu d'un incessant va-et-vient.

— Sacré vieux cardinal de Bricassart! éructa-t-elle. Je l'ai détesté dès l'instant où j'ai posé les yeux sur lui.

— Ce n'est pas vrai, protesta Dane en gloussant.

— Si, je l'ai détesté dès la première minute!

— Que non! Une fois, pendant les vacances de Noël, la tante Anne m'a mis au courant de pas mal de choses, et je parie que tu ne le sais même pas.

— Qu'est-ce que je ne sais pas? demanda-t-elle d'un ton circonspect.

— Que quand tu étais bébé, il t'a donné le biberon, t'a fait faire ton rot et t'a bercée jusqu'à ce que tu t'endormes. La tante Anne a expliqué que tu étais une enfant odieuse, un vrai chameau, et que tu détestais être prise dans les bras... Mais quand il t'a tenue et bercée, tu étais aux anges.

— Tu parles!

— Si, c'est vrai! assura-t-il avec un sourire. D'ailleurs, pourquoi est-ce que tu le détestes tant?

— C'est comme ça. Il me fait l'effet d'un vieux vautour décharné, et il me file l'envie de vomir.

— Moi, il me plaît. Il m'a toujours plu. Le prêtre parfait... voilà ce que dit de lui le père Watty. Et qui plus est, je crois qu'il a raison.

— Eh bien, qu'il aille se faire foutre! Voilà ce que je dis, moi!

— Justine!

— Cette fois, je t'ai choqué, hein? Je parie que tu ne te doutais même pas que je connaissais cette expression.

Il battit des paupières.

— Sais-tu seulement ce qu'elle signifie? Dis-le-moi, Jussy. Allons, qu'est-ce que tu attends?

Elle ne parvenait jamais à lui résister quand il la taquinait. Des lueurs voletèrent dans ses yeux pâles.

— Tu deviendras peut-être un Père la Colique, espèce de cloche, mais si tu ne connais pas encore le sens de cette expression, abstiens-toi de faire des recherches.

— Ne t'inquiète pas, je n'en ferai pas, dit-il avec sérieux.

Deux très jolies jambes féminines s'immobilisèrent près de Dane, pivotèrent. Il leva les yeux, rougit, détourna le regard, et dit d'une voix neutre :

— Oh, salut, Martha.

— Salut à toi.

C'était une très belle fille, pas spécialement douée en tant que comédienne, mais tellement décorative qu'elle jouait dans de nombreuses pièces; il se trouvait aussi qu'elle correspondait exactement au type de femmes susceptibles d'attirer Dane, et Justine avait souvent entendu les commentaires élogieux de son frère à l'égard de Martha. Grande, sexy selon la terminologie des magazines de cinéma, très sombre de cheveux et d'yeux, claire de peau, poitrine magnifique.

Elle se jucha sur l'angle de la coiffeuse de Justine et balança une jambe provocante sous le nez de Dane tout en l'observant avec une franche admiration, ce qui le déconcertait manifestement. Bon Dieu, qu'il est beau! Comment une fille aussi tarte et chevaline que Jus peut-elle avoir un frère aussi séduisant? Il n'a peut-être que dix-huit ans, et ça serait un détournement de mineur, mais qu'est-ce que ça peut foutre?

— Qu'est-ce que vous diriez de passer chez moi pour prendre une tasse de café et bavarder un peu? demanda-t-elle en se pendant vers Dane. Avec votre sœur, ajouta-t-elle à contrecœur.

Justine secoua énergiquement la tête; une pensée soudaine lui communiqua une lueur dans l'œil.

— Non, merci, je ne peux pas. Il faudra te contenter de Dane.

Il secoua la tête tout aussi énergiquement que sa sœur, mais non sans un certain regret, comme s'il était tenté.

— Merci quand même, Martha, mais je ne peux pas. (Il consulta sa montre pour sauver les apparences.) Seigneur, il ne me reste qu'une minute au parcmètre. Tu en as encore pour longtemps, Jus?

— Environ dix minutes.

— Je t'attendrai dehors. D'accord?

— Poule mouillée, se moqua-t-elle.

Les yeux sombres de Martha le suivirent.

— Il est absolument sensationnel. Pourquoi est-ce qu'il ne me regarde même pas?

Justine esquissa une grimace aigre-douce tout en finissant de se démaquiller. Les taches de rousseur réapparaissaient. Londres serait peut-être salutaire; pas de soleil.

— Oh, ne t'inquiète pas, il te reluque. D'ailleurs ça lui plairait. Mais est-ce qu'il se laissera aller? Pas Dane.

— Pourquoi? Qu'est-ce qu'il a? Ne me dis surtout pas qu'il est pédé! Merde, pourquoi faut-il que tous les gars splendides que je rencontre soient des tantes? Pourtant, je ne l'aurais jamais cru pour Dane; il ne me fait pas du tout cet effet-là.

— Surveille ton langage, espèce de conne! Il n'a vraiment rien d'une tante. Si un jour il reluquait seulement notre jeune premier à la voix de crécelle, ce cher Sweet William, je lui trancherais la gorge, et à Sweet William aussi, pour faire bon poids.

— Eh bien, si ce n'est pas une chochotte et que ça lui plaise, pourquoi est-ce qu'il ne saute pas sur l'occasion? Il faut que je lui fasse un dessin ou quoi? Il me trouve peut-être un peu trop vieille pour lui?

— Mon chou, à cent ans, tu ne seras pas encore trop vieille pour la plupart des hommes. Ne te bile pas pour ça. Non, Dane a rayé les femmes de sa vie, le con. Il veut être prêtre.

La bouche pulpeuse de Martha s'ouvrit; elle rejeta en arrière sa crinière noire.

— Tu me fais marcher!

— Non, c'est vrai, tout ce qu'il y a de vrai.

— Tu veux dire que tout ça va être gâché?

— Je le crains. Il l'offre à Dieu.

— Alors, Dieu est un pédé de la plus belle eau, pire que Sweet Willie!

— Tu as peut-être raison, dit Justine. Faut croire

qu'il n'apprécie guère les femmes, d'ailleurs. Deuxième galerie, voilà notre lot. Là-haut, au poulailler. Fauteuils d'orchestre et mezzanine rigoureusement réservés aux mâles.

— Oh!

Justine se tortilla pour s'extraire du costume d'Electre, passa une mince robe de coton, se souvint qu'il faisait froid dehors, enfila un cardigan et tapota gentiment la tête de Martha.

— T'en fais pas, mon chou. Dieu a été bon pour toi. Il ne t'a pas donné de cervelle. Crois-moi, c'est infiniment mieux comme ça. Tu ne feras jamais concurrence aux seigneurs de la création.

— Pas sûr. Je ferai volontiers concurrence à Dieu pour m'envoyer ton frère.

— Laisse tomber. Tu te bats contre l'ordre établi et tu pars perdante. Tu séduiras plus facilement Sweet William, crois-moi sur parole.

Une voiture du Vatican vint chercher Dane à l'aéroport, l'emporta à travers les rues ensoleillées, grouillantes de gens avenants et souriants; le nez collé à la glace, il se délectait, surexcité en découvrant les monuments qu'il ne connaissait que par des photos — colonnes romaines, palais rococo, Saint-Pierre, gloire de la Renaissance.

Et là, l'attendant, cette fois vêtu de pourpre de pied en cap, main tendue, anneau scintillant; Dane tomba à genoux, baisa le rubis.

— Relève-toi, Dane. Laisse-moi te regarder.

Il se redressa, sourit à l'homme grand, presque exactement de sa taille. Tous deux pouvaient se regarder dans les yeux. Pour Dane, le cardinal de Bricassart se nimbait d'une immense aura de pouvoir spirituel qui le lui désignait comme un pape plutôt que comme un saint; pourtant, ses yeux emplis d'une tristesse profonde n'étaient pas ceux d'un pape. Comme il avait dû souffrir pour avoir une telle expression, mais il avait dû noblement s'élever au-dessus de sa souffrance pour devenir ce prêtre parfait entre tous.

Et le cardinal de Bricassart considéra le fils qu'il ne savait pas être le sien, l'aimant, pensait-il, parce qu'il était l'enfant de sa chère Meggie. S'il avait eu un fils, il aurait souhaité qu'il fût à l'image de ce jeune homme, aussi grand, d'une beauté aussi saisissante, aussi gracieux. Mais infiniment plus satisfaisantes que n'importe quel attrait physique se devinaient la beauté, la simplicité de son âme. Il avait la force des anges et quelque chose de leur sublimité. Lui-même avait-il été ainsi à dix-huit ans? Il tenta de se souvenir, revit les innombrables événements d'une existence déjà bien avancée; non, il n'avait jamais été ainsi. Etait-ce parce que cet être venait réellement à l'Eglise à la suite de son propre choix? Pour lui, ça n'avait pas été le cas, bien qu'il ait eu la vocation; de cela, il était sûr.

— Assieds-toi, Dane. As-tu fait ce que je t'ai demandé, commencé à apprendre l'italien?

— J'en suis arrivé au stade où je le parle couramment, mais sans encore maîtriser les expressions idiomatiques, et je le lis très bien. Le fait qu'il s'agisse de ma quatrième langue m'a probablement facilité les choses. Je parais être doué dans ce sens. Quelques semaines de séjour en Italie devraient me permettre de me familiariser avec la langue populaire.

— Oui, je n'en doute pas. Moi aussi j'ai le don des langues.

— Les langues sont très utiles, balbutia gauchement Dane.

L'intimidante silhouette pourpre l'impressionnait; soudain, il éprouvait des difficultés à retrouver en elle l'homme en costume de cheval montant le hongre alezan à Drogheda.

Le cardinal de Bricassart se pencha en avant, l'observa.

Je te demande de le prendre sous ta responsabilité, Ralph, disait la lettre de Meggie. Je te confie son bien-être, son bonheur. Ce que j'ai volé, je le rends. On l'exige de moi. Promets-moi seulement deux choses et j'aurai la certitude que tu as agi au mieux de ses intérêts. Premièrement, promets-moi de t'assurer de la réalité de sa vocation avant de le laisser s'engager définitivement. Deuxièmement, si elle est bien réelle, tu veilleras à ce qu'elle ne vacille pas. Si elle devait faiblir, je veux qu'il me revienne. Car c'est à moi qu'il appartient en premier. C'est moi qui le remets entre tes mains.

— Dane, es-tu vraiment sûr de ta vocation?
— Absolument.
— Pourquoi?

Les yeux de Dane étaient curieusement distants, gênants par leur expression familière, laquelle, pourtant, appartenait au passé.

— A cause de l'amour que je porte à Notre-Seigneur; je veux Le servir, être Son prêtre ma vie durant.

— Comprends-tu ce que Son service implique, Dane?
— Oui.

— Qu'aucun autre amour ne doit jamais s'immiscer entre Lui et toi? Que tu es sien exclusivement, que tu renonces à tout?
— Oui.

— Que Sa volonté doit être faite en toute chose, qu'en entrant à Son service tu abandonnes ta personnalité, ton individualité, l'idée selon laquelle ton être propre est important?
— Oui.

— Que si c'est indispensable tu dois faire face à la

mort, l'emprisonnement, la faim en son nom? Que tu ne dois rien posséder, n'accorder de valeur à rien qui puisse tendre à amoindrir ton amour pour Lui?

— Oui.

— Es-tu fort, Dane?

— Je suis un homme, Votre Eminence. Je suis un homme avant tout. Ce sera dur, je le sais. Mais je prie pour qu'Il me vienne en aide.

— Es-tu vraiment sûr de toi, Dane? Rien d'autre ne pourrait te combler?

— Rien.

— Et si, par la suite, tu devais changer d'avis, que ferais-tu?

— Mais... je demanderais à partir, dit Dane, surpris. Si je changeais d'avis, ce serait uniquement parce que je me serais trompé sur ma vocation; il ne pourrait y avoir d'autres raisons. Donc, je demanderais à partir. Je ne L'en aimerais pas moins, mais je saurais que ce n'est pas là la façon dont Il entend que je Le serve.

— Mais une fois tes vœux prononcés et que tu seras ordonné, tu te rends compte qu'aucun retour en arrière ne sera possible, qu'aucune dispense ne te sera accordée, que tu n'auras aucun moyen de te libérer?

— Je le comprends, assura Dane avec patience. Et s'il y a une décision à prendre, je l'aurais prise avant.

Le cardinal de Bricassart s'adossa à son fauteuil, soupira. Avait-il jamais fait preuve d'une telle certitude? Avait-il jamais fait preuve d'une telle force?

— Pourquoi es-tu venu à moi, Dane? Pourquoi souhaitais-tu venir à Rome? Pourquoi ne pas être resté en Australie?

— Ma mère a pensé à Rome dont je rêvais depuis longtemps, mais je ne croyais pas que nous ayons assez d'argent.

— Ta mère est très sage. T'a-t-elle mis au courant?

— Au courant de quoi, Votre Eminence?

— Que tu disposes d'un revenu annuel de cinq mille livres et que plusieurs dizaines de milliers de livres se sont déjà accumulées à la banque à ton nom?

Dane se raidit.

— Non. Elle ne m'en a jamais parlé.

— C'est très sage de sa part. Mais l'argent est là et tu peux rester à Rome si tu le désires. Le veux-tu?

— Oui.

— En quoi est-ce que je compte dans ton univers, Dane?

— Vous incarnez l'idée que je me fais du prêtre parfait, Votre Eminence.

Les traits du cardinal de Bricassart se crispèrent.

— Non, Dane. Tu ne dois pas me considérer sous ce jour. Je suis loin d'être un prêtre parfait. J'ai rompu tous mes vœux, comprends-tu? Il m'a fallu apprendre ce que tu sembles déjà savoir et de la façon la plus douloureuse qui soit pour un prêtre, en rompant mes vœux. Car je me refusais à admettre que j'étais tout d'abord homme, mortel et, ensuite seulement, prêtre.

— Votre Eminence, ça n'a pas d'importance, dit doucement Dane. Ce que vous me dites ne vous diminue en rien en regard de l'idée que je me fais du prêtre parfait. J'ai l'impression que vous ne comprenez pas exactement le sens que je veux donner à mes paroles, c'est tout. Je n'entends pas un automate, inhumain, au-dessus des faiblesses de la chair. Je vois en vous un homme qui a souffert, et grandi. Est-ce que je vous parais présomptueux? Telle n'est pas mon intention, vraiment pas. Si je vous ai offensé, je vous en demande pardon. Il m'est difficile d'exprimer mes pensées! Je sais que pour devenir un prêtre parfait, il faut laisser s'écouler bien des années, endurer de terribles souffrances, et tout cela sans cesser de garder les yeux rivés sur un idéal et Notre-Seigneur.

La sonnerie du téléphone retentit; le cardinal décrocha d'une main un rien tremblante et répondit en italien.

— Oui, merci. Nous allons venir immédiatement. (Il se leva.) C'est l'heure du thé. Nous allons le prendre avec l'un de mes vieux, très vieux amis. Après le Saint-Père, il est probablement le prélat le plus important de l'Eglise. Je lui ai annoncé ton arrivée, et il a exprimé le désir de te connaître.

— Merci, Votre Eminence.

Ils empruntèrent de nombreux couloirs, puis traversèrent d'agréables jardins, très différents de ceux de Drogheda, avec de hauts cyprès, des peupliers, des rectangles de pelouse nettement délimités, entourés de cloîtres au pavage moussu; ils passèrent devant des arches gothiques, sous des ponts Renaissance. Dane se repaissait de cette vision, heureux. Un monde si différent de l'Australie, si ancien, si permanent!

Il leur fallut un quart d'heure en marchant d'un bon pas pour atteindre le palais; ils y pénétrèrent et montèrent un grand escalier de marbre flanqué de tapisseries inestimables.

Vittorio Scarbanza, cardinal di Contini-Verchese, avait soixante-six ans à présent, le corps partiellement noué par les rhumatismes, mais l'esprit aussi vif et alerte que jamais. Sa chatte actuelle, une bleue de Russie nommée Natasha, ronronnait sur ses genoux. Ne pouvant se lever pour accueillir ses visiteurs, il se contenta d'un large sourire et d'un signe de tête pour les inviter à approcher. Ses yeux allèrent du visage familier à celui de Dane O'Neill et s'élargirent, se rétrécirent, s'immobilisèrent sur le jeune homme. Il sentit le cœur lui manquer, porta la main à sa poitrine en un geste instinctif de protection, et demeura un instant bouche bée, le regard fixé sur la jeune réplique du cardinal de Bricassart.

— Vittorio, ça va? s'enquit anxieusement le cardinal

de Bricassart en prenant le poignet fragile entre ses doigts pour en chercher le pouls.

— Bien sûr. Une petite douleur passagère, sans plus. Asseyez-vous, asseyez-vous!

— Tout d'abord, je voudrais vous présenter Dane O'Neill qui, ainsi que je vous l'ai dit, est le fils d'une de mes amies très chères. Dane, voici son Eminence, le cardinal di Contini-Verchese.

Dane s'agenouilla, appuya ses lèvres contre l'anneau; au-dessus de la tête blonde penchée sur sa main, le cardinal di Contini-Verchese chercha le visage de Ralph, en fouilla les traits plus attentivement qu'il ne l'avait fait depuis bien des années. Il se détendit un peu; elle ne lui avait donc jamais dit. Et, bien sûr, il ne soupçonnerait pas ce que tous ceux qui les verraient ensemble supposeraient immédiatement. Pas père-fils, bien sûr, mais une étroite parenté. Pauvre Ralph! Il ne s'était jamais vu marcher, il n'avait jamais observé les expressions de son propre visage, jamais surpris la façon dont son sourcil gauche se soulevait. Vraiment, Dieu faisait preuve de mansuétude en rendant les hommes si aveugles.

— Asseyez-vous. Le thé va bientôt être servi. Ainsi, jeune homme, vous voulez être prêtre, et vous vous êtes placé sous l'aile du cardinal de Bricassart?

— Oui, votre Eminence.

— Votre choix était judicieux. Sous son aile, il ne vous arrivera rien de fâcheux. Mais vous paraissez un peu nerveux, mon fils. Est-ce le dépaysement?

Dane sourit, du même sourire que Ralph, sans peut-être la conscience du charme qu'il dégageait, mais ressemblant tant à celui de Ralph qu'il perçait le vieux cœur fatigué comme le piquant d'un fil de fer barbelé.

— Je suis confondu, Votre Eminence. Je ne m'attendais pas à être si impressionné en me trouvant en présence de cardinaux. Je n'avais même pas rêvé qu'on puisse venir me chercher à l'aéroport ni que je prendrais le thé en votre compagnie.

— Oui, c'est inhabituel... Ah! voilà le thé! (Heureux, il suivit des yeux la sœur qui disposait tasses et assiettes; il leva le doigt pour prévenir le geste de Ralph.) Ah, non! C'est moi qui vais jouer les maîtresses de maison. Comment aimez-vous votre thé, Dan?

— Comme Ralph, répondit-il précipitamment, puis il rougit. Excusez-moi, Votre Eminence. Je n'avais pas l'intention de dire ça...

— Aucune importance, Dane, intervint Ralph. Le cardinal di Contini-Verchese ne vous en tiendra pas rigueur. Nous nous sommes tout d'abord rencontrés en tant que Dane et Ralph, et nous nous connaissons infiniment mieux ainsi, n'est-ce pas? Le cérémonial est nouveau dans nos relations. Je préfère que nous en restions à Dane et Ralph en privé; Son Eminence n'y verra pas d'inconvénient, n'est-ce pas, Vittorio?

— Non. Je suis partisan de l'usage du nom de baptême. Mais, pour en revenir à ce que je disais, sur le fait d'avoir des amis haut placés, mon fils, cette longue amitié avec Ralph pourra être gênante pour vous quand vous entrerez au séminaire que nous vous aurons choisi. Fournir continuellement de longues explications chaque fois que vos rapports donneront lieu à quelque remarque deviendrait vite fastidieux. Parfois, Notre-Seigneur permet un pieux mensonge, (Il sourit; l'or de ses dents accrocha la lumière.) Et, pour le bien de tous, je préférerais que nous ayons recours à une petite entorse à la vérité. S'il est difficile d'expliquer de façon satisfaisante les rapports d'amitié, il est plus aisé de mentionner les liens du sang. Nous dirons donc à tous que le cardinal de Bricassart est votre oncle, mon petit Dane, et nous en resterons là, acheva le cardinal di Contini-Verchese d'un ton suave.

Dane parut choqué, Ralph résigné.

265

— Ne soyez pas déçu par les grands, mon fils, reprit gentiment le cardinal di Contini-Verchese. Ils ont aussi des pieds d'argile, et il leur arrive de ménager leur tranquillité par de pieux mensonges. Vous venez d'apprendre là une leçon très utile mais, à vous voir, je doute que vous en profitiez. Pourtant, il vous faut comprendre que nous autres, cardinaux, sommes des diplomates, et jusqu'au bout des ongles. En vérité, je ne pense qu'à vous, seulement à vous, mon fils. La jalousie et le ressentiment sévissent tout autant dans les séminaires que dans les institutions séculières. Vous souffrirez un peu parce qu'on pensera que Ralph est votre oncle, le frère de votre mère, mais vous souffririez bien davantage si l'on croyait qu'aucune parenté ne vous unit. Nous sommes des hommes avant tout, et c'est à des hommes que vous aurez affaire, dans ce milieu comme dans les autres.

Dane courba la tête, puis il se pencha dans l'intention de caresser la chatte et s'immobilisa, main tendue.

— Puis-je? J'adore les chats, Votre Eminence.

Rien ne pouvait lui ouvrir plus rapidement le chemin de ce cœur vieux mais fidèle.

— Oui. J'avoue qu'elle devient un peu lourde pour moi. Elle est gloutonne, n'est-ce pas, Natasha? Va vers Dane; va vers la nouvelle génération.

Il était impossible à Justine de passer avec armes et bagages de l'hémisphère sud à l'hémisphère nord aussi rapidement que Dane. Lorsque la saison théâtrale s'acheva au Culloden et qu'elle abandonna sans regret Bothwell Gardens, son frère se trouvait à Rome depuis deux mois.

— Comment diable ai-je pu accumuler un tel fourbi? bougonna-t-elle, entourée de vêtements, de papiers, de boîtes.

Meggie leva les yeux de l'endroit où elle se tenait

agenouillée, une boîte d'éponges métalliques à la main.

— Pourquoi as-tu fourré ça sous ton lit?

Une expression d'intense soulagement joua sur le visage empourpré de sa fille.

— Oh, quelle chance! Elles étaient là? Je croyais que le précieux caniche de Mme Devine les avait bouffées; je lui trouvais une sale mine depuis une semaine et je n'avais pas le courage de parler des éponges métalliques que je ne retrouvais pas. Je croyais que ce satané cabot les avait avalées; il est capable d'engloutir tout ce qui ne se dispose pas à le croquer. Pourtant, je ne peux pas dire que sa perte m'aurait causé un chagrin éternel, ajouta Justine, l'air pensif.

Assise sur les talons, Meggie éclata de rire.

— Oh, Jus, que tu es drôle! (Elle jeta la boîte sur le lit parmi une montagne d'autres objets.) Tu ne fais pas honneur à Drogheda. Après tout ce que nous avons fait pour t'inculquer des notions de propreté et d'ordre...

— Vous perdiez votre temps. Veux-tu emporter ces éponges métalliques à Drogheda? Je sais qu'en voyageant par bateau je peux faire suivre autant de bagages que je veux, mais je suppose que les éponges métalliques ne sont pas une denrée rare à Londres.

Meggie prit la boîte et la déposa dans un grand carton marqué Mme D.

— Je crois que nous ferions mieux de les offrir à Mme Devine. Elle en aura besoin pour rendre l'appartement habitable si elle veut trouver un autre locataire.

Des assiettes sales s'entassaient en piles au bout de la table, laissant apparaître d'affreuses barbes de moisissure.

— Est-ce qu'il t'arrive de laver tes assiettes de temps en temps? demanda Meggie.

Justine gloussa, pas le moins du monde repentante.

— Dane soutient que je ne les lave jamais, que je me contente de leur faire la barbe.

— Pour celles-ci, il faudrait d'abord que tu leur coupes les cheveux. Pourquoi ne les laves-tu pas au fur et à mesure que tu t'en sers?

— Parce que ça m'obligerait à me trimbaler une fois de plus jusqu'à la cuisine, et comme je mange généralement après minuit, personne n'apprécie beaucoup le bruit de mes petits petons dans les couloirs.

— Passe-moi un carton vide; je vais les descendre et m'en charger, proposa Meggie, résignée.

Elle se doutait de ce qui l'attendait en venant à Sydney auprès de sa fille, mais elle n'en souhaitait pas moins assister au déménagement. Il n'était pas fréquent que qui que ce soit eût la possibilité d'aider Justine à faire quelque chose; chaque fois que Meggie s'y était essayée, l'aventure avait tourné à son désavantage. Mais exceptionnellement, pour les questions ménagères, la situation était inversée; elle pouvait aider sa fille à satiété sans avoir l'air d'une imbécile.

Finalement, tout fut bouclé; Justine et sa mère prirent place dans le break avec lequel Meggie était venue de Gilly pour gagner l'hôtel *Australia* où elle était descendue.

— J'aimerais que la famille se décide à acheter une maison à Palm Beach ou à Avalon, maugréa Justine en déposant sa valise dans la deuxième chambre de l'appartement. Cet hôtel est épouvantablement situé; tu te rends compte?... Ce doit être rudement chouette de pouvoir se baigner directement sous ses fenêtres... Est-ce que ça ne vous inciterait pas à prendre l'avion un peu plus souvent pour quitter Gilly?

— Personnellement, je ne vois pas ce que je viendrais faire à Sydney. Je n'y ai séjourné que deux fois en sept ans... La première pour assister au départ de Dane, maintenant au tien. Si nous avions une maison ici, nous ne nous en servirions jamais.

— Foutaises!

— Pourquoi?

— Pourquoi? Parce qu'il y a autre chose au monde que ce satané Drogheda, bon Dieu! Cette propriété me rend cinglée!

Meggie soupira.

— Crois-moi, Justine, il viendra un moment où tu aspireras à rentrer à Drogheda.

— Et tu espères ça aussi pour Dane, hein?

Silence. Sans regarder sa fille, Meggie prit son sac sur la table.

— Nous allons être en retard. Mme Rocher a dit 2 heures. Si tu veux que tes robes soient prêtes à temps, nous ferions bien de nous dépêcher.

— Charmante façon de me remettre en place, commenta Justine en souriant.

— Comment se fait-il, Justine, que tu ne me présentes aucun de tes amis? Je n'ai pas vu âme qui vive aux Bothwell Gardens à part Mme Devine, dit tout à coup Meggie alors qu'elle et sa fille étaient installées dans le salon de Germaine Rocher, observant les mannequins languides qui évoluaient en minaudant.

— Oh, ils sont un peu timides... Ce truc orange me plaît assez; pas toi?

— Pas avec tes cheveux. Cantonne-toi au gris.

— Peuh! J'estime que l'orange va très bien avec mes cheveux. En gris, j'aurais l'air d'une souris ramenée par un chat, dégueulasse et à moitié pourrie. Mets-toi au goût du jour, m'man. Les rousses ne sont pas obligées de s'en tenir au blanc, gris, noir, vert émeraude, ou cette horrible teinte que tu affectionnes tant... comment s'appelle-t-elle déjà...? Cendres de roses? C'est victorien en diable!

— C'est bien le nom de la couleur, admit Meggie en se tournant vers sa fille pour lui faire face. Tu es un monstre, marmonna-t-elle, mais non sans affection.

Justine ne prêta aucune attention à la remarque. Ce n'était pas la première fois qu'elle l'entendait.

— Je vais prendre l'orange, la rouge, l'imprimée violette, la vert mousse et le tailleur bordeaux...

Chez Meggie, la colère le disputait au rire. Que faire avec une fille comme Justine?

L'*Himalaya* devait appareiller de Port Darling trois jours plus tard. C'était un bon vieux navire, bas sur l'eau et tenant bien la mer, construit à l'époque où l'on prenait le temps de vivre et où chacun acceptait le fait que l'Angleterre fût à quatre semaines de l'Australie via le canal de Suez ou à cinq semaines par le cap de Bonne-Espérance. A présent, même les paquebots se conformaient à la mode de l'hydrodynamique avec des formes effilées de torpilleur pour arriver plus vite. Mais le résultat sur un estomac sensible faisait frémir les marins les plus endurcis.

— C'est marrant! s'exclama Justine en éclatant de rire. Nous avons une magnifique équipe de football en première classe. Le voyage ne sera pas aussi ennuyeux que je le craignais. Quelques-uns de ces gars sont superbes.

— Alors, tu ne regrettes plus mon insistance à te faire voyager en première?

— Peut-être pas.

— Justine, on dirait que tu t'ingénies à me pousser à bout, et tu as toujours été comme ça! lança Meggie d'une voix coupante.

Elle perdait son sang-froid devant ce qu'elle prenait pour de l'ingratitude. En cette occasion, cette petite garce ne pouvait-elle pas au moins faire mine d'être attristée par la séparation?

— Butée, tête de cochon! maugréa Meggie. Tu es d'une obstination exaspérante!

Sur le moment, Justine ne répondit pas; elle détourna la tête et parut s'intéresser davantage aux marins qui demandaient aux visiteurs de regagner le quai qu'aux paroles de sa mère; ses dents interdirent une menace de frémissement à ses lèvres sur lesquelles elle accrocha un sourire éclatant.

— Je sais que je t'exaspère, dit-elle gaiement en faisant face à sa mère. Ça n'a pas d'importance. Nous sommes ce que nous sommes. Ainsi que tu le dis toujours, je tiens de mon père.

Elles s'embrassèrent gauchement avant que Meggie, délivrée, se mêlât à la foule qui se dirigeait vers les passerelles. Justine gagna le pont supérieur et s'appuya au bastingage, tenant à la main des rouleaux de serpentins aux couleurs vives. Très au-dessous d'elle, sur le quai, elle aperçut la silhouette en robe et chapeau gris-rose qui se rapprochait de l'endroit convenu, s'immobilisait en mettant une main en visière. Bizarre qu'à une telle distance on pût se rendre compte que m'man approchait de la cinquantaine. Encore un peu de chemin à parcourir, mais l'âge se devinait déjà dans sa posture. Un instant, elles s'adressèrent les gestes de rigueur, puis Justine lança le premier de ses serpentins dont Meggie attrapa adroitement l'extrémité. Un rouge, un bleu, un jaune, un orange; tournant, virevoltant, portés par la brise.

Des joueurs de cornemuse étaient venus souhaiter bon voyage à l'équipe de football; ils restaient plantés là, fanions au vent, plaids mouvants, jouant une curieuse version de « Maintenant, l'Heure est venue ». Les passagers se pressaient contre les bastingages, se penchaient, tenant désespérément leur extrémité des minces serpentins; sur le quai, des centaines de personnes étiraient le cou, s'attardaient avidement sur les visages qui s'en allaient si loin, des visages jeunes pour la plupart, partant pour voir à quoi ressemblait le moyeu de la civilisation à l'autre bout du monde. Ils vivraient là-bas, travailleraient, reviendraient peut-être dans deux ans, ne reviendraient peut-être plus jamais. Et chacun le savait, et chacun de supputer, de s'interroger.

Le ciel bleu se gonflait de petits nuages argentés tandis que sévissait le vent mordant de Sydney. Le soleil réchauffait les têtes levées et les omoplates de ceux qui se penchaient; des chaînes de serpentins multicolores reliaient le navire au quai. Puis, subitement, un fossé se creusa entre le flanc du bateau et les pilotis de la jetée; l'air s'emplit de cris et de sanglots et, un à un, des milliers de serpentins se rompirent, voletèrent brutalement avant de retomber inanimés, meublant la surface de l'eau de traînées emmêlées, se fondant aux pelures d'orange et aux méduses à la dérive.

Justine demeura obstinément à sa place, appuyée au bastingage, jusqu'à ce que la jetée ne représentât plus que quelques lignes ponctuées de têtes d'épingle rosâtres dans le lointain. Les remorqueurs de l'*Himalaya* firent pivoter le navire, l'entraînèrent sous le tablier du grand pont de Sydney, vers le courant épuré du flot ensoleillé.

Cela n'avait rien à voir avec une excursion jusqu'à Manly sur le ferry-boat, bien que le navire suivît le même chemin, passant à hauteur de Neutral Bay, puis de Rose Bay, et de Cremorne et de Vaucluse; certainement pas. Cette fois, on allait au delà de Heads, au delà des cruelles falaises et de la dentelle d'écume brassée à leurs pieds, vers l'océan. Douze mille milles de mer jusqu'à l'autre bout du monde. Et que les passagers revinssent chez eux ou non, ils n'appartiendraient ni à un continent ni à un autre, car ils auraient connu deux modes de vie différents.

L'argent, Justine s'en rendit compte, faisait de Londres un endroit particulièrement attrayant. Pas question pour elle de mener une existence misérable accrochée aux abords d'Earl's Court — « La Vallée des Kangourous », ainsi l'endroit était-il surnommé en raison des nombreux Australiens qui en avaient fait leur quartier général... Très peu pour elle le destin habituel des Australiens en Angleterre, s'entassant dans des auberges de jeunesse, travaillant pour une misérable pitance dans quelque bureau, école ou hôpital, frissonnant devant un minuscule radiateur dans une pièce froide et humide. Au lieu de quoi, Justine s'installa dans un appartement confortable de Kensington, proche de Knightsbridge, doté du chauffage central, et trouva un engagement dans la troupe de Clyde Daltinham-Roberts, la compagnie élisabéthaine.

Quand vint l'été, elle prit le train à destination de Rome. Par la suite, elle serait amenée à sourire en se souvenant du peu qu'elle vit lors de ce long voyage à travers la France et l'Italie; toutes ses pensées s'axaient sur ce qu'elle devrait dire à Dane, s'efforçant de se rappeler ce qu'il ne faudrait à aucun prix oublier. Il y avait tant à raconter que certains détails ne manqueraient pas de lui échapper.

Dane? Cet homme grand, blond sur le quai, était-il Dane? Il ne paraissait pas différent et n'en était pas moins devenu un inconnu. Il n'appartenait plus au monde de Justine. Le cri qu'elle s'apprêtait à pousser pour attirer son attention reflua vers sa gorge; elle se rejeta un peu en arrière sur son siège afin d'observer son frère car le train s'était immobilisé à quelques mètres de l'endroit où il se tenait, scrutant de ses yeux bleus les compartiments, sans hâte, sans angoisse. Les épanchements seraient unilatéraux quand elle lui parlerait de la vie qu'ils avaient menée depuis son départ car elle savait d'ores et déjà qu'il n'était pas désireux de partager avec elle ce qu'il avait connu. Le diable l'emporte! Il n'était plus son petit frère; la vie qu'il menait la tenait à distance, aussi loin que si elle était à Drogheda. Oh, Dane! Que peut-on ressentir à vivre la même chose vingt-quatre heures sur vingt-quatre?

— Ah! Tu commençais à croire que je t'avais fait faux bond, hein? lança-t-elle en se glissant derrière lui avant qu'il ne l'aperçût.

Il se tourna, lui étreignit les mains et la considéra en souriant.

— Espèce de cloche, dit-il tendrement.

Il se chargea de la plus lourde des valises et glissa son bras sous le sien.

— C'est bon de te revoir, murmura-t-il au moment où ils sortaient de la gare.

Il l'aida à monter dans la Lagonda rouge qui était de tous ses déplacements. Dane avait toujours été un fanatique des voitures de sport; il en avait possédé une depuis le jour où il avait passé son permis de conduire.

— Pour moi aussi, c'est bon de te voir. J'espère que tu m'as dégoté une chouette crèche parce que, tu sais, je ne blaguais pas dans mes lettres. Je me refuse à être parquée dans une cellule du Vatican au milieu d'un troupeau de vieilles biques, dit-elle en riant.

— On ne t'aurait jamais admise au Vatican, pas avec ta crinière diabolique. Je t'ai retenu une chambre dans une petite pension pas très loin de l'endroit où je loge. On y parle l'anglais; alors, tu n'auras pas à t'inquiéter quand je ne serai pas avec toi. D'ailleurs, à Rome, on trouve toujours quelqu'un qui parle anglais.

— N'empêche que je déplore de ne pas avoir ton don des langues. Mais je me débrouillerai, sois tranquille. Je suis un mime de première et très forte pour les charades.

— J'ai deux mois de vacances, Jussy; tu ne trouves pas ça épatant? Ça nous permettra de visiter la France et l'Espagne et même de passer un mois à Drogheda qui, je dois l'avouer, me manque.

— Vraiment? (Elle se tourna vers lui, regarda les belles mains qui guidaient la voiture avec adresse dans le trafic insensé de Rome.) Moi, Drogheda ne me manque pas du tout. Londres est trop intéressant.

— Tu ne me donnes pas le change, ma vieille. Je sais ce que Drogheda et m'man représentent pour toi.

Justine croisa les mains sur ses genoux et ne répondit pas.

— Ça ne t'ennuierait pas de prendre le thé avec quelques-uns de mes amis cet après-midi? s'enquit-il quand ils furent arrivés. Je me suis un peu avancé en acceptant pour toi. Ils désirent tellement te connaître et, comme je ne serai vraiment en vacances que demain, je n'ai pas pu refuser.

— Cloche! Pourquoi est-ce que ça m'ennuierait? Si nous étions à Londres, je te noierais au milieu de mes amis, alors il est normal que tu en fasses autant. Je serai heureuse de voir à quoi ressemblent tes camarades de séminaire, quoi que ce ne soit pas très marrant pour moi, hein? Pas question d'en agrafer un.

Elle s'approcha de la fenêtre, jeta un coup d'œil au petit square triste, aux deux platanes étiques qui se dressaient au milieu du pavage du quadrilatère, aux trois tables qu'ils abritaient et au pan de mur d'une église sans grâce ni beauté architecturale particulière, recouvert d'un crépi lépreux.

— Dane...

— Oui?

— Je te comprends. Je te comprends vraiment.

— Oui, je sais. (Son sourire s'effaça.) J'aimerais que m'man comprenne aussi, Jus.

— Pour m'man, c'est différent. Elle a le sentiment que tu l'as abandonnée; elle ne se rend pas compte qu'il n'en est rien, mais ne t'inquiète pas pour elle. Elle finira par accepter.

— Je l'espère. (Il rit.) Au fait, ce ne sont pas mes camarades de séminaire que tu vas rencontrer aujourd'hui. Jamais je ne voudrais vous exposer à une telle tentation, eux et toi. C'est le cardinal de Bricassart. Je sais qu'il ne t'est pas sympathique, mais promets-moi d'être gentille.

Une lueur malicieuse brilla dans les yeux de Justine.

— Je te le promets. Je baiserai même tous les anneaux qui me seront présentés.

— Oh, tu t'en souviens! J'étais fou de rage contre toi ce jour-là... me faire honte en sa présence!

— Tu sais, depuis cette époque, j'en suis revenue de l'hygiène, et j'ai embrassé beaucoup de choses bien moins propres qu'un anneau. Il y a un horrible jeune type boutonneux au cours de comédie qui repousse du goulot avec un estomac en capilotade et que je dois embrasser à vingt-neuf reprises, rien n'est impossible. (Elle se tapota les cheveux, se regarda dans la glace.) Ai-je le temps de me changer?

— Oh, tu es très bien comme ça!

— Qui y aura-t-il d'autre?

Le soleil était trop bas pour réchauffer le vieux square et les plaques d'écorce qui se détachaient des platanes communiquaient aux arbres un air las, maladif. Justine frissonna.

— Le cardinal di Contini-Verchese sera là.

Le nom ne lui était pas inconnu, et elle ouvrit de grands yeux.

— Houh! Tu nages en plein gratin.

— Oui. J'essaie de mériter cet honneur.

— Est-ce que ça signifie que certaines personnes te mettent des bâtons dans les roues, Dane? s'enquit-elle, laissant parler son intuition.

— Non, pas vraiment. Peu importe ceux que l'on fréquente. Je n'y pense jamais, et personne ne me reproche mes relations.

La salle, les hommes en rouge! Jamais de sa vie Justine n'avait été aussi consciente de l'inutilité des femmes dans la vie de certains hommes qu'en entrant dans

276

un monde où l'élément féminin n'avait tout simplement aucune place, sinon en tant qu'humbles servantes-nonnes. Elle portait encore le tailleur de toile vert olive qu'elle avait passé dans le train, froissé par le voyage, et elle avança sur le tapis mœlleux, écarlate, tout en maudissant la hâte de Dane, regrettant de n'avoir pas insisté pour se changer.

Le cardinal de Bricassart se leva, souriant; quel bel homme, un physique de père noble.

— Ma chère Justine! l'accueillit-il avec chaleur.

Il lui présenta son anneau avec une expression malicieuse, sous-entendant qu'il se rappelait parfaitement le jour de leur rencontre, et scruta le visage de la jeune fille pour y chercher quelque chose qui lui échappait.

— Vous ne ressemblez pas du tout à votre mère, reprit-il.

Un genou à terre, baiser l'anneau, sourire humblement, se relever, sourire moins humblement.

— Non, en effet. Je me serais volontiers accommodée de sa beauté dans la profession que j'ai choisie mais, sur scène, ça s'arrange. En vérité, le visage compte peu; ce qui importe, c'est ce qu'on y met de soi et de son art pour subjuguer le public.

Un petit rire sec s'éleva d'un fauteuil; une fois de plus, elle s'avança pour baiser l'anneau ornant une vieille main noueuse mais, à cette occasion, son regard rencontra des yeux sombres et, assez curieusement, elle y lut de l'amour. De l'amour pour elle, pour une personne qu'il n'avait jamais vue, dont il avait à peine entendu mentionner le nom. Mais le sentiment était réel. Elle n'éprouvait pas davantage de symphatie pour le cardinal de Bricassart que lorsqu'elle avait quinze ans; par contre, la vue de ce vieil homme lui réchauffait le cœur.

— Asseyez-vous, ma chère enfant, invita le cardinal di Contini-Verchese en désignant un fauteuil à côté de lui.

— Bonjour, minette, dit Justine en tendant la main vers la chatte bleu-gris, lovée sur les genoux pourpres de son maître. Comme elle est jolie!

— Oui, très.

— Comment s'appelle-t-elle?

— Natasha.

La porte s'ouvrit, mais pas pour livrer passage à la table roulante du thé. Un homme, Dieu merci vêtu d'un complet veston; une seule soutane rouge de plus, pensa Justine, et je me mets à mugir comme un taureau.

Mais il ne s'agissait pas d'un homme ordinaire, même s'il était laïque. Un règlement intérieur doit rigoureusement interdire l'accès du Vatican aux hommes ordinaires, monologua intérieusement Justine, laissant libre cours à son impertinence. Pas vraiment petit, puissamment charpenté, il paraissait plus trapu qu'il ne l'était, épaules massives, torse démesuré, grosse tête léonine, bras longs comme ceux d'un tondeur. Du gorille dans cet homme, sinon qu'il respirait l'intelligence et se déplaçait avec l'allure d'un individu susceptible de s'emparer de ce qu'il voulait avec une rapidité devançant la pensée. S'en emparer, et peut-être l'écraser, mais jamais fortuitement, jamais sans raison; avec finesse, réflexion. Il était brun de teint, mais son épaisse crinière avait exactement la couleur de la laine d'acier et à peu près la même consistance, en admettant que les fibres métalliques se plient en minuscules ondulations régulières.

— Rainer, vous arrivez à temps, dit le cardinal di Contini-Verchese en indiquant l'autre fauteuil flanquant le sien. (Il continuait à s'exprimer en anglais.) Ma chère enfant, ajouta-t-il en se tournant vers Justine lorsque l'homme eut baisé son anneau et se fut relevé, j'aimerais vous présenter un excellent ami, Herr Rainer Moerling Hartheim. Rainer, voici la sœur de Dane, Justine.

L'homme s'inclina, claqua cérémonieusement des talons, lui adressa un bref sourire dénué de chaleur et

278

s'assit, un peu trop loin sur le côté pour continuer à demeurer dans son champ de vision. Justine poussa un soupir de soulagement, surtout quand elle vit que Dane s'était laissé tomber à terre, avec l'aisance conférée par une longue habitude, à côté du fauteuil du cardinal de Bricassart, face à elle. Tant qu'elle pourrait poser le regard sur quelqu'un qu'elle connaissait et aimait, tout irait bien. Pourtant, la salle et les prélats en rouge, et maintenant cet homme au teint olivâtre commençaient à l'irriter plus que la présence de Dane ne l'apaisait; elle était froissée par la façon dont ces hommes l'excluaient. Aussi se pencha-t-elle sur le côté pour caresser de nouveau la chatte, consciente que le cardinal di Contini-Verchese perçait ses réactions et s'en amusait.

— Est-elle castrée? s'enquit Justine.

— Bien sûr.

— Bien sûr! Je me demande bien pourquoi vous vous êtes préoccupé de cette question. Le seul fait d'habiter en permanence de tels lieux devrait suffire à dessécher les ovaires de n'importe quelle représentante de la gent féminine.

— Au contraire, ma chère, riposta le cardinal di Contini-Verchese qui s'amusait beaucoup. Ce sont nous, les hommes, qui sommes psychologiquement desséchés.

— Permettez-moi d'être d'un autre avis, Votre Eminence.

— Ainsi, notre petit monde vous hérisse?

— Eh bien, disons que je me sens un peu superflue, Votre Eminence. Endroit agréable à visiter, mais je ne pourrais pas y vivre.

— Je vous comprends. Je doute même que vous appréciiez beaucoup la visite, mais vous vous habituerez à nous car j'espère que vous viendrez souvent nous voir.

Justine sourit.

— J'ai horreur de devoir me surveiller, confia-t-elle.

Ça fait surgir ce qu'il y a de plus mauvais en moi... Je perçois les transes dans lesquelles j'ai plongé Dane sans avoir besoin de le regarder.

— Je me demandais combien de temps cela allait durer, dit Dane pas le moins du monde démonté. Chez Justine, il suffit de gratter le vernis et on découvre la rebelle. C'est pour ça que je suis heureux de l'avoir pour sœur. Je ne suis pas un rebelle, mais je les admire.

Herr Hartheim déplaça son fauteuil afin d'avoir Justine dans son champ de vision, même lorsqu'elle se redresserait après avoir caressé la chatte. A cet instant, l'animal se lassa de l'odeur étrange de la femme et, sans se relever, passa délicatement des genoux rouges aux genoux gris, se blottissant contre Herr Hartheim; celui-ci caressa la chatte de sa main puissante et elle se mit à ronronner si fort que tous éclatèrent de rire.

— Veuillez excuser mon existense, dit Justine qui appréciait les plaisanteries même lorsqu'elle en faisait les frais.

— Son moteur tourne toujours aussi rond, remarqua Herr Hartheim.

La gaieté apportait d'étranges transformations à son visage. Il parlait très bien anglais, presque sans accent, mais avec des inflexions américaines; il roulait les R.

Le thé arriva avant que chacun eût repris son sérieux et, assez curieusement, ce fut Herr Hartheim qui le servit; il tendit une tasse à Justine avec un regard plus amical que celui qu'il lui avait dédié lors des présentations.

— Dans les milieux britanniques, le thé de l'après-midi représente le meilleur moment de détente de la journée, lui dit-il. On débat de bien des choses au-dessus d'une tasse de thé, n'est-ce pas? Probablement parce que la nature même de ce breuvage permet d'en boire à n'importe quel moment entre 2 heures et 5 heures et demie, et parler donne soif.

La demi-heure qui suivit parut lui donner raison, bien que Justine ne participât pas au débat. La conversation roula sur la santé précaire du Saint-Père, puis sur la guerre froide et, enfin, sur la récession économique; chacun des quatre hommes parlait et écoutait avec une attention qui captiva Justine; elle essayait de démêler les qualités pouvant leur être communes, même chez Dane qui lui paraissait si curieux, si étranger. Il contribuait activement à la discussion, et elle remarqua que ces trois hommes plus âgés l'écoutaient avec une étonnante humilité, voire un certain respect. Ses commentaires n'étaient ni dépourvus de fondement ni naïfs, mais ils se révélaient différents, originaux, *saints*. Etait-ce à cause de sa sainteté qu'on lui accordait une attention aussi soutenue? En raison de ce qu'il l'abritait, et qu'ils en étaient dépourvus? Etait-ce réellement une vertu qu'ils admiraient, brûlant de la posséder? Etait-elle si rare? Trois hommes si différents les uns des autres, et pourtant infiniment plus liés entre eux que l'un d'eux à Dane. Comme il était difficile de prendre Dane au sérieux autant qu'ils le faisaient! Non que, de bien des façons, il n'eût agi comme un frère aîné plutôt que comme son cadet; non qu'elle n'eût pas conscience de sa sagesse, de son intelligence, ou de sa sainteté. Mais, jusqu'alors, il avait fait partie de son monde à elle. Il lui fallait reconnaître que tel n'était plus le cas.

— Si vous voulez aller faire vos dévotions, Dane, je reconduirai votre sœur jusqu'à son hôtel, dit résolument Herr Hartheim.

Et elle se retrouva, muette, en train de descendre l'escalier de marbre en compagnie de cet homme trapu, puissant. Dehors, dans le miroitement jaunâtre du coucher de soleil romain, il la prit par l'épaule et la guida vers une grosse Mercedes noire d'où jaillit le chauffeur.

— Vous n'allez pas passer votre première soirée à Rome seule, et Dane est occupé par ailleurs, dit-il en s'installant à sa suite dans la voiture. Vous êtes lasse et désorientée; il est donc préférable que vous ayez de la compagnie.

— Vous ne paraissez pas me laisser le choix, Herr Hartheim!

— Je préférerais que vous m'appeliez Rainer.

— Vous devez être un personnage important pour avoir une voiture aussi époustouflante et un chauffeur.

— Je serai un personnage encore plus important quand je serai chancelier de l'Allemagne de l'Ouest.

— Je suis étonnée que vous ne le soyez pas déjà.

— Impudente! Je suis trop jeune.

— Vraiment?

Elle se tourna sur le côté pour le regarder plus attentivement, s'aperçut qu'aucune ride ne marquait sa peau olivâtre, que celle-ci paraissait jeune, que les yeux, profondément enfoncés dans les orbites, ne se logeaient pas au creux de chairs flasques.

— Je suis gros et j'ai les cheveux gris, mais je les avais déjà comme ça à seize ans, et si je suis gros c'est parce que je n'ai pas toujours mangé à ma faim. Je n'ai que trente et un ans.

— Je vous crois sur parole, dit-elle en se débarrassant de ses chaussures. Mais, pour moi, c'est tout de même vieux... je me vautre dans la douceur de mes vingt et un ans.

— Vous êtes un monstre, commenta-t-il en souriant.

— Il est probable que j'en suis un. Ma mère dit la même chose. Seulement, je ne suis pas très certaine de ce que vous entendez par monstre l'un et l'autre; alors, allez-y de votre version, je vous en prie.

— Votre mère vous a-t-elle déjà donné la sienne?

— Elle serait abominablement gênée si je la lui demandais.

— Ne pensez-vous pas que vous risquez de me gêner aussi?

282

— Je vous soupçonne d'être un monstre, vous aussi, Herr Hartheim. Alors, je doute que quoi que ce soit vous mette dans l'embarras.

— Un monstre, répéta-t-il entre ses dents. Eh bien! d'accord, miss O'Neill, je vais tenter de vous donner la définition de ce terme. Une personne qui terrifie les autres, plane au-dessus d'eux, se sent si forte qu'elle ne peut être vaincue que par Dieu, qui n'a aucun scrupule et se soucie peu de la morale.

Elle gloussa.

— Pas possible, vous faites votre autoportrait! Je croule sous la morale et les scrupules puisque je suis la sœur de Dane.

— Vous ne lui ressemblez pas du tout.

— C'est d'autant plus dommage.

— Son visage ne conviendrait pas à votre personnalité.

— Vous êtes certainement dans le vrai, mais avec son visage je me serais peut-être fabriqué une tout autre personnalité.

— Tout dépend de ce qui vient en premier, hein, la poule ou l'œuf? Remettez vos chaussures, nous allons marcher.

Il faisait chaud et le soir tombait; les lumières brillaient et il semblait y avoir foule quels que soient les quartiers où leurs pas les entraînaient : scooters, minuscules et agressives Fiat, tricycles à moteur encombraient la chaussée comme des coulées de grenouilles fuyant un danger. Finalement, il s'immobilisa dans un petit square au pavé usé et poli par les siècles et entraîna Justine dans un restaurant.

— A moins que vous ne préfériez *al fresco*? proposat-il.

— Du moment que vous me nourrissez, je me moque éperdument que ce soit à l'intérieur, à l'extérieur ou entre les deux.

— Puis-je passer la commande pour vous?

Les yeux pâles clignèrent, avec un peu de lassitude peut-être, mais encore combatifs.

— Je ne crois pas que j'apprécie beaucoup votre autorité super-masculine, laissa-t-elle tomber. Après tout, comment pouvez-vous connaître mes goûts?

— Sœur Anne brandit sa bannière, murmura-t-il. Dans ce cas, dites-moi ce que vous aimez et vous pouvez être tranquille, vous aurez satisfaction. Poisson? Veau?

— Un compromis? D'accord, je ferai la moitié du chemin, pourquoi pas? Je prendrai du pâté, quelques scampis et une énorme assiettée de saltimbocca; pour finir une cassata et un cappuccino. Débrouillez-vous avec ça pour passer la commande.

— Je devrais vous gifler, remarqua-t-il sans se départir de sa bonne humeur.

Il passa la commande au garçon sans y apporter aucune variante. Il s'exprimait dans un italien très fluide.

— Vous avez prétendu que je ne ressemblais pas du tout à Dane; croyez-vous vraiment que je ne lui ressemble en rien? demanda-t-elle d'un ton un peu pathétique au moment du café.

Elle était restée silencieuse tout au long du repas, trop affamée pour perdre du temps à parler.

Il lui alluma une cigarette, gratta une allumette pour la sienne et se rejeta contre le dossier de son siège, dans l'ombre, afin de la mieux observer tout en évoquant sa première rencontre avec Dane quelques mois auparavant. Le cardinal de Bricassart avec quarante ans de moins; il s'en était rendu compte immédiatement, puis il avait appris qu'il s'agissait de l'oncle et du neveu, que la mère de Dane et de Justine O'Neill était la sœur du cardinal de Bricassart,

— Si, il y a une certaine ressemblance, concéda-t-il. Parfois même du visage. Davantage dans les expressions que dans les traits. Autour des yeux et de la bouche, dans la façon dont vous levez les paupières et dont vous serrez les lèvres. Pourtant, assez curieusement, vous ne partagez pas ces traits communs avec votre oncle, le cardinal.

— Mon oncle, le cardinal? répéta-t-elle, abasourdie.

— Le cardinal de Bricassart. N'est-il pas votre oncle? Je suis certain que c'est ce qui m'a été dit.

— Ce vieux vautour? Il n'est pas de notre famille, grâce au ciel! C'était le prêtre de notre paroisse, il y a des années, longtemps avant ma naissance.

Elle était très intelligente, mais aussi très fatiguée. Pauvre petite fille — c'est bien ce qu'elle était, une petite fille. Les dix ans qui les séparaient s'étiraient jusqu'à en devenir cent. Le soupçon entraînerait l'effondrement de son monde, et elle le défendait si vaillamment. Elle se refuserait probablement à ouvrir les yeux, même si on l'obligeait à regarder les choses en face. Comment donner le change? En n'insistant pas, évidemment, mais sans pourtant changer trop rapidement de sujet.

— Cela explique bien des choses, dit-il avec légèreté.

— Explique quoi?

— Le fait que la ressemblance de Dane avec le cardinal se cantonne à des généralités... taille, teint, stature.

— Oh, ma grand-mère m'a expliqué que notre père ressemblait assez au cardinal, déclara tranquillement Justine.

— Vous n'avez donc jamais vu votre père?

— Pas même en portrait. Ma mère et lui se sont séparés définitivement avant la naissance de Dane. (Elle fit signe au garçon.) Un autre cappuccino, je vous prie.

— Justine, vous êtes une sauvage! Laissez-moi passer la commande pour vous!

— Non, bon Dieu, sûrement pas! Je suis parfaitement capable de penser par moi-même, et je n'ai pas besoin qu'un type quelconque me dise toujours ce que je veux et quand je le veux. C'est compris?

— Grattez le vernis et vous découvrirez la rebelle... C'est ce que Dane a dit.

— Il a raison. Oh! si vous saviez à quel point j'ai horreur d'être cajolée, dorlotée, chouchoutée! J'aime agir par moi-même, et je n'accepte pas qu'on me dise ce que j'ai à faire. Je ne demande pas de faveurs, mais je n'en accorde pas non plus.

— Je m'en aperçois, répliqua-t-il sèchement. Qu'est-ce qui vous rend si intraitable, *herzchen*? Est-ce de famille?

— Franchement, je n'en sais rien. Chez nous, les femmes sont trop rares pour qu'on le sache avec certitude. Seulement une par génération. Ma grand-mère, ma mère et moi. Mais des tas d'hommes, par contre.

— Sauf dans votre génération. Il n'y a que Dane.

— Probablement parce que ma mère a quitté mon père. Elle n'a jamais semblé s'intéresser à qui que ce soit d'autre. Maman est femme d'intérieur jusqu'au bout des ongles; elle aurait adoré dorloter un mari.

— Vous ressemble-t-elle?

— Je ne crois pas.

— Vous vous aimez toutes les deux?

— M'man et moi? (Elle sourit sans trace de rancœur, un peu comme sa mère l'aurait fait si quelqu'un lui avait demandé si elle aimait sa fille.) Je ne suis pas très sûre que nous nous aimions; mais il y a quelque chose. Peut-être s'agit-il d'un simple lien biologique, je ne sais pas. (Ses yeux s'assombrirent.) J'aurais toujours souhaité qu'elle me parle comme elle parle à Dane et que je m'entende aussi bien avec elle que mon frère. Mais il y a sans doute une lacune chez l'une ou l'autre... probablement chez moi. C'est une femme beaucoup mieux que moi.

— Je ne la connais pas; je ne peux donc vous donner

tort ou raison. Si cela peut vous réconforter le moins du monde, vous me plaisez telle que vous êtes. Non, je ne changerais rigoureusement rien chez vous, pas même votre ridicule agressivité.

— Comme c'est gentil de votre part! Et après que je vous ai insulté, qui plus est. Je ne ressemble vraiment pas à Danc, n'est-ce pas?

— Dane ne ressemble à personne en ce monde.

— Vous voulez dire qu'il n'appartient pas à ce monde?

— Oui, peut-être. (Il se pencha en avant, hors de l'ombre, vers la faible lueur dispensée par la bougie fichée dans une bouteille de chianti.) Je suis catholique et ma religion est la seule chose qui ne m'ait jamais trahi. Je n'aime pas parler de Dane parce que, du fond du cœur, je sais qu'il est préférable de ne pas aborder certains sujets. Vous ne lui ressemblez pas dans votre attitude envers la vie, ou envers Dieu. Si on en restait là, hein?

Elle le dévisagea avec curiosité.

— Entendu, Rainer, si vous voulez. Je vais passer un pacte avec vous... quel que soit le sujet de nos discussions, nous n'évoquerons jamais ni la nature de Dane ni la religion.

Bien des événements étaient intervenus dans la vie de Rainer Moerling Hartheim depuis sa rencontre avec Ralph de Bricassart en juillet 1943. Une semaine après leur entrevue, son régiment avait été envoyé sur le front de l'est où il passa le reste de la guerre. Déchiré, désemparé, trop jeune pour avoir été embrigadé dans les Jeunesses hitlériennes avant le début de la guerre, il eut le temps de réfléchir aux conséquences de l'hitlérisme, les pieds dans la neige, sans munitions, sur un front si démuni qu'il ne comptait guère qu'un soldat tous les cent mètres. Et la guerre ne lui laissa que deux souvenirs : celui d'une campagne atroce par un froid

287

atroce et le visage de Ralph de Bricassart. Horreur et beauté, le diable et Dieu. A demi fou, à demi gelé, attendant sans la moindre défense que les partisans russes se laissent tomber sans parachutes des planeurs volant à très basse altitude pour atterrir dans les congères, il se frappait la poitrine et marmottait des prières. Mais il ne savait pas pour quoi il priait : des balles pour son fusil, échapper aux Russes, son âme immortelle, l'homme dans la basilique, l'Allemagne, une atténuation de la douleur.

Au printemps de 1945, il battit en retraite à travers la Pologne devant les Russes, animé, comme ses camarades, d'un unique objectif — atteindre une zone occupée par les Britanniques ou les Américains. Car, s'il tombait entre les mains des Russes, c'en serait fait de lui. Il déchira ses papiers et les brûla, enterra ses deux Croix de Fer, vola quelques vêtements et se présenta aux autorités britanniques à la frontière danoise. On l'envoya dans un camp pour personnes déplacées en Belgique. Là, pendant un an, il vécut de pain et de bouillie; c'était tout ce que les Britanniques, épuisés, pouvaient fournir pour nourrir les dizaines de milliers d'individus dont ils avaient la charge, en attendant qu'ils finissent par comprendre que la libération de ces malheureux serait en tous points préférable.

A deux reprises, les responsables du camp le convoquèrent pour le mettre au pied du mur. Un navire attendait au mouillage dans le port d'Ostende et chargeait des immigrants pour l'Australie. On lui remettrait des papiers et on l'embarquerait gratuitement pour gagner cette nouvelle patrie. En compensation, il devrait effectuer deux ans de travail pour le gouvernement australien à la discrétion de celui-ci. Après quoi sa vie lui appartiendrait en propre. Ce n'étaient pas les travaux forcés; il recevrait un salaire normal, évidemment. Mais lors de ces deux occasions, à force d'éloquence, il parvint à éviter cette forme d'émigration précipitée. Il avait haï Hitler, pas l'Allemagne, et il n'avait pas honte d'être allemand. A ses yeux, l'Allemagne était son foyer; elle avait meublé ses rêves depuis plus de trois ans. La seule pensée de se voir de nouveau perdu dans un pays où personne ne parlait sa langue, où il ne comprendrait personne lui faisait l'effet d'une malédiction. Aussi, au début de 1947, se retrouva-t-il sans un sou dans les rues d'Aachen, prêt à rassembler les morceaux de son existence avec une énergie farouche.

Lui et son âme avaient survécu, mais pas pour retourner à la pauvreté, à l'obscurité. Car Rainer était plus qu'un homme ambitieux, une sorte de génie. Il travailla pour Grundig, et étudia la matière qui l'avait passionné depuis ses premiers contacts avec les radars : l'électronique. Il bouillonnait d'idées, mais il refusa de les vendre à Grundig pour une part infime de leur valeur. Au lieu de quoi, il jaugea soigneusement le marché, puis épousa la veuve d'un homme qui était parvenu à conserver deux petits ateliers de radio et se lança dans les affaires à son compte. Son intelligence lui avait conféré la maturité d'un être beaucoup plus âgé et le chaos de l'Allemagne d'après guerre offrait d'immenses possibilités aux hommes jeunes et entreprenants.

Etant donné qu'il avait contracté un mariage civil, l'Eglise l'autorisa à divorcer; en 1951, il régla à Annelise Hartheim le double de la valeur des ateliers de son premier mari et reprit sa liberté; pourtant, il ne se remaria pas.

Ce que le jeune homme avait enduré dans la terreur glacée de Russie ne produisit pas une caricature d'individu dénué d'âme, mais cela étouffa en lui mollesse et douceur, exaspéra d'autres qualités — intelligence, implacabilité, détermination. Un homme qui n'a rien à perdre a tout à gagner, et un homme insensible ne peut être blessé. C'est tout au moins ce qu'il se répétait; en

289

fait, il était curieusement semblable à celui qu'il avait rencontré à Rome en 1943. Comme Ralph de Bricassart, il comprenait qu'il agissait mal au moment même où il accomplissait l'acte; non que la conscience du mal qu'il abritait l'arrêtât le moins du monde, ne fût-ce qu'une seconde; il dut seulement payer sa réussite matérielle par la douleur et le tourment. Beaucoup de ses semblables auraient estimé qu'il l'avait payée trop cher mais, pour sa part, il jugeait qu'elle valait deux fois la souffrance endurée. Un jour, il serait à la tête de l'Allemagne et ferait de ce pays ce qu'il avait rêvé; il supprimerait le code aryen et luthérien, le remplacerait par un autre infiniment plus large. Sachant qu'il ne pourrait promettre de ne pas retomber dans le péché, il avait refusé l'absolution au confessionnal à plusieurs reprises, mais sa personnalité et sa religion finirent par s'accommoder et par former un tout jusqu'à ce que l'accumulation d'argent et de pouvoir l'eussent dépouillé peu à peu de sa culpabilité pour qu'il pût exprimer un réel repentir et être absous.

En 1955, devenu l'un des hommes les plus riches et les plus puissants de la nouvelle Allemagne de l'Ouest, nouvellement élu au parlement de Bonn, il retourna à Rome. Pour chercher le cardinal de Bricassart et lui montrer l'ultime résultat de ses prières. Par la suite, il ne put se souvenir de ce qu'il avait attendu de cette entrevue car, du début à la fin de l'entretien, il n'eut conscience que d'une seule chose : il décevait Ralph de Bricassart. Il avait compris pourquoi sans avoir besoin de poser la question. Mais il ne s'était pas attendu à la remarque du cardinal au moment où il prenait congé :

— J'avais prié pour que vous soyez meilleur que moi, parce que vous étiez si jeune. Aucune fin ne justifie tous les moyens. Mais je suppose que les graines de notre ruine sont semées avant notre naissance.

De retour dans sa chambre d'hôtel, il avait pleuré,

mais s'était calmé en réfléchissant : le passé est résolu; à l'avenir, je serai tel qu'il le souhaite. Et parfois, il y parvenait, parfois il échouait, mais il essayait. Son amitié avec les prélats du Vatican devint ce qu'il avait de plus précieux au monde, et il s'envolait pour Rome chaque fois que son désespoir exigeait leur réconfort. Le réconfort. Le leur était d'une étrange sorte. Pas l'imposition des mains ni la suavité des paroles. Plutôt un baume venu de l'âme comme s'ils comprenaient sa souffrance.

Et, tout en marchant dans la chaude nuit romaine après avoir déposé Justine à sa pension, il songeait qu'il ne cesserait jamais d'être reconnaissant à la jeune fille. Car, en l'observant pendant qu'elle affrontait l'épreuve que représentait pour elle l'entrevue de l'après-midi, il avait ressenti un élan de tendresse à son endroit. Blessé, mais gardant la tête froide, le petit monstre. Elle était capable de se mesurer à eux sans céder de terrain. S'en rendaient-ils compte? Il avait l'impression d'avoir éprouvé ce que lui aurait inspiré une fille dont il eût été fier, mais il n'avait pas de fille. Aussi l'avait-il enlevée à Dane, emportée, afin d'observer ses réactions après l'expérience accablante de cette synthèse ecclésiastique, renforcée par la présence d'un frère qui lui était inconnu, le Dane qui n'était plus, et ne pourrait jamais plus faire partie intégrante de sa vie.

Ce qu'il y avait d'agréable chez le Dieu personnel de Rainer, c'est qu'il pouvait tout pardonner. Il pouvait pardonner à Justine son athéisme foncier, et, à lui, la fermeture à double tour de son potentiel émotionnel jusqu'au moment où il lui conviendrait de le rouvrir. Pendant un temps, il avait cédé à l'affolement, croyant en avoir perdu la clef à jamais. Il sourit, jeta sa cigarette. La clef... Eh bien, parfois les clefs peuvent adopter d'étranges formes. Peut-être que chaque boucle de cette tête rousse était nécessaire pour faire jouer la serrure; peut-être que, dans une salle pourpre, son Dieu lui avait tendu une clef du même rouge.

Une éphémère journée disparue en une seconde. Mais en consultant sa montre il s'aperçut qu'il était encore tôt; il savait que l'homme qui détenait tant de pouvoir maintenant que le Souverain Pontife approchait de la mort serait encore éveillé, habitué qu'il était à partager les mœurs nocturnes de sa chatte. Ces atroces hoquets qui emplissaient la petite pièce de Castel Gandolfo, tordant le visage émacié, pâle, ascétique qui avait resplendi sous la tiare depuis tant d'années; il s'éteignait et c'était un grand pape. Peu importe ce que l'on disait; il était un grand pape. S'il avait aimé les Allemands, s'il aimait entendre parler allemand autour de lui, cela changeait-il quoi que ce soit? Il n'appartenait pas à Rainer d'en juger.

Mais pour ce que Rainer voulait savoir à cet instant, Castel Gandolfo ne pouvait lui être d'aucun secours. Et de monter les marches conduisant à la salle pourpre afin de parler à Vittorio Scarbanza, cardinal di Contini-Verchese. Qui serait peut-être le prochain pape, ou peut-être pas. Depuis près de trois ans, il avait observé les yeux sagaces, tendres, sombres, se poser là où ils aimaient avant tout se poser; oui, mieux valait chercher la réponse chez lui que chez le cardinal de Bricassart.

— Je ne croyais jamais m'entendre dire ça, mais Dieu soit loué! nous partons pour Drogheda, dit Justine, en refusant de jeter une pièce dans la fontaine de Trevi. Nous devions voyager en France et en Espagne, au lieu de quoi nous sommes encore à Rome où je me sens aussi inutile qu'un nombril. Quelle plaie!

— Hum! Ainsi, vous êtes convaincue de l'inutilité des nombrils? remarqua Rainer. Je crois me souvenir que Socrate partageait cette opinion.

— Socrate? Je ne m'en souviens pas! Bizarre, je

croyais avoir lu presque toutes les œuvres de Platon.

Elle se tortilla pour lui faire face et songea que les vêtements banals du touriste à Rome lui allaient infiniment mieux que le sobre complet qu'il portait lors des audiences du Vatican.

— Il était absolument convaincu de l'inutilité des nombrils au point que, pour prouver le bien-fondé de sa thèse, il dévissa son propre nombril et le jeta.

— Et que se produisit-il? demanda-t-elle avec un frémissement des lèvres.

— Sa toge est tombée.

— Quelle blague! gloussa-t-elle. D'ailleurs, on ne portait pas de toge à Athènes à cette époque. Mais j'ai la désagréable impression que votre histoire contient une morale. (Elle retrouva son sérieux.) Pourquoi perdez-vous votre temps avec moi, Rain?

— Espèce de tête de mule! Cessez d'amputer mon prénom de la sorte.

— Alors, vous ne comprenez pas, marmonna-t-elle en regardant pensivement les scintillants filets d'eau, le bassin malpropre, criblé de pièces sales. Etes-vous déjà allé en Australie?

Un frémissement parcourut les épaules de Rainer.

— J'ai failli y aller par deux fois, *herzchen,* mais j'ai réussi à l'éviter.

— Eh bien, si vous y étiez allé, vous comprendriez. Vous avez un nom magique pour les Australiens lorsqu'on le prononce à ma façon. Rain. Vous savez bien qu'en anglais rain signifie pluie. La vie dans le désert.

Interdit, il laissa glisser sa cigarette.

— Justine, vous ne tombez pas amoureuse de moi?

— Ce que les hommes peuvent être prétentieux! Désolée de vous décevoir, mais c'est non. (Puis, comme pour adoucir la dureté de ses paroles, elle glissa la main dans la sienne, la serra.) C'est quelque chose de bien mieux.

— Qu'est-ce qui pourrait être mieux que de tomber amoureuse?

— Presque n'importe quoi, d'après moi. Je ne veux pas avoir besoin d'un être de cette façon. Jamais.

— Peut-être avez-vous raison. C'est certainement une entrave quand ça vient trop tôt. Alors, qu'est-ce qui est mieux?

— Trouver un ami. (Elle lui caressa la main.) Vous êtes mon ami, n'est-ce pas?

— Oui. (Le sourire aux lèvres, il jeta une pièce dans la fontaine.) Là! J'ai dû lui confier au moins mille deutsche marks au fil des ans, simplement pour avoir l'assurance que je continuerai à sentir la chaleur du sud. Parfois, dans mes cauchemars, je suis encore glacé.

— Vous devriez sentir la chaleur du vrai sud, dit Justine. 45 degrés à l'ombre... en admettant que l'on puisse en trouver.

— Pas étonnant que vous ne sentiez pas la chaleur.

Ses lèvres s'écartèrent en un rire silencieux, comme toujours; emprise du temps passé quand un vrai rire risquait de tenter le destin.

Elle avait ôté ses chaussures, comme d'habitude; terrifié, il la regardait marcher pieds nus sur le pavé et l'asphalte assez chaud pour qu'on pût y cuire un œuf.

— Sale gosse! Mettez vos chaussures.

— Je suis australienne. Nos pieds sont trop larges pour être à l'aise dans des souliers. C'est dû au fait que nous n'avons jamais de véritables grands froids; nous marchons pieds nus chaque fois que nous le pouvons. Je suis capable de traverser un enclos bourré d'épines et de les retirer de mes pieds sans même les sentir, lança-t-elle fièrement. Je serais probablement capable de marcher sur des charbons ardents. (Puis, brusquement, elle changea de sujet.) Aimiez-vous votre femme, Rain?

— Non.

294

— Vous aimait-elle?

— Oui. Elle n'avait aucune autre raison de m'épouser.

— La pauvre! Vous vous êtes servi d'elle et vous l'avez laissé tomber.

— Est-ce que ça vous déçoit?

— Non, je ne crois pas. En fait, je ne vous en admire que davantage. Mais ça me peine pour elle, et ça renforce ma résolution de ne jamais me laisser embarquer dans une telle connerie.

— Vous m'admirez? demanda-t-il d'un ton uni, stupéfait.

— Pourquoi pas? Je ne cherche pas en vous ce que votre femme a manifestement trouvé. J'éprouve de la sympathie pour vous. Vous êtes mon ami. Elle vous aimait, vous étiez son mari.

— Je crois, *herzchen,* que les ambitieux n'ont rien de très agréable pour leurs femmes, laissa-t-il tomber, non sans tristesse.

— C'est parce qu'ils tombent généralement sur des femmes du type carpette. Le genre « Oui, mon chéri, non, mon chéri, qu'est-ce que je peux faire pour toi, chéri ». La guigne, quoi. Si j'avais été votre femme, je vous aurais conseillé d'aller vous faire foutre ailleurs, mais je parie qu'elle ne vous l'a jamais dit.

— Non, la pauvre Annelise, admit-il, lèvres frémissantes. Elle était du genre martyre et ses armes étaient infiniment moins blessantes. En outre, elle ne s'exprimait pas d'une façon aussi directe et délicieusement châtiée.

Les larges orteils de Justine s'accrochaient au bord de la fontaine comme des doigts vigoureux. Elle se rejeta en arrière et retomba sur ses pieds avec aisance.

— Enfin, il faut convenir que vous vous êtes bien conduit avec elle à la fin. Vous vous en êtes débarrassé. Elle est infiniment plus tranquille sans vous, bien qu'elle ne s'en rende probablement pas compte. Tandis que moi je peux vous garder parce que je ne vous aurai jamais dans la peau.

— Vous êtes vraiment dure avec moi, Justine. Comment avez-vous appris tout ça sur mon passé?

— J'ai demandé à Dane. Naturellement, comme à son habitude, il s'est contenté d'énoncer les faits, sans plus, mais j'en ai tiré mes déductions.

— Grâce à l'énorme somme d'expérience que vous avez accumulée, sans aucun doute. Quelle bluffeuse vous faites! On prétend que vous êtes une excellente comédienne, mais j'ai du mal à le croire. Comment parvenez-vous à exprimer des émotions que vous n'avez jamais connues? En tant que femme vous êtes plus retardée sur le plan affectif que la plupart des filles de quinze ans.

Elle se laissa tomber du bord de la fontaine, s'assit sur le muret et se pencha pour enfiler ses chaussures; l'air lugubre, elle agita encore ses orteils.

— Merde, j'ai les pieds enflés!

Aucune réaction de hargne ou d'indignation ne donnait à penser qu'elle avait entendu ce que Rainer venait de lui dire. A croire que les remontrances ou les critiques que l'on pouvait lui adresser étaient tout simplement neutralisées par un système occultant ses facultés auditives lorsque l'envie lui en prenait. Comme elle avait dû en entendre! Un vrai miracle qu'elle ne détestât pas Dane.

— C'est une question à laquelle il est difficile de répondre, dit-elle enfin. Je dois en être capable, sinon je ne serais pas aussi bonne, n'est-ce pas? Mais c'est un peu comme... une attente. Je veux parler de ma vie hors de scène. Je me réserve; on n'a toujours qu'un certain capital à dépenser. Nous sommes limités dans ce que nous pouvons donner, vous ne croyez pas? Et, sur scène, je ne suis pas moi, ou plus exactement je suis une succession de moi. Nous abritons tous une profusion de soi. Pour moi, jouer est avant tout et essentiellement intellectuel; l'émotion ne vient qu'après. L'un libère l'autre et l'affine. C'est tellement plus que simplement pleurer, hurler ou s'extirper un rire juste. C'est magnifique, vous savez, de s'imaginer dans la peau d'un autre soi, de quelqu'un que j'aurais pu être si les circonstances l'avaient voulu. C'est là le secret. Pas de devenir quelqu'un d'autre, mais d'assimiler le rôle au point que le personnage devienne soi; et il devient moi. (Elle se remit brutalement sur pied comme si la surexcitation était trop grande pour qu'elle demeurât immobile.) Imaginez, Rain! Dans vingt ans, je pourrai me dire j'ai commis des meurtres, je me suis suicidée, je suis devenue folle, j'ai sauvé des hommes ou je les ai ruinés. Oh! les possibilités sont infinies.

— Et vous les incarnerez toutes; elles seront toutes vous. (Il se leva, lui prit de nouveau la main.) Oui, vous avez raison, Justine. Vous ne pouvez pas dépenser votre capital en dehors de la scène. Chez n'importe qui d'autre je crois que ce serait possible, mais chez vous je n'en suis pas si sûr.

18

Avec un peu d'imagination, les habitants de Drogheda auraient pu croire que Rome et Londres n'étaient pas plus éloignés que Sydney et que, quoique adultes, Dane et Justine étaient encore des enfants en pension. Evidemment, ils ne pouvaient revenir pour passer de courtes vacances comme jadis, mais une fois par an ils débarquaient pour un mois au moins. Généralement en août ou septembre, et ils ne paraissaient pas avoir beaucoup changé. Très jeunes. Etait-il important qu'ils eussent quinze et seize ans ou vingt-deux et vingt-trois? Si les gens de Drogheda vivaient pour ce mois de début de printemps, ils s'abstenaient résolument de phrases telles que « Eh bien, plus que quelques semaines et ils seront là », ou « Grand Dieu, il n'y a même pas un mois qu'ils sont partis! ». Mais dès juillet, le pas des uns et des autres devenait plus alerte et des sourires permanents s'installaient sur les visages. Des cuisines aux enclos, en passant par le salon, on préparait cadeaux et réjouissances.

Entre-temps, il y avait les lettres. Celles-ci reflétaient généralement la personnalité de leurs auteurs, mais parfois elles se révélaient contradictoires. On aurait pu penser, par exemple, que Dane serait un correspondant d'une régularité méticuleuse tandis que Justine donnerait de ses nouvelles sporadiquement. Que Fee n'écrirait jamais. Que les frères Cleary enverraient deux lettres par an. Que Meggie enrichirait les postes en envoyant des missives chaque jour, tout au moins à Dane. Que Mme Smith, Minnie et Cat expédieraient des cartes de Noël et d'anniversaire. Qu'Anne Mueller écrirait souvent à Justine, jamais à Dane.

Dane avait d'excellentes intentions et, effectivement, il écrivait régulièrement. Par malheur, il oubliait souvent de poster son courrier; aussi il arrivait que l'on n'eût aucune nouvelle pendant deux ou trois mois, puis Drogheda recevait des dizaines de lettres en même temps. La loquace Justine rédigeait de longues missives, reflux de conscience, suffisamment grossières pour faire rougir, inquiéter, mais absolument passionnantes. Meggie n'écrivait que tous les quinze jours à ses deux enfants. Justine ne recevait jamais de lettres de sa grand-mère; par contre il en arrivait souvent à Dane. Chacun des oncles du jeune séminariste lui donnait régulièrement des nouvelles de la terre, des moutons, de la santé des femmes de Drogheda car tous estimaient qu'il était de leur devoir de l'assurer que tout allait bien à la maison. Pourtant, ils n'allaient pas jusqu'à agir de même envers Justine, laquelle en eût d'ailleurs été absolument stupéfaite. Quant aux autres, Mme Smith, Minnie, Cat et Anne Mueller, leur correspondance était conforme à ce qu'on pouvait en attendre.

Il était agréable de lire les lettres, et pénible de les écrire. Pour tous, sauf Justine qui était exaspérée de ne jamais en recevoir du genre qu'elle eût souhaité — épaisses, longues et franches. C'était par l'entremise de Justine que les gens de Drogheda recevaient des renseignements sur la vie de Dane car les lettres de celui-ci n'entraient jamais dans le vif du sujet contrairement à celles de sa sœur. Ainsi, écrivit-elle à une occasion :

Rain est arrivé à Londres par avion aujourd'hui. Il m'a dit qu'il avait vu Dane à Rome la semaine dernière. Il le voit beaucoup plus souvent que moi puisque Rome arrive en tête de liste de son carnet de voyage et Londres tout à fait en bas de page. Aussi je dois avouer que c'est essentiellement à cause de Rain que je retrouve Dane à Rome chaque année avant de partir pour chez nous. Dane aime bien venir à Londres, mais je m'oppose à ce qu'il se pointe ici quand Rain est à Rome. Egoïsme. Vous n'imaginez pas à quel point j'aime me trouver avec Rain. C'est l'une des rares personnes que je connaisse qui soit capable de m'en donner pour mon argent, et je souhaiterais le voir plus souvent.

Sur un certain plan, Rain a plus de chance que moi. Il rencontre des camarades de séminaire de Dane, moi pas. Je crois que Dane a l'impression que je les violerais sur place. A moins qu'il ne croie qu'eux me sauteraient dessus. Ah! Si seulement ils me voyaient dans mon costume de Charmian. Il est sensationnel, les enfants, vrai-

ment. *Une sorte de vamp, une Theda Bara au goût du jour. Deux petits boucliers de bronze pour les nichons, des tas, des tas de chaînes et ce que j'imagine être une ceinture de chasteté — en tout cas, il faudrait un fameux ouvre-boîte pour en venir à bout. Avec une longue perruque noire, du fond de teint sombre sur le corps et mes petits morceaux de métal, je suis du tonnerre.*

... Où en étais-je? Ah oui! Rain était la semaine dernière à Rome où il a retrouvé Dane et ses camarades. Ils sont tous partis en virée. Rain insiste toujours pour payer afin de ne pas gêner Dane. Ç'a été une nuit mémorable. Pas de femme, naturlich, mais tout le reste. Est-ce que vous pouvez imaginer Dane à genoux dans un boui-boui de Rome en train de débiter des vers à un vase de jonquilles? Pendant dix minutes, il s'est efforcé de mettre les mots du poème dans l'ordre, mais sans y parvenir; alors il a renoncé et, une jonquille entre les dents, il s'est mis à danser. Pouvez-vous seulement imaginer Dane dans cette situation? Rain prétend que c'est inoffensif et indispensable. Trop de travail et pas de dérivatifs, etc. Les femmes étant hors de question, le mieux est une cuite carabinée; c'est tout au moins ce que prétend Rain. Ne croyez pas que ça arrive souvent, ce n'est pas le cas et, d'après ce que j'ai compris, quand ça se produit, c'est Rain qui mène la danse. Il peut donc garder à l'œil toute cette équipe de gamins attardés. Je dois avouer que j'ai beaucoup ri en imaginant l'auréole de mon cher frère en train d'aller valser dans les décors pendant qu'il dansait un flamenco, une jonquille entre les dents.

Dane passa huit ans à Rome avant d'être ordonné prêtre, et, au début de son séjour, un tel laps de temps paraissait à tous interminable. Pourtant, ces huit années passèrent plus vite qu'aucun des habitants de

Drogheda ne l'avait imaginé. Personne se savait exactement ce qu'il allait faire après son ordination, sinon que, vraisemblablement, il rentrerait en Australie. Seules Justine et Meggie se doutaient qu'il désirerait demeurer en Italie et, pour sa part, Meggie pouvait apaiser ses doutes en se remémorant le contentement de son fils lors de chacun de ses séjours à Drogueda. Il était australien, il voudrait rentrer chez lui. Pour Justine, il en allait différemment. Personne n'imaginait qu'elle pût revenir définitivement. Elle était comédienne et, en Australie, c'en serait fait de sa carrière, tandis que Dane pourrait exercer son ministère n'importe où avec le même zèle.

— C'est une véritable faillite, dit Meggie.
— Pardon, que disiez-vous, chérie? demanda Anne.
Assises dans un angle chaud de la véranda, elles lisaient, mais Meggie avait reposé son livre sur ses genoux et, l'air absent, observait le manège de deux bergeronnettes sur la pelouse. Les pluies avaient été abondantes cette année; partout des vers et des insectes, et les oiseaux replets et heureux s'en donnaient à cœur joie. Pépiements et gazouillis meublaient l'air de l'aube au coucher du soleil.
— Je dis que c'est une véritable faillite, répéta Meggie dans une sorte de croassement. Un fiasco. Toutes ces promesses! Qui aurait pu s'en douter en 1921 quand nous sommes arrivés à Drogheda?
— Que voulez-vous dire?
— Six fils au total, plus moi, et l'année d'après deux autres garçons. A quoi était-on en droit de s'attendre? Des dizaines d'enfants, une cinquantaine de petits-enfants? Et voyez où nous en sommes. Hal et Stu sont morts, aucun de ceux qui restent ne semble avoir la moindre intention de se marier et moi, qui ne peux léguer le nom des Cleary, j'ai été la seule à donner des

héritiers à Drogheda. Et cela n'a tout de même pas comblé les dieux. Un fils et une fille. On aurait pu imaginer plusieurs petits-enfants. Et que se passe-t-il? Mon fils entre en religion, et ma fille a embrassé une carrière de femme libre. Décidément, Drogheda est marqué.

— Je ne vois pas ce que la situation a de tellement étrange, répliqua Anne. Après tout, que pouvait-on attendre de la part de vos frères? Parqués ici comme des kangourous timides, comment auraient-ils rencontré des filles susceptibles de devenir leurs épouses? Quant à Jims et Patsy, ils sont restés marqués par la guerre. Pouvez-vous imaginer que Jims se marie en sachant que Patsy est trop diminué pour convoler? Ils sont beaucoup trop proches l'un de l'autre pour envisager une quelconque séparation. Et d'ailleurs, la terre est exigeante, elle prend tout des hommes, d'autant qu'ils n'ont pas grand-chose à donner. J'entends sur le plan physique. Est-ce que ça ne vous a jamais frappée, Meggie? Votre famille n'est pas très portée sur le sexe pour dire les choses brutalement. Et c'est d'ailleurs valable pour Dane et Justine. Certains individus ont des besoins impérieux, mais ce n'est pas le cas chez vous tous. Pourtant, Justine finira peut-être par se marier. Il y a Rainer, cet Allemand, auquel elle semble très attachée.

— Vous avez mis le doigt dessus, convint Meggie qui n'était pas d'humeur à être consolée. Elle lui semble très attachée. Sans plus. Après tout, elle le connaît déjà depuis sept ans. Si elle avait voulu l'épouser, ce serait fait depuis des années.

— Croyez-vous? Je connais bien Justine, répondit Anne à juste titre car elle la connaissait mieux que quiconque à Drogheda, y compris Meggie et Fee. J'ai l'impression qu'elle est terrifiée à l'idée de se jeter tête la première dans un mariage d'amour avec tout ce que ça impliquerait, et je dois dire que j'admire Rainer. Il semble très bien la comprendre. Oh! je n'irais pas jusqu'à dire qu'il est amoureux d'elle, je ne suis pas dans le secret des dieux. Mais s'il l'est, il a au moins l'intelligence d'attendre qu'elle soit prête à faire le plongeon. (Elle se pencha en avant; oublié, son livre tomba sur le carrelage.) Oh, écoutez cet oiseau! Son chant en remonterait à un rossignol. (Puis elle se décida à exprimer ce qu'elle avait sur le cœur depuis des semaines.) Meggie, pourquoi n'allez-vous pas à Rome assister à l'ordination de Dane?

— Je n'irai pas à Rome, dit Meggie, les dents serrées. Je ne quitterai plus jamais Drogheda.

— Meggie, je vous en prie! Vous risquez de lui faire tant de peine! Allez-y, je vous en supplie. Sinon, il n'y aura pas une femme de Drogheda puisque vous êtes la seule qui soit suffisamment jeune pour entreprendre le voyage par avion. Je vous assure que si je croyais que mon vieux corps puisse survivre à cette expédition je n'hésiterais pas une seconde.

— Aller à Rome pour voir Ralph de Bricassart faire ses simagrées? Je préférerais mourir.

— Oh, Meggie, Meggie! Pourquoi les accabler, lui et votre fils, de vos frustrations? Vous l'avez déjà reconnu... c'est votre propre faute. Alors, oubliez votre orgueil et partez pour Rome, je vous en prie.

— Ce n'est pas une question d'orgueil. (Elle frissonna.) Oh, Anne, j'ai peur d'y aller! Parce que je n'y crois pas. Je n'arrive tout simplement pas à y croire! J'en ai la chair de poule quand j'y pense.

— Et avez-vous songé qu'il pourrait ne pas revenir en Australie après avoir été ordonné prêtre? Avez-vous envisagé cette éventualité? On ne lui accordera plus de longues vacances comme quand il était au séminaire. Alors, s'il décide de rester à Rome, vous serez peut-être obligée d'aller en Italie si vous voulez le voir. Partez pour Rome, Meggie.

— Je ne peux pas. Si vous saviez comme j'ai peur! Ce n'est pas une question d'orgueil, ni de voir Ralph l'emporter sur moi, ni aucune des raisons que je donne à tous pour mettre un terme aux questions dont on m'assaille. Dieu sait que mes deux hommes me manquent tant que je serais capable de faire le voyage à genoux si je pouvais penser, ne serait-ce qu'une minute, qu'ils ont besoin de moi. Oh, Dane serait content de me voir, mais Ralph? Il a oublié jusqu'à mon existence. Je meurs de peur, je vous assure. Au tréfonds de moi, je sais que si je vais à Rome il arrivera quelque chose. Aussi je n'irai pas.

— Et que voulez-vous qu'il arrive?

— Je ne sais pas... Si je le savais, j'aurais quelque chose à combattre, mais une impression... Comment peut-on combattre une impression? Car il s'agit de ça. Une prémonition. Comme si les dieux se rassemblaient.

Anne rit.

— Vous vieillissez sérieusement, Meggie. Arrêtez!

— Je ne peux pas, je ne peux pas! Et je suis une vieille femme.

— Ridicule. Vous êtes dans la pleine force de l'âge. En excellente santé et bien assez jeune pour sauter dans un avion.

— Oh, laissez-moi tranquille! s'emporta Meggie en ramassant son livre.

Parfois, une foule qu'anime un but précis converge sur Rome. Pas pour le tourisme, la contemplation des gloires passées dans les reliques actuelles; pas pour occuper un laps de temps entre A et B avec Rome pour étape. Il s'agit là d'une foule unie par une seule et même émotion; elle éclate de fierté car elle vient pour voir fils, neveu, cousin, ami ordonné prêtre dans la grande basilique, l'église la plus vénérée du monde. Ses membres descendent dans d'humbles pensions, des hôtels de luxe, chez des amis ou parents. Mais ils sont totalement unis, en paix les uns avec les autres et avec le monde. Ils entreprennent les tournées classiques avec déférence : musée du Vatican avec la chapelle Sixtine pour couronner leur endurance; le Forum, le Colisée, la voie Appienne, la place d'Espagne, la cupide fontaine de Trevi, le spectacle son et lumière. Passant le temps dans l'attente du grand jour. On leur accordera le privilège exceptionnel d'une audience privée avec le Saint-Père et, pour eux, Rome n'aura rien de trop beau.

Cette fois, ce n'était pas Dane qui attendait Justine sur le quai comme lors des occasions précédentes. Il faisait retraite. A sa place, Rainer Moerling Hartheim arpentait l'asphalte sale comme un gros animal. Il n'accueillit pas Justine avec un baiser; il ne se livrait jamais à une telle démonstration, il lui passa seulement un bras autour des épaules et la pressa contre lui.

— Vous avez tout de l'ours, remarqua Justine.

— De l'ours?

— Au début, quand je vous ai connu, je pensais que vous incarniez une sorte de maillon manquant, mais j'ai fini par comprendre que vous teniez davantage de l'ours que du gorille. La comparaison avec le gorille manquait de gentillesse.

— Et les ours sont gentils?

— Eh bien, ils mettent sans doute leurs victimes à mort tout aussi rapidement, mais leur étreinte est plus douce. (Elle passa le bras sous le sien et calqua son pas sur celui de l'homme car elle était presque aussi grande que lui.) Comment va Dane? L'avez-vous vu avant qu'il entre en retraite? J'aurais volontiers tué Clyde pour ne pas m'avoir libérée plus tôt.

— Dane est toujours le même.

— Vous ne l'avez pas débauché?

— Moi? Bien sûr que non. Vous êtes en beauté, *herzchen.*

— Je me suis mise sur mon trente et un; j'ai rendu visite à tous les couturiers de Londres. Ma nouvelle jupe vous plaît? On l'appelle mini.

— Marchez devant moi et je vous répondrai.

L'ourlet de la jupe arrivait à peu près à mi-cuisse; la soie tournoya quand elle revint vers lui.

— Qu'en pensez-vous, Rain? Est-ce vraiment scandaleux? J'ai remarqué qu'à Paris on ne s'habillait pas encore aussi court.

— *Herzchen...* avec des jambes aussi belles que les vôtres, porter une jupe plus longue d'un millimètre serait proprement scandaleux. Je suis persuadé que les Romains seront d'accord avec moi.

— Autrement dit, j'aurai le cul plein de bleus en une heure au lieu d'une journée. Le diable les emporte! Pourtant, il y a quand même quelque chose d'étonnant, Rain...

— Quoi?

— Je n'ai jamais été pincée par un prêtre. Tout au long de ces années, je suis entrée et sortie du Vatican sans pouvoir me targuer du moindre pinçon ecclésiastique. Aussi j'ai pensé qu'en portant une minijupe j'avais encore une chance d'être à l'origine de la perte de quelque pauvre prélat.

— Vous pourriez être ma perte, dit-il en souriant.

— Non, vraiment? En orange? Je croyais que vous me détestiez en orange avec mes cheveux orange.

— Une couleur aussi chaude enflamme les sens.

— Vous me taquinez, marmonna-t-elle d'un air dégoûté en montant dans la limousine Mercedes dont l'aile s'ornait d'un fanion. En quel honneur ce petit drapeau?

— Il va de pair avec ma nomination au gouvernement.

— Pas étonnant que j'aie eu droit à un article dans le *News of the World*! L'avez-vous vu?

— Vous savez bien que je ne lis pas les torchons de ce genre, Justine.

— Ma foi, moi non plus. Quelqu'un me l'a montré (Sa voix se fit haut perchée et prit des intonations sarcastiques.) Quelle est l'actrice australienne en vogue aux cheveux carotte qui entretient de très cordiales relations avec un membre du gouvernement ouest-allemand?

— Les journalistes ne savent pas depuis combien de temps nous nous connaissons, répliqua-t-il tranquillement en allongeant confortablement les jambes.

Justine jeta un coup d'œil approbateur aux vêtements de son compagnon; très lâches, très italiens. Lui aussi se conformait à la mode européenne, osant porter l'une de ces chemises en filet qui permettaient aux mâles italiens d'exhiber la pilosité de leur poitrine.

— Vous ne devriez jamais porter des complets avec chemises et cols, dit-elle tout à trac.

— Ah non? Pourquoi?

— Le machinisme est décidément votre style... exactement ce que vous portez aujourd'hui, médaille et chaîne d'or sur une poitrine velue. Dans un complet, on dirait que vous avez du ventre, ce qui n'est pas le cas.

Un instant, il la considéra avec surprise, puis ses yeux se firent alertes, communiquant à son visage ce qu'elle appelait son expression de « réflexion concentrée ».

— Voilà qui est nouveau, grommela-t-il.

— Qu'est-ce qui est nouveau?

— Depuis sept ans que je vous connais, vous ne vous êtes jamais livrée au moindre commentaire sur mon apparence, sauf peut-être pour la dénigrer.

— Oh, vraiment, vous croyez? demanda-t-elle, l'air un peu honteux. Dieu sait que j'y ai souvent pensé et jamais pour la dénigrer. (Pour une raison quelconque, elle jugea bon d'apporter un rapide correctif.) Enfin, je veux dire à la façon dont vous vous habillez.

Il ne répondit pas, mais il souriait comme si une pensée extrêmement agréable lui venait à l'esprit.

Cette promenade en voiture avec Rainer représenta le seul moment de quiétude pendant plusieurs jours. Peu après leur visite au cardinal de Bricassart et au cardinal di Contini-Verchese, la limousine louée par Rainer déposa le contingent de Drogheda à l'hôtel. Du coin de l'œil, Justine observa la réaction de Rainer devant sa famille, constituée exclusivement d'oncles. Jusqu'au dernier moment, Justine avait espéré que sa mère changerait d'avis et viendrait à Rome. Le fait qu'elle se fût abstenue lui portait un rude coup; Justine ne savait pas très bien si elle éprouvait de la peine pour Dane ou si cette absence l'affectait personnellement. Mais quoi qu'il en soit, les oncles étaient là et il lui appartenait de les recevoir.

Oh, qu'ils étaient timides! Comment les distinguer les uns des autres? Plus ils vieillissaient, plus ils se ressemblaient. Et à Rome, ils tranchaient comme... ma foi, comme des éleveurs australiens en vacances à Rome. Chacun d'eux portait l'uniforme citadin des riches colons : demi-bottes à élastique, pantalon neutre, veste de sport brune faite d'une laine très lourde et bouclée, fendue sur les côtés et renforcée par une profusion de pièces de cuir, chemise blanche, cravate de laine tricotée, feutre gris à calotte plate et à large bord. Rien de très nouveau dans les rues de Sydney à l'occasion de l'Exposition Agricole de Pâques, mais assez insolite à Rome à la fin de l'été.

Enfin, Rain est là! Grâces en soient rendues à Dieu. Comme il est bon avec eux. Je n'aurais jamais cru quelqu'un capable d'inciter Patsy à parler, mais il y réussit. Ils caquettent tous comme des poules. Et où diable a-t-il déniché de la bière australienne à leur intention? Il les trouve sympathiques et s'intéresse à eux, je suppose. Tout est bon pour un industriel-politicien allemand.

Comment diable parvient-il à conserver sa foi en étant ce qu'il est? Tu es une véritable énigme, Rainer Moerling Hartheim. Ami de papes et de cardinaux, ami de Justine O'Neill. Oh, si tu n'étais pas si laid, je t'embrasserais tant je te suis reconnaissante. Seigneur, j'imagine ce que ce serait d'être perdue à Rome avec les oncles sans la présence de Rain. Rain..., décidément, aussi bienfaisant que la pluie.

Adossé à son siège, il écoutait Bob lui parler de la tonte et, n'ayant rien de mieux à faire puisqu'il se chargeait de tout si magistralement, Justine l'observait avec curiosité. Généralement, elle remarquait surtout les particularités physiques des individus mais, de temps à autre, sa vigilance se relâchait et elle laissait des êtres s'insinuer en elle, se tailler une place dans sa vie sans qu'elle eût fait le premier pas, pourtant essentiel à ses yeux. Car si celui-ci n'avait pas été accompli, parfois plusieurs années s'écoulaient avant qu'un individu fît de nouveau intrusion dans ses pensées en tant qu'étranger. Comme à présent, en observant Rainer. Tout était dû à leur première rencontre, évidemment, entourée qu'elle était d'hommes d'Église, angoissée, craintive, bien qu'essayant de crâner. Elle avait pris conscience de ses caractéristiques évidentes : sa puissante charpente, ses cheveux, son teint bistré. Puis, quand il l'avait emmenée dîner, la possibilité de rectifier son jugement s'en était allée, car il l'avait obligée à découvrir en lui infiniment plus que son apparence physique; elle avait été trop intéressée par ce que disait la bouche pour regarder la forme des lèvres.

Il n'est pas laid du tout, se dit-elle en le considérant. Il a bien l'air de ce qu'il est, peut-être un mélange du meilleur et du pire. Comme un empereur romain. Pas étonnant qu'il adore cette ville. Elle est son foyer spirituel. Visage large aux pommettes hautes et néanmoins nez petit et aquilin. Epais sourcils bruns, droits au lieu de suivre la courbe des orbites. Très longs cils noirs, presque féminins, et beaux yeux sombres, le plus souvent voilés pour masquer ses pensées. Son plus bel attrait est indéniablement sa bouche, lèvres ni trop pleines, ni minces, ni petites ni trop grandes, très bien formées, admirablement dessinées, ce qui souligne encore la fermeté qu'il leur communique; on dirait que s'il relâchait son emprise sur sa bouche, il livrerait les secrets de sa véritable personnalité. Intéressant de démonter un visage déjà si connu, et pourtant totalement inconnu.

Elle émergea de sa rêverie pour s'apercevoir qu'il l'observait, ce qui équivalait à être exposée nue devant une foule armée de pierres. Un instant, il la dévisagea, yeux grands ouverts et alertes, pas vraiment alarmés, mais intéressés. Puis, son regard se reporta calmement vers Bob auquel il posa une question pertinente sur la laine. Justine se rappela à l'ordre, se secoua, s'interdit tout vagabondage d'imagination. Mais c'était fascinant de voir tout à coup un homme, un ami de longue date, sous les traits d'un amant possible. Et de ne pas se rebeller le moins du monde devant cette pensée.

Elle avait donné de nombreux successeurs à Arthur Lestrange sans céder au fou rire. Oh, j'ai parcouru un long chemin depuis cette nuit mémorable, mais je me demande si je peux me targuer du moindre progrès. Il est très agréable de partager son lit avec un compagnon, et que Dane aille au diable avec ses théories sur l'homme unique. Je ne veux pas d'homme unique; aussi je ne coucherai pas avec Rain; oh, non! Ça modifierait trop de choses et je perdrais un ami. J'ai besoin de mon ami, je ne peux pas me permettre de me passer de lui. Je le garderai comme je garde Dane, un être humain du sexe masculin sans importance physique à mes yeux.

L'Eglise pouvait contenir vingt mille fidèles, elle

n'était donc pas comble. Nulle part au monde, on n'a consacré autant de temps, de réflexion et de génie à la création d'un temple de Dieu; celui-ci ravalait les œuvres païennes de l'Antiquité à l'insignifiance. Indéniablement.. Tant d'amour, tant de sueur. La basilique de Bramante, la coupole de Michel-Ange, le baldaquin du Bernin. Monument dédié non seulement à Dieu mais à la gloire de l'homme. Devant l'autel, sous le *confessio* de Maderno, est le tombeau de saint Pierre; là, Charlemagne fut couronné Empereur. L'écho de voix anciennes paraissait chuchoter parmi les éclats ténus de lumière, des doigts morts polisssaient des rais de clarté derrière le haut autel et caressaient les colonnes torses, en bronze, du baldaquin.

Il était étendu sur les marches, face contre terre, comme mort. A quoi pensait-il? Abritait-il une douleur interdite parce que sa mère n'était pas venue? Le cardinal de Bricassart le regarda à travers ses larmes et sut qu'il n'y avait pas de douleur. Avant, oui; après, certainement, mais maintenant pas de douleur. Tout en lui était projeté dans l'instant, le miracle. Aucune place en lui pour quoi que ce soit qui ne fût Dieu. C'était le jour d'entre les jours et rien ne comptait, sinon la tâche à accomplir, consacrer sa vie et son âme à Dieu. Il pouvait probablement y parvenir, mais combien d'autres y étaient réellement parvenus? Pas le cardinal de Bricassart, bien que celui-ci se rappelât sa propre ordination comme baignée d'un saint émerveillement. Il avait essayé de toutes les fibres de son être; pourtant, il ne s'était pas donné totalement.

Pas aussi solennelle que celle-ci, mon ordination, mais je la vis de nouveau à travers lui. Je me demande qui il est réellement pour qu'en dépit de nos craintes, il ait pu passer tant d'années parmi nous sans se créer la moindre inimitié, sans parler d'un véritable ennemi. Il est aimé de tous, et il les aime tous. Il ne lui vient pas à l'esprit un seul instant que cet état de choses soit extra-ordinaire. Et pourtant, quand il est venu à nous au début, il n'était pas sûr de lui; nous lui avons insufflé cette grâce, ce qui justifie peut-être nos existences. Il y a eu de nombreux prêtres ordonnés en ces lieux, des milliers et des milliers, pourtant, pour lui, cette cérémonie est particulière. Oh, Meggie! Pourquoi n'es-tu pas venue contempler le don que tu as fait à Notre-Seigneur? Le don que je ne pouvais lui faire m'étant moi-même consacré à Lui. Et je suppose que c'est pour ça qu'il est ici aujourd'hui libre de douleur. Parce que, aujourd'hui, le pouvoir de prendre sa douleur sur moi m'a été conféré pour l'en libérer. Je verse ses larmes, je me lamente à sa place. Et c'est ainsi qu'il doit en être.

Un peu plus tard, il tourna la tête, regarda vers la rangée des gens de Drogheda en sombres vêtements insolites. Bob, Jack, Hughie, Jims, Patsy. Une chaise vide pour Meggie, puis Frank. Les cheveux flamboyants de Justine atténués par la mantille de dentelle noire, la seule femme présente du clan Cleary. Rainer à côté d'elle. Puis de nombreuses personnes qu'il ne connaissait pas, mais qui communiaient en cette journée aussi pleinement que les gens de Drogheda. Aujourd'hui, tout était différent; aujourd'hui, c'était spécial pour lui. Aujourd'hui, il avait presque le sentiment que lui, aussi, avait un fils à donner. Il sourit et soupira. Que pouvait ressentir Vittorio en ordonnant Dane prêtre?

Peut-être parce que la présence de sa mère lui manquait douloureusement, Dane prit Justine à part dès le début de la réception que les cardinaux di Contini-Verchese et de Bricassart donnaient en son honneur. Il est splendide dans sa soutane noire et son haut col blanc, pensa-t-elle. Mais il n'a pas l'air d'un prêtre du tout. Il évoque davantage un comédien jouant le rôle d'un prêtre jusqu'au moment où on plonge dans ses yeux. Et la lumière intérieure était là, ce reflet qui transformait un très bel homme en un être unique.

— Père O'Neill, murmura-t-elle.

— Je ne m'y suis pas encore fait, Jus.

— Ça n'est pas très difficile à comprendre. Je ne me suis jamais sentie très à l'aise à Saint-Pierre. Alors, j'imagine ce que ça a été pour toi.

— Oui, tu dois pouvoir l'imaginer au fond de toi. Si tu n'en étais pas capable, tu ne serais pas une aussi bonne comédienne. Mais chez toi, Jus, ça vient de l'inconscient; ça n'envahit pas ta pensée avant que tu n'aies besoin de l'utiliser.

Ils étaient assis sur un petit canapé au fond de la salle et personne ne vint les déranger.

— Je suis heureux que Frank soit venu, dit-il au bout d'un moment en portant les yeux sur Frank qui causait avec Rainer, visage animé comme jamais sa nièce et son neveu ne l'avaient vu. Il y a un vieux prêtre, réfugié roumain, qui a une façon bien à lui de dire : « Oh, le pauvre homme! » avec une infinie compassion dans la voix... Assez curieusement, c'est toujours ainsi que je pense à Frank. Et pourtant, je me demande pourquoi, Jus.

Mais Justine ignora la digression et alla droit au cœur du sujet.

— M'man est à tuer! dit-elle entre ses dents serrées. Elle n'avait pas le droit de te faire ça!

— Oh, Jus! Je la comprends. De ton côté, essaie de la comprendre. Si elle avait agi par méchanceté, pour me faire du mal, je pourrais en avoir de la peine, mais tu la connais aussi bien que moi. Tu sais que ce n'est pas le cas. J'irai bientôt à Drogheda; je lui parlerai alors. Je saurai ce qui se passe.

— Je suppose que les filles ne sont jamais aussi patientes avec leur mère que les fils. (Les commissures de ses lèvres s'affaissèrent brusquement; elle haussa les épaules.) Peut-être est-il préférable que je sois trop individualiste pour jamais m'imposer à quelqu'un en tant que mère.

Les yeux bleus étaient très bons, très tendres; Justine sentit sa peau se hérisser en imaginant que Dane la prenait en pitié.

— Pourquoi n'épouses-tu pas Rainer? demanda-t-il brusquement.

Mâchoire affaissée, elle haleta.

— Il ne me l'a jamais demandé, dit-elle d'une voix ténue.

— Uniquement parce qu'il croit que tu répondrais non. Mais ça pourrait s'arranger.

Sans réfléchir, elle lui saisit l'oreille comme au temps de leur enfance.

— Ne te mêle pas de ça, espèce de cloche en collier de chien! Pas un mot, tu m'entends? Je n'aime pas Rain! C'est seulement un ami, et je tiens à ce que les choses en restent là. Si jamais tu osais allumer un cierge à cette intention, je te jure que je ne bougerais plus, je loucherais et te lancerais une malédiction... Tu te souviens combien ça te terrorisait, hein?

Il rejeta la tête en arrière et éclata de rire.

— Ça ne marcherait pas, Justine! Ma magie est plus puissante que la tienne à présent. Mais inutile de te mettre dans cet état. Je me trompais, c'est tout. J'imaginais qu'il y avait quelque chose entre toi et Rain.

— Non, il n'y a rien. Au bout de sept ans? Tu te rends compte! Vrai, les poules auraient des dents. (Elle laissa passer un temps, sembla chercher ses mots, puis le regarda, presque timidement.) Dane, je suis si heureuse pour toi. Je crois que si maman était là elle éprouverait le même sentiment. Il suffirait qu'elle te voie, maintenant, là, tel que tu es. Tu verras, elle finira par comprendre.

Très doucement, il lui prit le visage entre les mains,

lui sourit avec tant d'amour qu'elle lui saisit les poignets pour prolonger le contact dans toutes ses fibres. Comme si les années d'enfance revenaient, intactes.

Pourtant, elle crut deviner dans ses yeux une ombre de doute; non, doute convenait mal; de l'anxiété plutôt. Il paraissait certain que sa mère finirait par comprendre, mais il n'en était pas moins humain, ce que tous, sauf lui, avaient tendance à oublier.

— Jus, je voudrais que tu fasses quelque chose pour moi, lui dit-il lorsqu'elle lui lâcha les poignets.

— Tout ce que tu voudras, assura-t-elle avec sincérité.

— On m'accorde une sorte de répit pour réfléchir à ce que je vais faire. Deux mois. Et j'ai l'intention de me livrer à ces profondes réflexions en chevauchant à Drogheda après avoir parlé à m'man... J'ai l'impression que je ne pourrais pas prendre une décision avant de lui avoir parlé. Mais auparavant... comment dire? Eh bien, il faut que je rassemble tout mon courage avant de rentrer. Si tu en avais la possibilité, je voudrais que tu m'accompagnes en Grèce pour une quinzaine de jours, que tu me secoues sérieusement et que tu me traites de lâche jusqu'à ce que le seul son de ta voix me rende malade au point de sauter dans le premier avion pour ne plus l'entendre. (Il lui sourit.) D'ailleurs, Jussy, je ne voudrais pas que tu croies que je vais t'exclure totalement de ma vie, pas plus que je n'exclurai m'man. Tu as besoin de la voix de ta conscience de temps à autre.

— Oh, Dane! Bien sûr que je t'accompagnerai!

— Parfait, dit-il. (Il sourit de nouveau et la considéra avec malice.) J'ai vraiment besoin de toi, Jus. Avoir à supporter tes gueulantes me rappellera le bon vieux temps.

— Eh, pas de grossièretés, père O'Neill!

Il ramena les mains derrière sa nuque, s'adossa au canapé avec satisfaction.

— Eh oui, père O'Neill! C'est merveilleux, hein? Et

peut-être qu'après avoir vu m'man je pourrai me concentrer sur Notre-Seigneur. Je crois que c'est à cela que j'aspire, tu sais. Simplement, penser à Notre-Seigneur.

— Tu aurais dû choisir un ordre, Dane.

— J'en ai encore la possibilité. Je le ferai probablement. J'ai toute la vie; rien ne presse.

Justine quitta la réception en compagnie de Rainer auquel elle exposa son projet de partir en Grèce avec Dane; de son côté, Rainer l'informa qu'il lui fallait regagner son poste à Bonn.

— Il serait grand temps, remarqua-t-elle. Pour un ministre, ce n'est vraiment pas le travail qui vous étouffe. Tous les journaux vous traitent de play-boy et prétendent que vous traînez avec une actrice australienne aux cheveux carotte. Espèce de vieux débauché!

Il lui brandit un poing massif devant le nez.

— Mes rares plaisirs me coûtent plus que vous ne le saurez jamais.

— Ça vous ennuierait que nous marchions, Rain?

— Pas si vous gardez vos chaussures.

— J'y suis obligée maintenant. Les minijupes ont certains désavantages; l'époque des bas que l'on pouvait aisément ôter est révolue. On a inventé une version simplifiée des collants de théâtre dont on ne peut se dépouiller en public sans causer un esclandre digne du foin qu'a soulevé l'épisode de lady Godiva. Alors, à moins que vous ne vouliez me voir gâcher un collant de cinq livres, je suis prisonnière de mes chaussures.

— En tout cas, vous complétez mon éducation sur les vêtements féminins, les dessous y compris, remarqua-t-il suavement.

— Allons donc! Je parie que vous avez une douzaine de maîtresses et que vous savez parfaitement les déshabiller.

— Une seule, et comme toutes les maîtresses dignes de ce nom, elle m'attend en négligé.

— Dites-moi, je ne crois pas que nous ayons jamais évoqué votre vie intime jusqu'à présent. C'est fascinant. Comment est-elle?

— Blonde, bouffie, blette dans ses quarante ans, borborygmique.

Elle se figea.

— Oh, vous vous foutez de moi, grogna-t-elle d'un air pensif. Je ne vous vois pas avec une femme pareille.

— Pourquoi pas?

— Vous avez trop de goût.

— Chacun son sale goût, ma chère. Je n'ai rien d'un Adonis... Qu'est-ce qui pourrait vous faire croire que j'aie été capable de séduire une femme jeune et belle et d'en faire ma maîtresse?

— Parce que vous le pourriez! s'écria-t-elle, indignée. Bien sûr que vous le pourriez!

— A cause de mon argent?

— Non, pas pour votre argent! Vous me taquinez, comme toujours! Rainer Moerling Hartheim, vous avez parfaitement conscience de votre séduction, sinon vous ne porteriez pas de médaille d'or sur une chemise en filet. La beauté n'est pas tout... sinon, j'en serais encore à me demander si je dois mettre le nez dehors.

— L'intérêt que vous me portez est touchant, *herzchen*.

— Comment se fait-il que, chaque fois que je me trouve en votre compagnie, on dirait que je cours continuellement pour vous rattraper sans jamais y parvenir? (Sa brusque hargne fondit; l'air dubitatif, elle le regarda.) Vous ne parlez pas sérieusement, n'est-ce pas?

— Qu'est-ce que vous croyez? Pensez-vous que je sois sérieux?

— Non! Vous n'êtes pas vaniteux, mais vous savez combien vous êtes séduisant.

— Que je le sache ou pas importe peu; ce qui compte, c'est que vous me trouviez séduisant.

Elle faillit dire : bien sûr que vous l'êtes; il n'y a pas si longtemps, je vous imaginais sous les traits d'un amant, puis j'ai jugé que ça ne marcherait pas et que je préférais vous garder comme ami. Si elle avait exprimé sa pensée, il aurait peut-être conclu que le temps n'était pas venu et agi différemment. En l'occurrence, avant qu'elle pût proférer les mots, il la prit dans ses bras et l'embrassa. Pendant une bonne minute, elle demeura immobile, mourante, déchirée, écrasée, sentant la puissance qu'elle abritait se déchaîner, hurler de joie en découvrant une puissance égale à la sienne. Sa bouche... magnifique! Et ses cheveux, incroyablement épais, pleins de vie, qu'elle pouvait sauvagement explorer de ses doigts. Puis il lui prit le visage entre les mains, et la regarda, sourit.

— Je vous aime, dit-il.

Elle leva les mains vers ses poignets, mais pas pour se refermer doucement sur eux, comme avec Dane; ses ongles s'enfoncèrent, entamèrent sauvagement la chair; elle recula de deux pas, ramena l'avant-bras contre sa bouche, yeux élargis par la peur, haletante.

— Ça ne marcherait pas, marmonna-t-elle, le souffle court. Ça ne pourrait jamais marcher, Rain.

Et de retirer ses chaussures; elle se baissa prestement pour les ramasser, puis se retourna et s'enfuit; et, en quelques secondes, le froissement léger de ses pieds sur l'asphalte mourut.

Non qu'il ait eu l'intention de la suivre, bien qu'elle eût paru le croire. Ses deux poignets saignaient, lui faisaient mal. Il appliqua son mouchoir d'abord sur l'un, puis sur l'autre, haussa les épaules, remit le carré de batiste dans sa poche et demeura immobile, concentrant ses pensées sur ses légères blessures. Après un temps, il sortit son étui à cigarettes, en prit une, l'alluma et se mit lentement en marche. Aucun passant n'aurait pu déceler sur son visage ce qu'il ressentait. Tout ce qu'il voulait à portée de sa main... La prendre dans ses bras, la perdre. Idiote. Quand se déciderait-elle à grandir? Sentir, réagir, et ne pas le reconnaître.

Mais il était joueur et du genre prudent. Il avait attendu sept longues années avant de tenter sa chance, ayant enfin perçu un changement en elle lors de l'ordination. Pourtant, apparemment, il avait agi trop tôt. Eh bien, il y aurait toujours demain — ou, connaissant Justine, l'année suivante ou celle qui suivrait. En tout cas, il n'avait pas l'intention d'abandonner. S'il l'observait attentivement, un jour, il serait plus heureux.

Un rire muet frémit en lui; blonde, bouffie, blette dans ses quarante ans, borborygmique. Il ignorait ce qui l'avait poussé à brosser ce portrait, sinon que son ex-femme lui avait débité ces qualificatifs, les quatre B, traits classiques des bilieux. Elle avait souffert de calculs biliaires, la pauvre Annelise, bien qu'elle fût brune, maigre, dans la cinquantaine, refermée sur elle-même comme un génie dans une bouteille. Comment se fait-il que je pense à Annelise en ce moment? Ma patiente campagne de plusieurs années transformée en déroute, et je ne trouve rien de mieux qu'évoquer cette pauvre Annelise. Eh bien, à nous deux, *Fräulein* Justine O'Neill! Nous verrons bien.

De la lumière brillait aux fenêtres du palais; il monterait quelques minutes pour causer avec le cardinal de Bricassart qui semblait bien vieux ces temps-ci. Mauvaise mine. Peut-être devrait-il le persuader de subir un examen médical. Rainer se sentit le cœur serré, pas pour Justine, elle était jeune, rien ne pressait. Pour le cardinal, qui avait vu ordonner prêtre son propre fils, et sans le savoir.

Il était encore tôt et la foule se pressait dans le hall de l'hôtel. Chaussures aux pieds, Justine gagna rapidement l'escalier et monta les marches en courant, tête penchée. Puis, un instant, ses doigts tremblants ne parvinrent pas à trouver la clef de sa chambre dans son sac et elle songea qu'il lui faudrait descendre, braver la cohue devant la réception. Mais la clef était là; elle avait dû l'effleurer plus de dix fois.

Enfin à l'intérieur, elle s'approcha du lit à tâtons, se laissa tomber sur le bord et accueillit progressivement des pensées cohérentes. Elle se répétait qu'elle était révoltée, horrifiée, déçue; ses yeux regardaient sans le voir le grand rectangle de lumière pâle que formait le ciel nocturne à travers la fenêtre, en proie à une folle envie de tempêter, de pleurer. Ce ne serait plus jamais la même chose, et c'était là une tragédie. La perte de l'ami le plus cher. Une trahison.

Mots vides, faux; soudain, elle comprit parfaitement ce qui l'avait tant effrayée, obligée à fuir Rain comme s'il avait tenté de l'assassiner et non de l'embrasser. La vérité! L'impression d'un chez-soi, alors qu'elle rejetait aussi bien le foyer que la responsabilité de l'amour. Le foyer équivalait à frustration, l'amour aussi. Et ce n'était pas tout; même si l'aveu en était humiliant, elle n'était pas certaine de pouvoir aimer. Si elle en était capable, sa garde serait sûrement tombée une fois ou deux; une fois ou deux, elle aurait certainement ressenti un élan plus violent qu'une affection tolérante envers ses amants épisodiques. Il ne lui vint pas à l'esprit qu'elle choisissait délibérément des amants peu susceptibles de constituer une menace à l'encontre du détachement qu'elle s'était volontairement imposé, devenu à tel point partie intégrante d'elle-même qu'elle le considérait comme absolument naturel. Pour la première fois de sa vie, elle ne pouvait s'étayer sur aucun précédent. Jamais, dans son passé, elle n'avait tiré le moindre réconfort de ses liaisons ou ne s'était sentie engagée envers ses amants inconsistants. Personne à Drogheda ne saurait non plus lui être d'aucune aide puisqu'elle s'était toujours tenue en marge de sa famille.

Elle avait dû fuir Rain. Dire oui, s'engager envers lui, puis devoir assister à son repliement quand il aurait pris la mesure de toutes les lacunes qu'elle abritait?... Insupportable! Il apprendrait ce qu'elle était réellement et cette connaissance étoufferait son amour pour elle. Intolérable de dire oui et, finalement, d'être repoussée à jamais. Mieux valait qu'elle s'infligeât elle-même une telle rebuffade. Ainsi, son orgueil serait sauf — et Justine partageait la fierté inébranlable de sa mère. Rain ne devait jamais découvrir ce qui se cachait sous sa désinvolture garçonnière.

Il était tombé amoureux de la Justine qu'il voyait; elle ne lui avait laissé aucune possibilité de deviner l'abîme de doutes qui l'habitait. Seul, Dane soupçonnait leur existence — non, il savait.

Elle se pencha, posa le front sur la fraîcheur de la table de chevet, le visage ruisselant de larmes. C'était pour cela qu'elle aimait Dane à ce point, évidemment. Il savait ce qu'était la véritable Justine et il continuait à l'aimer. Les liens du sang jouaient, tout comme une vie de souvenirs, de problèmes, de peines, de joies partagés. Alors que Rainer était un étranger, pas lié à elle comme l'était Dane, ou même les autres membres de sa famille. Rien n'obligeait Rainer à l'aimer.

Elle renifla, se passa la main sur la figure, haussa les épaules et entreprit l'opération difficile consistant à repousser ses ennuis, dans quelque sombre repli de son cerveau où ils étaient étouffés, oubliés. Elle savait en être capable; toute sa vie, elle s'était employée à perfectionner cette technique. Mais celle-ci impliquait une activité incessante, une assimilation continuelle de tout ce qui l'entourait. Elle tendit la main et fit jouer l'interrupteur de la lampe de chevet.

L'un des oncles avait dû déposer la lettre dans sa chambre car l'enveloppe bleu pâle, ornée d'un timbre à l'effigie de la reine Elisabeth II, trônait sur la table de chevet.

Justine chérie, écrivait Clyde Daltinham-Roberts, *reviens au bercail, on a besoin de toi! Immédiatement! Il y a un rôle qui n'est pas distribué dans le répertoire de la saison prochaine, et mon petit doigt m'a dit qu'il serait susceptible de t'intéresser. Que dirais-tu de jouer Desdémone, chérie? Avec Marc Simpson dans le rôle d'Othello? Les répétitions avec les principaux interprètes commencent la semaine prochaine, ceci au cas où tu serais intéressée.*

Si elle était intéressée? Desdémone! Jouer Desdémone à Londres! Et avec Marc Simpson dans le rôle d'Othello! La chance d'une vie. Son enthousiasme monta en flèche au point que la scène avec Rain perdait toute signification, ou plutôt revêtait une autre signification. Peut-être, si elle se montrait très, très prudente, pourrait-elle conserver l'amour de Rain; une actrice follement acclamée était trop occupée pour accorder une large part de sa vie à ses amants. Le jeu en valait la chandelle. S'il paraissait devoir découvrir la vérité, elle pourrait toujours reculer une fois de plus. Pour garder Rain dans sa vie, surtout ce nouveau Rain, elle était prête à tout, sauf à mettre bas le masque.

En attendant, une telle nouvelle méritait d'être fêtée. Elle ne se sentait pas encore la force de faire face à Rain, mais d'autres pourraient partager sa joie. Elle mit donc ses chaussures, s'engagea dans le couloir jusqu'au salon commun des oncles et, quand Patsy lui ouvrit la porte, elle se dressa sur le seuil, bras écartés, rayonnante.

— Sortez les godets, je vais être Desdémone! annonça-t-elle.

Un instant plana un silence, puis Bob s'exclama avec chaleur :

— Voilà qui est bien de Justine!

Le plaisir de Justine ne s'émoussa pas; au lieu de quoi, il se transforma en une exaltation incontrôlable. En riant, elle s'affala dans un fauteuil et dévisagea ses oncles. Quels hommes charmants! Evidemment la nouvelle qu'elle leur apprenait n'avait guère de sens pour eux. Ils n'avaient pas la moindre idée de ce qu'était Desdémone. Si elle était venue leur annoncer son mariage, la réponse de Bob eût été à peu près la même.

Depuis qu'elle était en âge d'avoir des souvenirs ils avaient fait partie de sa vie et, malheureusement, elle les avait écartés avec le même mépris que tout ce qui touchait à Drogheda. Les oncles, pluralité n'ayant aucun rapport avec Justine O'Neill. Simples membres d'un clan qui entraient et sortaient de la maison, lui souriaient timidement, l'évitaient si la rencontre menaçait de se terminer par une conversation. Non qu'elle leur déplût, elle s'en rendait compte à présent, mais ils la devinaient étrangère et cela les gênait. Pourtant, dans ce monde romain qui, lui aussi, leur était étranger alors qu'il lui était familier, elle commençait à les mieux comprendre.

En proie à un élan vers eux qui aurait pu être qualifié d'amour, elle considéra l'un après l'autre les visages burinés, souriants. Bob, la force vive de l'unité, le patron de Drogheda, mais de façon si discrète; Jack, l'ombre de Bob, peut-être parce que tous deux s'entendaient si bien; Hughie qui abritait un soupçon de malice inconnue chez les deux autres et qui, pourtant, leur ressemblait tant; Jims et Patsy, envers et endroit d'un tout se suffisant à lui-même; et le pauvre Frank,

éteint, le seul qui semblât en proie à la peur et à l'insé-
curité. Tous, sauf Jims et Patsy, grisonnaient à présent.
Bob et Frank avaient même les cheveux blancs, mais ils
ne paraissaient pas très différents du souvenir qu'elle
gardait d'eux, remontant à son enfance.

— Je ne sais pas si je devrais te servir un verre, dit
Bob, l'air dubitatif, une bouteille de bière australienne,
bien glacée, à la main.

La remarque l'aurait considérablement irritée la
veille encore, mais à cet instant, elle était trop heureuse
pour s'en formaliser.

— Ecoute, mon chou, je sais qu'il ne te serait jamais
venu à l'idée de m'offrir un verre tout au long de nos
conversations avec Rain mais, crois-moi, je suis une
grande fille maintenant et je peux parfaitement boire
une bière. Je te jure que ce n'est pas un péché, acheva-
t-elle en souriant.

— Où est Rainer? demanda Jims en prenant des
mains de Bob un verre plein pour le lui tendre.

— Je me suis colletée avec lui.

— Avec Rainer?

— Eh bien, oui. Mais c'était ma faute. J'irai le trouver un peu plus tard pour lui dire que je regrette.

Aucun des oncles ne fumait. Bien qu'elle n'eût jamais
demandé un verre auparavant, lors de précédentes
occasions elle avait fumé par bravade pendant qu'ils
bavardaient avec Rain; à présent, il lui aurait fallu faire
appel à un courage dont elle ne se sentait pas capable
pour sortir son paquet de cigarettes; aussi se contenta-
t-elle de marquer un point avec un verre de bière; elle
mourait d'envie de le vider avidement, mais elle devait
tenir compte des regards braqués sur elle. Bois à petites
gorgées, comme une dame, Justine, même si tu te sens
plus sèche qu'un sermon rassis.

— Rainer est un type épatant, dit Hughie, les yeux
étincelants.

Etonnée, Justine comprit tout à coup pourquoi elle avait pris tant d'importance aux yeux des oncles : elle avait mis la main sur un homme qu'ils aimeraient accueillir dans la famille.

— Oui, laissa-t-elle tomber sèchement avant de changer de sujet. Quelle belle journée ç'a été, hein?

Toutes les têtes opinèrent avec un bel ensemble, même celle de Frank, mais aucun des hommes ne semblait vouloir s'étendre sur la cérémonie. Elle vit qu'ils étaient très fatigués, pourtant elle ne regretta pas l'impulsion qui l'avait poussée à leur rendre visite. Il fallait un certain temps aux sens et aux sentiments quasi atrophiés pour réapprendre à fonctionner normalement, et les oncles lui fournissaient un terrain propice. C'était là l'inconvénient de vivre dans une île; on finissait par oublier que le monde existait au delà de ses côtes.

— Qui est cette Desdémone? demanda Frank depuis le coin d'ombre où il se dissimulait.

Justine se lança dans une explication alerte, ravie de leur horreur quand elle leur apprit qu'elle finirait par être étranglée, et elle ne se rappela leur fatigue qu'une demi-heure plus tard, quand Patsy bâilla.

— Il faut que je m'en aille, dit-elle en posant son verre vide. Merci d'avoir écouté toutes mes bêtises.

Aucun d'eux ne lui avait offert une deuxième bière; apparemment, un verre était la limite pour les dames.

A la grande surprise et à la confusion de Bob, elle l'embrassa pour lui souhaiter une bonne nuit; Jack essaya de s'esquiver, mais elle le rattrapa aisément, et Hughie accepta le baiser de sa nièce avec empressement. Jims vira au rouge, endurant l'épreuve stoïquement. Quant à Patsy, il eut droit à une étreinte assortie d'un baiser, parce que, en soi, il pouvait être considéré comme un fragment de l'île. Et pour Frank, pas le moindre baiser car il détourna la tête; pourtant, quand elle passa les bras autour de lui, elle perçut le léger écho d'une intensité qui manquait totalement aux autres. Pauvre Frank. Pourquoi était-il ainsi?

La porte de leur appartement refermée derrière elle, elle s'appuya un instant au mur. Rain l'aimait. Mais quand elle essaya de le joindre par téléphone, la standardiste l'informa qu'il avait quitté l'hôtel pour regagner Bonn.

Aucune importance. Peut-être valait-il mieux qu'elle attende de se retrouver à Londres avant de le voir. Des excuses contrites par courrier et une invitation à dîner la prochaine fois qu'il se trouverait en Angleterre. Elle ignorait bien des choses sur Rain, mais elle ne doutait pas de l'une de ses qualités; il viendrait parce qu'il ne recelait pas la moindre parcelle de rancune. Depuis qu'il s'occupait des Affaires étrangères, l'Angleterre était devenue l'un de ses principaux ports d'attache.

— Attends, tu verras, mon gars, soliloqua-t-elle en se regardant dans la glace où elle surprit le visage de Rainer à la place du sien. Je ferai de l'Angleterre le centre de tes Affaires étrangères, ou je ne m'appelle plus Justine O'Neill!

Il ne lui était pas venu à l'esprit que son nom était peut-être au cœur de la question en ce qui concernait Rainer. Elle avait une fois pour toutes réglé sa vie et le mariage n'y tenait aucune part. L'idée que Rain pût souhaiter la voir devenir Justine Hartheim ne l'effleura même pas, trop occupée qu'elle était à se rappeler la saveur de son baiser et à rêver de ceux qui suivraient.

Restait un devoir à accomplir : dire à Dane qu'elle ne l'accompagnerait pas en Grèce, mais cela ne l'inquiétait guère. Dane comprendrait; il comprenait toujours. Néanmoins, elle songea qu'elle ne lui donnerait pas toutes les raisons qui l'empêchaient de partir avec lui. Malgré l'amour qu'elle portait à son frère, elle répugnait à écouter un de ses sermons bien sentis. Il souhaitait la voir épouser Rain et, si elle lui faisait part de ses intentions à l'égard de ce dernier, il l'obligerait à le suivre en Grèce, même s'il devait recourir à la force. Son cœur ne pouvait saigner de ce qu'il ignorait.

Mon cher Rain (ainsi commençait le petit mot), *je suis navrée de m'être sauvée comme une chèvre effarouchée l'autre soir; je ne sais pas ce qui m'a pris. La journée épuisante et tout ce qui s'ensuit, peut-être. Je vous en prie, pardonnez-moi de m'être conduite comme une sotte. J'ai honte d'avoir fait une cathédrale d'une vétille. Et je suppose que la cérémonie et le reste vous avaient aussi épuisé, alors, de là ces mots d'amour. Aussi, je vous propose de me pardonner, et de mon côté, je vous pardonnerai. Soyons amis, je vous en prie. Je ne peux pas supporter l'idée d'être en froid avec vous. La prochaine fois que vous viendrez à Londres, je vous attends pour dîner chez moi et nous établirons un traité de paix en bonne et due forme.*

Comme à l'accoutumée, le mot était simplement signé « Justine ». Pas la moindre formule affectueuse, elle n'en usait jamais. Sourcils froncés, il étudia les phrases banales, écrites en hâte, cherchant à percer leur véritable sens, à deviner l'état d'esprit de Justine quand elle les avait tracées. Sans aucun doute, un appel à l'amitié, mais quoi d'autre? Probablement pas grand-chose, pensa-t-il en soupirant. Il l'avait effrayée; le fait qu'elle lui gardât son amitié prouvait qu'il lui était cher, mais il doutait qu'elle démêlât exactement ce qu'elle ressentait à son endroit. Après tout, maintenant, elle savait qu'il l'aimait. Si, après un examen de conscience, elle s'était rendu compte qu'elle aussi l'aimait, elle lui aurait fait part de ses sentiments dans sa lettre. Pourtant, pourquoi était-elle retournée à Londres au lieu d'accompagner Dane en Grèce? Il savait qu'il ne pouvait espérer que ce fût à cause de lui mais, en dépit de ses doutes, l'espoir s'ingénia à colorer ses pensées si agréablement qu'il appela sa secrétaire. Il était 10 heures G.M.T., le meilleur moment pour la trouver chez elle.

— Demandez-moi l'appartement de miss O'Neill à Londres, dit-il.

Il attendit la communication, sourcils froncés.

— Rain! s'exclama Justine, apparemment enchantée. Vous avez reçu ma lettre?

— A la minute.

Après une courte pause, elle reprit :

— Et vous viendrez bientôt dîner chez moi?

— Je serai en Angleterre vendredi et samedi. Est-ce que je ne vous préviens pas un peu tard?

— Pas si samedi soir vous convient. Je répète le rôle de Desdémone, alors c'est rayé pour vendredi.

— Desdémone?

— C'est vrai, vous ne savez pas! Clyde m'a écrit à Rome pour me proposer le rôle. Marc Simpson joue Othello. Clyde met lui-même en scène. C'est magnifique, hein? Je suis rentrée à Londres par le premier avion.

Il porta la main à ses yeux, heureux que sa secrétaire se trouvât dans un autre bureau et qu'elle ne pût voir son visage.

— Justine, *herzchen*, ce sont des nouvelles merveilleuses! parvint-il à articuler avec enthousiasme. Je me demandais ce qui vous avait poussée à regagner Londres.

— Oh! Dane a très bien compris, assura-t-elle avec légèreté. Dans le fond, je crois qu'il était heureux de partir seul. Il avait fignolé toute une histoire en prétendant qu'il avait besoin de sa garce de sœur pour le tarabuster avant de rentrer en Australie, mais je crois surtout qu'il agissait ainsi afin que je ne me sente pas exclue de sa vie maintenant qu'il est prêtre.

— Vraisemblablement, convint-il poliment.

— Alors, à samedi soir, enchaîna-t-elle. Vers 6 heures.

Ainsi, nous aurons tout le temps d'établir notre traité de paix avec l'aide d'une bouteille ou deux, et je vous servirai à dîner dès que nous serons parvenus à un compromis satisfaisant. D'accord?

— Oui, bien sûr. Au revoir, *herzchen*.

La communication fut coupée brutalement par le bruit du récepteur de Justine retombant sur son support. Un instant, il garda le combiné en main, puis haussa les épaules et raccrocha. Au diable Justine! Elle commençait à s'immiscer dangereusement entre lui et son travail.

Elle continua à s'immiscer entre lui et son travail au cours des quelques jours qui suivirent, bien que cela passât inaperçu, même pour ses plus proches collaborateurs. Et le samedi soir, un peu après 6 heures, il se présenta chez elle, les mains vides comme à l'accoutumée car il était difficile de faire des cadeaux à Justine. Elle n'appréciait guère les fleurs, ne mangeait jamais de sucreries et elle aurait jeté dans un coin un présent plus dispendieux, le vouant à l'oubli. Les seuls cadeaux auxquels Justine paraissait attacher de la valeur provenaient de Dane.

— Du champagne comme apéritif? s'étonna-t-il.

— Eh bien, c'est le jour ou jamais, non? C'était notre première rupture et nous allons fêter notre réconciliation, rétorqua-t-elle, assez logiquement.

Elle lui désigna un fauteuil confortable et elle se laissa glisser à terre, sur une couverture de peaux de kangourous, lèvres entrouvertes, comme si elle avait préparé les répliques à tout ce qu'il était susceptible de lui dire.

Mais il ne tenait pas à entamer la conversation, quelle qu'elle fût, avant d'avoir réussi à percer l'humeur de Justine; aussi, l'observa-t-il en silence. Jusqu'à ce qu'il l'eût embrassée, il lui avait été facile de garder une certaine distance mais, maintenant, en la revoyant pour la première fois depuis cet épisode, il comprit qu'à l'avenir il éprouverait beaucoup plus de difficultés à persister dans son attitude.

Même lorsqu'elle serait très âgée, elle conserverait vraisemblablement quelque chose d'enfantin dans le visage et le maintien, comme si l'essence de la féminité ne devait jamais l'effleurer. Son cerveau froid, égocentrique, logique, semblait dominer totalement sa personnalité; pourtant, elle exerçait sur lui une fascination si puissante qu'il pensait ne jamais pouvoir lui substituer une autre femme. Pas une seule fois, il ne s'était posé la question de savoir si elle justifiait cette longue lutte. Peut-être pas du point de vue philosophique. Quelle importance? Elle représentait un but, une aspiration.

— Vous êtes très en beauté, *herzchen*, dit-il enfin.

Il leva son verre de champagne, à demi pour esquisser un toast, à demi pour reconnaître en elle un adversaire.

Un feu de coke rougeoyait, sans la protection d'un écran, dans la petite grille victorienne au centre de la cheminée, mais Justine ne semblait pas craindre la chaleur, blottie contre le montant, les yeux fixés sur Rainer. Puis elle posa bruyamment son verre sur le marbre du foyer et se pencha en avant, bras noués autour des genoux, pieds nus cachés dans les plis fournis de sa robe noire.

— J'ai horreur de tourner autour du pot, dit-elle. Etiez-vous sincère, Rain?

Subitement, il se détendit vraiment, s'adossa à son siège.

— Sincère? A quel sujet?

— Ce que vous m'avez dit à Rome... que vous m'aimiez.

— Ah! c'est de cela qu'il est question, *herzchen*?

Elle se détourna, haussa les épaules, reporta les yeux vers lui et opina.

— Mais évidemment.

— Pourquoi remettre ça sur le tapis? Vous m'avez dit ce que vous pensiez et j'avais cru comprendre que l'invitation de ce soir n'était pas prévue pour ressasser le passé mais bien plutôt pour parler d'avenir.

— Oh, Rain! Vous vous conduisez comme si je faisais des histoires! En admettant même que ce soit le cas, vous devez comprendre pourquoi.

— Non, absolument pas. (Il posa son verre et se pencha pour l'observer plus attentivement.) Vous m'avez donné à entendre de la façon la plus formelle que vous repoussiez mon amour, et j'espérais au moins que vous auriez le bon goût de vous abstenir d'en discuter.

Elle n'avait pas pensé que cette entrevue, quel que fût son dénouement, pourrait se révéler aussi éprouvante; après tout, c'est lui qui s'était placé dans la position de suppliant et il aurait dû attendre humblement qu'elle revînt sur sa décision; au lieu de quoi, il paraissait avoir adroitement retourné la situation. Elle avait l'impression d'être une sale gosse devant répondre de quelque ridicule incartade.

— Soyez beau joueur, c'est vous qui avez changé le *statu quo*, pas moi! Je vous ai invité ce soir pour implorer mon pardon après avoir blessé l'ego transcendantal du grand Hartheim!

— Sur la défensive, Justine?

Elle se tortilla avec impatience.

— Oui, bon Dieu! Comment diable arrivez-vous à me manœuvrer de la sorte, Rain? Oh, comme je souhaiterais qu'au moins une fois vous me donniez la joie d'avoir le dessus!

— Si je vous le permettais, vous me rejetteriez comme une vieille chaussette, dit-il en souriant.

— Ça, je peux encore le faire, mon vieux!

— Ridicule! Si vous ne l'avez pas fait jusqu'ici vous ne le ferez jamais. Vous continuerez à me voir parce que je vous tiens en haleine... vous ne savez jamais à quoi vous attendre de ma part.

— Est-ce pour ça que vous avez prétendu m'aimer? demanda-t-elle blessée. S'agissait-il simplement d'une astuce pour me tenir en haleine?

— Qu'en pensez-vous?

— Je pense que vous êtes un salaud de la plus belle eau! s'écria-t-elle d'une voix sifflante. (Elle avança à genoux sur la fourrure jusqu'à ce qu'elle fût suffisamment proche de lui pour qu'il pût pleinement bénéficier de sa colère.) Répétez que vous m'aimez, espèce de gros Teuton mal léché, et je vous crache à la figure!

Lui aussi était en colère.

— Non, je ne vous le répéterai pas! Ça n'est pas pour ça que vous m'avez demandé de venir, hein? Mes sentiments ne vous regardent en rien, Justine. Vous m'avez invité afin de mettre vos propres sentiments à l'épreuve et il ne vous est pas venu à l'idée de vous demander si c'était correct à mon égard.

Avant qu'elle ne pût s'éloigner, il se pencha, lui saisit les bras à hauteur des épaules et lui coinça le buste entre ses jambes, la maintenant fermement. La hargne la déserta instantanément; elle plaqua ses paumes sur les cuisses massives et leva le visage. Mais il ne l'embrassa pas. Il lui lâcha les bras, se détourna pour éteindre la lampe derrière lui, puis écarta les genoux, la libérant, et rejeta la tête contre le dossier du fauteuil; ainsi, elle ne pouvait savoir s'il avait plongé la pièce dans la pénombre, trouée seulement par le rougeoiement du foyer, afin de se livrer à des travaux d'approche avant de la posséder, ou simplement pour lui cacher son expression. Perplexe, craignant de se voir repoussée sans ménagement, elle attendit qu'il lui indiquât ce qu'il souhaitait d'elle. Elle aurait dû se rendre compte plus tôt qu'on ne pouvait pas manœuvrer un homme de la trempe de Rain. Il était aussi invincible que la mort.

Pourquoi ne posait-elle pas la tête sur ses genoux en disant : Rain, aime-moi, j'ai tellement besoin de toi et je m'en veux tant! Oh! sans aucun doute, si elle réussissait à ce qu'il lui fît l'amour sans plus tergiverser, leur étreinte ouvrirait les vannes, libérerait tout...

Toujours replié sur lui-même, lointain, il lui laissa ôter sa veste et sa cravate, mais lorsqu'elle commença à lui déboutonner sa chemise, elle sut que ça ne marcherait pas. Le genre d'adresse érotique tout instinctive, capable de rendre excitante l'opération la plus banale, ne faisait pas partie de son répertoire. C'était tellement important, et elle gâchait tout lamentablement. Ses doigts hésitèrent, une grimace lui tordit la bouche. Elle éclata en sanglots.

— Oh non! *Herzchen, liebchen*, ne pleurez pas! (Il l'attira sur ses genoux, lui nicha la tête contre son épaule, l'enlaça.) Je suis désolé, *herzchen*, je n'avais pas l'intention de vous faire pleurer.

— Maintenant, vous savez, balbutia-t-elle entre deux sanglots. Je ne suis qu'une pauvre ratée; je vous avais bien dit que ça ne marcherait pas! Rain, je voulais tant vous garder, mais je savais que ça ne marcherait pas si vous vous rendiez compte à quel point je suis minable!

— Non, évidemment, ça ne pouvait pas marcher. Comment aurait-il pu en être autrement? Je ne vous aidais pas, *herzchen*. (Il lui prit la tête pour amener son visage à hauteur du sien, lui embrassa les paupières, les joues tout humides, les commissures des lèvres.) C'est ma faute, *herzchen*, pas la vôtre. Je vous rendais la monnaie de votre pièce; je voulais savoir jusqu'où vous iriez sans encouragement de ma part. Mais je me suis trompé sur vos mobiles, *nicht wahr*? (Sa voix était devenue plus rauque, plus germanique.) Et si c'est là ce que vous voulez, vous l'aurez, mais pas l'un sans l'autre.

— Je vous en prie, Rain, laissons tomber! Je ne suis pas à la hauteur; vous seriez déçu.

— Oh si, vous êtes à la hauteur, *herzchen*! Je l'ai compris en vous voyant sur scène. Comment pouvez-vous douter de vous-même quand vous êtes avec moi?

La justesse de la remarque sécha ses pleurs.

— Embrassez-moi comme vous l'avez fait à Rome, murmura-t-elle.

Mais cela ne ressembla en rien au baiser de Rome. Celui-ci avait été brutal, révélateur, explosif; le baiser de Londres fut très langoureux, très prolongé; l'occasion de goûter, de sentir, de ressentir, de s'aventurer peu à peu dans la volupté. Elle laissa ses doigts retourner aux boutons tandis que ceux de Rainer tâtonnaient sur la fermeture à glissière de sa robe, puis il lui prit la main et la glissa sous sa chemise, contre la poitrine à la toison douce et fine. En sentant le brusque durcissement de la bouche contre sa gorge, Justine réagit si violemment qu'elle crut défaillir; elle eut l'impression de tomber et s'aperçut que tel était bien le cas; elle se retrouva étendue sur le tapis de fourrure, Rain se profilant au-dessus d'elle. Il avait ôté sa chemise, peut-être s'était-il dépouillé de ses autres vêtements; elle ne pouvait que voir le reflet du feu sur les épaules penchées au-dessus d'elle, et la bouche, belle, sévère. Résolue à réduire à jamais cette sévérité, elle lui glissa les doigts dans les cheveux et l'obligea à l'embrasser encore, fort, plus fort!

Et la sensation qu'il lui communiquait! Il lui semblait arriver au port en explorant chaque parcelle de lui, s'aidant de sa bouche, de ses mains, de son corps, à la fois fabuleux et étranger. Tandis que le monde sombrait, se résumait à la minuscule langue de feu qui lapait l'obscurité, elle s'ouvrit à ce qu'il voulait, découvrit ce qu'il lui avait toujours dissimulé depuis qu'elle le connaissait; il avait dû la posséder par l'imagination à d'innombrables reprises. Son expérience et une intuition nouvellement éclose le lui disaient. Elle était totalement désarmée. Avec n'importe quel autre homme cette intimité et cette stupéfiante sensualité l'auraient atterrée, mais il l'obligeait à voir en elles ce qu'elle seule avait le pouvoir de faire naître. Et elle les fit naître. Jusqu'à ce qu'elle le suppliât d'en finir, l'entourant si fortement de ses bras qu'elle découvrait la forme même des os de l'homme.

Les minutes s'écoulèrent, drapées d'assouvissement, de paix. Ils étaient retombés dans un rythme de respiration identique, lent, aisé; il gardait la tête nichée contre l'épaule douce, elle laissait sa jambe reposer en travers du corps musculeux. Peu à peu, l'étreinte puissante par laquelle elle l'enlaçait se relâcha, se mua en une caresse rêveuse, circulaire. Il soupira, se retourna et inversa la position dans laquelle ils étaient couchés, invitant inconsciemment sa compagne à s'enfoncer plus profondément dans le plaisir de sa présence. Elle lui appliqua la paume sur le flanc pour sentir la texture de sa peau, glissa la main sur le muscle tiède et ses doigts se formèrent en coupe pour recevoir la masse douce et lourde, nichée au creux de l'aine. Sentir les curieux mouvements, vifs, indépendants, qui animaient cette chair palpitante lui communiquait une impression totalement neuve; ses amants précédents ne l'avaient jamais suffisamment intéressée pour qu'elle eût souhaité prolonger sa curiosité sensuelle jusqu'à cette caresse languide, désintéressée. Pourtant, subitement, elle cessa d'être languide et désintéressée pour devenir si excitante qu'elle quémanda une nouvelle étreinte.

Elle n'en fut pas moins surprise quand il lui glissa les bras derrière le dos, lui prit la tête entre les mains et la maintint suffisamment proche de lui pour qu'elle se rendît compte que sa bouche avait perdu toute sévérité, qu'elle se formait uniquement par elle, et pour elle. Tendresse et humilité naquirent littéralement en elle à cet instant. Ces sentiments neufs durent se refléter sur son visage car il la regardait avec des yeux devenus si brillants qu'elle ne pouvait supporter leur éclat, et elle se pencha pour lui écraser la bouche de la sienne. Pensées et sens se confondaient enfin, mais le cri qu'elle poussa s'assourdit, gémissement inarticulé du bonheur qui l'envahissait si profondément qu'elle perdit conscience de tout ce qui n'était pas désir, esprit libéré sous la pression de l'urgence instinctive. Le monde acheva son ultime contraction, se replia sur lui-même, et disparut totalement.

Rainer avait dû entretenir le feu car, lorsque la pâle lumière du jour londonien joua à travers les plis des rideaux, une douce température régnait encore dans la pièce. Cette fois, quand il remua, Justine en eut conscience et, craintive, lui saisit le bras.

— Ne t'en va pas!

— Je ne m'en vais pas, *herzchen*. (Il attira à lui un autre coussin du divan, le glissa derrière sa tête et se rapprocha d'elle en soupirant doucement.) Tu es bien?

— Oui.

— Tu n'as pas froid?

— Non, mais si toi tu as froid, nous pouvons nous mettre au lit.

— Après avoir fait l'amour pendant des heures sur un tapis de fourrure? Quelle déchéance! Même si tu as des draps de soie noire.

— Ils sont tout bêtement en coton et blancs. Ce morceau de Drogheda est agréable, n'est-ce pas?

— Ce morceau de Drogheda?

— Le tapis. Ce sont des peaux de kangourous de Drogheda, expliqua-t-elle.

— C'est loin d'être suffisamment exotique et érotique. Je vais te commander une peau de tigre du Bengale.

— Oh! Ça me rappelle un petit poème que j'ai entendu une fois.

Croyez-vous que jamais on vous dénigre
Si avec la belle Elinor Glyn
Vous péchiez sur douce palatine
Plutôt que sur tiède peau de tigre?
Ou préférez-vous commettre faute charnelle
Sur mille dépouilles d'agiles gazelles?

— Décidément, *herzchen*, je crois qu'il est grand temps que tu retrouves ta lucidité. Entre les exigences d'Eros et de Morphée, tu as oublié ton impertinence foncière pendant toute une demi-journée, remarqua-t-il en souriant.

— Je n'en éprouve pas le besoin pour le moment, dit-elle en lui rendant son sourire. (Elle lui prit la main, la glissa entre ses jambes.) Je n'ai pas pu résister aux vers de mirliton concernant la peau de tigre; ils allaient trop bien dans le tableau, mais je n'ai plus un seul cadavre dans mes placards, alors l'impertinence ne serait pas de mise, tu ne crois pas? (Elle renifla, prenant subitement conscience d'une légère odeur de poisson qui flottait dans la pièce.) Grand Dieu, tu n'as même pas dîné, et maintenant il est l'heure du petit déjeuner! Tu ne peux quand même pas vivre d'amour et d'eau fraîche!

— Pas si tu exiges des prouesses amoureuses aussi exténuantes, en tout cas.

— Allons donc! Tu n'as pas laissé ta part au chat.

— Sûrement pas. (Il soupira, s'étira, bâilla.) Tu ne peux pas savoir à quel point je suis heureux.

— Je crois que si, laissa-t-elle tomber paisiblement.

Il s'appuya sur un coude pour la mieux regarder.

— Dis-moi, le rôle de Desdémone était-il l'unique raison de ton retour à Londres?

Elle lui saisit le lobe de l'oreille, le tordit doucement.

— Maintenant, c'est à mon tour de te faire payer tes questions de maître d'école! Qu'est-ce que tu crois?

Il lui prit les doigts, dégagea aisément son oreille et sourit.

— Si tu ne me réponds pas, *herzchen*, je t'étrangle-rai, et d'une manière infiniment plus définitive que celle de Marc dans son rôle d'Othello!

— Je suis rentrée à Londres pour jouer Desdémone mais aussi à cause de toi. Je n'ai pas été capable de me conduire normalement depuis que tu m'as embrassée à Rome, et tu le sais très bien. Vous êtes un homme très intelligent, Rainer Moerling Hartheim.

— Suffisamment intelligent pour avoir su que je te voulais pour femme dès l'instant où je t'ai rencontrée.

— Pour femme? fit-elle en se redressant vivement.

— Oui, pour épouse. Si j'avais souhaité faire de toi ma maîtresse, je t'aurais prise depuis pas mal d'années, et j'aurais très bien pu. Je sais comment fonctionne ton cerveau; c'eût été relativement facile. L'unique raison qui m'en ait empêché, c'est que je te voulais pour femme, tout en sachant que tu n'étais pas prête à accep-ter l'idée d'un mari.

— Je ne suis pas certaine de l'être maintenant, dit-elle tout en s'imprégnant de la nouvelle.

— Eh bien, tu peux commencer à faire ton apprentis-sage en préparant le petit déjeuner. Si j'étais chez moi, je te ferais les honneurs, mais ici c'est toi la cuisinière.

— Je ne vois aucun inconvénient à te préparer le petit déjeuner ce matin, mais de là à m'engager jusqu'à mon dernier jour... (Elle secoua la tête.) Je ne crois pas que ce soit mon lot, Rain.

Même visage d'empereur romain, tout aussi impérial, imperturbable devant les menaces d'insurrection.

— Justine, il ne s'agit pas d'un jeu, et je ne suis pas un homme avec lequel on joue. Nous avons tout le temps. Tu es bien placée pour savoir à quel point je suis patient. En ce qui nous concerne, le mariage est l'uni-que solution qui puisse être envisagée; sors-toi toute autre idée de la tête. Je n'ai pas l'intention de tenir auprès de toi un rôle plus effacé que celui de mari.

— Je ne renoncerai pas au théâtre! s'écria-t-elle, agressive.

— *Verfluchte kiste*, te l'ai-je demandé? Il est temps que tu grandisses, Justine! A t'entendre, on dirait que je veux te condamner à perpétuité au ménage et à la cuisine! Nous sommes loin d'être aux abois, tu sais. Tu pourras disposer d'autant de domestiques que tu voudras, de nurses pour les enfants, de tout ce qui te plaira.

— Beurk! fit Justine qui n'avait pas songé aux enfants.

Il rejeta la tête en arrière et éclata de rire.

— Oh, *herzchen*, c'est ce qu'on appelle la vengeance du lendemain matin! Je me conduis comme un idiot en te mettant si vite en face des réalités, je le sais. Mais, à ce stade, tout ce que je te demande est d'y penser. Pourtant, je te préviens charitablement... en prenant ta décision, n'oublie pas que, si je ne peux pas t'avoir pour épouse, je ne te veux pas du tout.

Elle lui jeta les bras autour du cou, s'y accrocha désespérément.

— Oh, Rain! Ne me rends pas les choses si difficiles! s'écria-t-elle.

Au volant de sa Lagonda, seul, Dane traversait le nord-est de l'Italie; il passa Pérouse, Florence, Bologne, Ferrare, Padoue, préféra éviter Venise et fit étape à Trieste. Il aimait cette ville, aussi demeura-t-il deux jours de plus sur la côte adriatique avant de s'engager sur les routes de montagne conduisant à Ljubljana; autre étape à Zagreb. Descente de la grande vallée de la Save parmi les champs bleus de fleurs de chicorée jusqu'à Belgrade, puis Nis où il s'arrêta pour la nuit. Ensuite, la Macédoine et Skopje, toujours en ruine après le tremblement de terre intervenu deux ans plus tôt. Et Tito-Veles, la ville de vacances, bizarrement turque avec ses mosquées et minarets. Tout au long de son voyage en Yougoslavie, il avait mangé de façon frugale, trop gêné à l'idée de s'installer devant une grande assiette de viande alors que les autochtones devaient se contenter de pain.

La frontière grecque à Evzone, au delà Thessalonique. Les journaux italiens commentaient longuement les menaces de révolution qui couvaient en Grèce. Debout devant la fenêtre de sa chambre d'hôtel, il observait les milliers de torches qui allaient et venaient, s'agitaient sans cesse dans la nuit de Thessalonique; il était heureux que Justine ne l'ait pas accompagné.

« Pap-an-dre-ou! Pap-an-dre-ou! Pap-an-dre-ou! » scandait la foule qui opéra flux et reflux entre les torches jusque passé minuit.

La révolution était un phénomène propre aux villes, aux concentrations denses de population et de pauvreté; par contre, le paysage de Thessalie, qui portait les cicatrices de nombreux conflits, devait encore ressembler à celui que les légions de César avaient traversé au milieu des champs brûlés pour aller triompher de Pompée à Pharsale. Les bergers dormaient à l'abri de tentes de peaux, les cigognes se tenaient sur une patte au centre des nids coiffant de petits bâtiments blancs; partout, une terrifiante aridité. Les vastes superficies brunes, sans arbres, sous le ciel clair, lui rappelaient l'Australie. Il respira profondément, sourit à la pensée de rentrer bientôt chez lui. M'man comprendrait quand il lui parlerait.

Au-dessus de Larissa, la mer se découvrit à lui; il arrêta la voiture et descendit. La mer d'Homère, sombre comme le vin, se teintant d'un délicat outremer à proximité des plages, tachée d'un pourpre de raisin, s'étendait jusqu'à la courbe de l'horizon. Une prairie verte, très loin au-dessous de lui, entourait un minuscule temple à colonnes, très blanc dans le soleil et, sur une éminence, derrière lui, une rébarbative forteresse remontant aux croisés avait triomphé des épreuves du temps. Grèce, que tu es belle, plus belle que l'Italie que j'aime tant! Mais ici est le berceau, le berceau éternel.

Impatient d'atteindre Athènes, il reprit la route, engagea rapidement la voiture de sport sur les montagnes russes du col Domokos et descendit de l'autre côté, en Béotie, où s'offrit à lui un stupéfiant panorama d'oliveraies, de collines rousses, de montagnes. En dépit de sa hâte, il s'arrêta pour contempler le bizarre monument, presque hollywoodien, érigé à la gloire de Léonidas et de ses Spartiates aux Thermopyles : « Passant, va dire à Sparte que nous sommes tous morts ici pour obéir à ses lois. » Les mots éveillèrent en lui un curieux écho, presque comme s'il les avait entendus dans d'autres circonstances; il frissonna et repartit rapidement.

Il s'arrêta au-dessus de Kamena Voura, se baigna dans les eaux claires, face au détroit d'Eubée; de là étaient partis à destination de Troie les mille vaisseaux ayant appareillé d'Aulis. Le courant était fort, portait vers le large; les hommes n'avaient pas dû avoir à peser beaucoup sur leurs avirons. Les roucoulades et œillades de la vieille mégère vêtue de noir, qui surveillait l'établissement de bains, le gênèrent. Il s'enfuit promptement. Les gens ne se livraient plus à des remarques concernant la beauté de son visage, aussi la plupart du temps lui était-il facile de l'oublier. Prenant seulement le temps d'acheter deux énormes gâteaux à la crème, il continua sa route le long de la côte attique et arriva à Athènes au moment où le soleil se couchait, revêtant d'or le prestigieux roc et sa précieuse couronne de colonnades.

Mais l'ambiance d'Athènes était tendue, hargneuse, et la franche admiration des femmes le mortifia; les Romaines se montraient plus blasées, plus subtiles.

L'agitation régnait au sein de la foule, relent d'émeute, farouche détermination de la population de porter Papandreou au pouvoir. Non, Athènes ne tenait pas ses promesses, mieux valait aller ailleurs. Il remisa la Lagonda dans un garage et s'embarqua à bord d'un bateau partant pour la Crète.

Et là, enfin, parmi les oliviers, le thym sauvage et les montagnes, il trouva sa paix. Après un long voyage en car au milieu de volailles rassemblées par les pattes, qui protestaient avec véhémence, et un fort relent d'ail, il découvrit une minuscule auberge peinte en blanc, sous des arcades, avec trois tables munies de parasols à l'extérieur près desquelles battaient des carrés d'étoffe colorés, suspendus en feston comme des lanternes. Là s'agitaient sous la brise poivriers et eucalyptus australiens, exilés dans un sol trop aride pour les arbres du continent européen. Stridulations des cigales. Poussière s'élevant en tourbillons rouges.

La nuit, il dormait dans une petite chambre qui tenait de la cellule, volets grands ouverts. Dans le silence du petit matin, il célébrait une messe solitaire, se promenait dans la journée. Personne ne l'importunait, il n'importunait personne. Mais sur son passage, les yeux sombres des paysans le suivaient avec étonnement et chaque visage se burinait d'un sourire. Il faisait chaud, tout était tranquille, endormi. Paix parfaite. Les jours suivaient les jours, sans à-coups, comme les grains d'ambre glissant entre les doigts noueux d'un paysan crétois.

Silencieusement, il priait; une émotion, un prolongement de son intériorité, pensées qui s'égrenaient comme un chapelet, jours qui s'égrenaient comme un chapelet. Seigneur, je suis véritablement Tien. Sois remercié de tant de bénédictions. Pour le grand cardinal, son aide, son amitié sincère, son amour sans faille. Pour Rome et la chance d'être dans Ton cœur, de m'être prosterné devant Toi dans Ta propre basilique, d'avoir senti la pierre de Ton Eglise en moi. Tu m'as béni au delà de mes mérites. Que puis-je faire pour Toi afin de te prouver ma reconnaissance? Je n'ai pas assez souffert, ma vie n'a été qu'une longue joie, absolue, depuis que je suis entré à Ton service. Je dois souffrir et Tu le sais, Toi qui as souffert. Ce n'est que par l'entremise de la souffrance que je pourrai m'élever au-dessus de moi-même, Te mieux comprendre. Car c'est là ce qu'est cette vie : un passage menant à la compréhension de Ton mystère. Plonge ta lance dans ma poitrine, enfonce-la si profondément que je ne puisse l'en retirer. Fais-moi souffrir... Pour Toi, je renonce à tous les autres, même à ma mère, à ma sœur et au cardinal. Toi seul es ma douleur, ma joie. Humilie-moi et je chanterai Tes louanges. Détruis-moi et je me réjouirai. Je T'aime. Toi, Toi, seul...

Il était arrivé à la petite plage où il aimait se baigner, croissant jaune encastré dans les falaises imposantes, et il s'immobilisa un instant le regard perdu, à travers la Méditerranée vers l'endroit où devait se trouver la Libye, loin au delà de l'horizon. Puis il descendit par bonds légers les marches conduisant à la plage, se débarrassa de ses chaussures, les ramassa et marcha sur le sable souple jusqu'à l'endroit où il abandonnait généralement sandales, chemise et short. Deux jeunes Anglais parlaient avec un fort accent d'Oxford, étendus au soleil comme des langoustes sortant du court-bouillon; un peu plus loin, deux femmes échangeaient des propos languissants en allemand. Dane leur jeta un coup d'œil et, gêné, tira sur son maillot de bain, se rendant compte qu'elles avaient interrompu leur conversation et s'étaient redressées pour se tapoter les cheveux et lui sourire.

— Ça va? demanda-t-il aux Anglais.

Intérieurement, il les surnommait pommies, comme

le font tous les Australiens. Ces deux-là paraissaient faire partie du décor puisqu'ils venaient chaque jour sur la plage.

— Magnifiquement, mon vieux! Faites attention au courant... il est trop fort pour nous. Il doit y avoir une tempête quelque part au large.

— Merci, répondit Dane en souriant.

Il courut en direction des vaguelettes qui venaient lécher innocemment la plage et, en excellent nageur, plongea avec maestria dans l'eau peu profonde.

Stupéfiant; combien l'eau calme pouvait être trompeuse! Il sentait le courant perfide le tirer par les jambes pour l'emporter vers le fond, mais il était trop bon nageur pour s'en inquiéter. Tête à demi immergée, il fendait doucement l'eau, savourant la fraîcheur, l'impression de liberté. Lorsqu'il s'immobilisa et regarda en direction de la plage, il vit les deux Allemandes assujettir leurs bonnets et se précipiter vers les vagues en riant.

Il mit les mains en porte-voix et, en allemand, leur conseilla de rester là où elles avaient pied à cause du courant. Avec de grands éclats de rire, elles lui adressèrent des signes lui donnant à penser qu'elles avaient compris. La tête à demi dans l'eau, il recommença à nager et crut entendre un cri. Il continua encore un peu, puis s'arrêta et se maintint à la surface par un simple battement de pieds à un endroit où le courant n'était pas trop fort. Il s'agissait bien de cris. En se retournant, il vit les femmes qui se débattaient, le visage crispé par la peur, hurlant. Les mains en l'air, l'une d'elles coulait. Sur la plage, les deux Anglais s'étaient levés et, sans grand empressement, s'approchaient de l'eau.

Il se remit à nager sur le ventre et fendit l'eau, se rapprocha de plus en plus. Des bras affolés se tendirent vers lui, s'accrochèrent à lui, l'entraînèrent sous le flot; il réussit à saisir l'une des femmes autour de la taille et à l'étourdir d'un rapide coup de poing au menton, puis il agrippa l'autre par la bretelle de son maillot, lui enfonça brutalement le genou dans la colonne vertébrale, ce qui lui coupa le souffle. En toussant, car il avait avalé de l'eau, il se tourna sur le dos et se mit en devoir de remorquer ses deux fardeaux réduits à l'impuissance.

Les deux Anglais piétinaient sur place, l'eau leur arrivant aux épaules, trop effrayés pour s'aventurer plus loin, ce que Dane comprit fort bien. Ses orteils effleurèrent enfin le sable; il poussa un soupir de soulagement. Epuisé, il déploya un effort surhumain et entraîna les deux femmes vers le rivage. Elles reprenaient rapidement conscience et elles recommencèrent à hurler et à battre frénétiquement l'eau. Haletant, Dane parvint à sourire. Il avait fait sa part; maintenant les Anglais pourraient prendre la suite. Pendant qu'il se reposait, à bout de souffle, le courant l'aspirait de nouveau, ses pieds ne touchaient plus le fond, même lorsque ses orteils essayaient de s'y agripper. Il s'en était fallu de peu. S'il n'avait pas été là, les femmes se seraient certainement noyées; les jeunes Anglais n'avaient ni la force ni l'entraînement nécessaires pour les sauver. Mais, lui disait une voix, elles ne se sont mises à l'eau que pour être plus proches de toi; avant de t'avoir vu, elles n'avaient aucune intention de se baigner. C'est ta faute si elles ont couru un danger. Ta faute.

Tandis qu'il flottait doucement, une terrible douleur lui éclata dans la poitrine, aussi atroce que celle que causerait une lance, un dard rougi à blanc; souffrance insoutenable, déchirante. Il cria, leva les bras au-dessus de la tête, se raidit, muscles convulsés; mais la douleur s'amplifia, l'obligea à baisser les bras, à ramener les poings sous ses aisselles, à remonter les genoux. Mon cœur! J'ai une crise cardiaque. Je suis en train de mourir! Mon cœur! Je ne veux pas mourir! Pas encore, pas avant d'avoir entamé ma tâche, pas avant d'avoir fait mes preuves! Doux Seigneur, viens à mon aide! Je ne veux pas mourir, je ne veux pas mourir!

Les convulsions désertèrent le corps qui se détendit; Dane se mit sur le dos, laissa flotter ses bras largement écartés, flasques, malgré la douleur. A travers ses cils humides, il regarda la voûte céleste loin, très loin, haut, très haut. Eh bien, nous y voilà; c'est Ta lance, celle que mon orgueil Te suppliait de m'envoyer il n'y a pas une heure. Donne-moi la chance de souffrir, disais-je. Fais-moi souffrir. Maintenant que la souffrance est là, je résiste, incapable du parfait amour. Doux Seigneur, Ta douleur! Je dois l'accepter, je ne dois pas la combattre, je ne dois pas combattre Ta volonté. Ta main est toute-puissante et c'est là Ta douleur. Celle que Tu as dû endurer sur la Croix. Mon Dieu, mon Dieu, mon Dieu, je suis à Toi! Si c'est Ta volonté, que Ta volonté soit faite. Comme un enfant, je me remets entre Tes mains tutélaires. Tu as trop de bonté pour moi. Qu'ai-je fait pour tant mériter de Ta part, et de la part de ceux qui m'aiment plus que tout autre? Pourquoi m'as-Tu tant donné alors que je ne suis pas digne de Tes bontés? La souffrance, la souffrance! Tu es tellement bon pour moi. Fasse que ce ne soit pas trop long, T'avais-je demandé; ça n'a pas été long. Ma souffrance sera brève, rapidement terminée. Bientôt, je verrai Ton visage; mais maintenant, alors que je suis encore en vie, je Te remercie. La douleur! Mon doux Seigneur, Tu es trop bon pour moi. Je T'aime!

Un immense sursaut convulsa le corps inerte, en attente. Ses lèvres remuèrent, murmurèrent un nom, essayèrent de sourire. Puis les pupilles se dilatèrent, chassant à jamais le bleu de ses yeux. Enfin en sécurité sur la plage, les deux Anglais déposèrent leurs fardeaux en larmes sur le sable et se retournèrent pour le chercher des yeux. Mais la mer placide, bleue, profonde, était vide, infinie. Les vaguelettes venaient lécher la grève et se retiraient. Dane s'en était allé.

L'un des baigneurs pensa à la base américaine de l'Armée de l'Air toute proche, et se précipita pour demander de l'aide. Moins de trente minutes après que Dane eut disparu, un hélicoptère décolla, battit frénétiquement l'air et décrivit des cercles s'élargissant sans cesse depuis la plage, fouillant l'eau. Les sauveteurs ne s'attendaient pas à retrouver le corps. Les noyés coulent à pic et ne remontent pas avant plusieurs jours. Une heure passa; puis, à une quinzaine de milles au large, ils repérèrent Dane qui flottait paisiblement, étreint par le flot, bras écartés, face tournée vers le ciel. Un instant, les sauveteurs le crurent vivant et poussèrent des cris de joie, mais lorsque l'appareil descendit suffisamment bas pour causer des remous sur la mer, ils comprirent qu'il était mort. La radio de l'hélicoptère lança les coordonnées; une vedette fut rapidement dépêchée sur les lieux et, trois heures plus tard, rentra.

La nouvelle s'était répandue. Les Crétois aimaient le voir passer, aimaient échanger quelques mots timides avec lui. L'aimaient sans le connaître. Ils se précipitèrent nombreux vers la mer, femmes toutes vêtues de noir, tels de sombres oiseaux; hommes en vieux pantalons bouffants, chemises ouvertes, manches relevées. Ils se tenaient par groupes silencieux, attendaient.

Lorsque la vedette arriva, un sergent corpulent sauta sur le sable, se retourna pour prendre dans les bras une forme enveloppée d'une couverture. Il avança de quelques pas sur la plage et, aidé d'un homme, déposa son fardeau. La couverture s'écarta; un murmure bruissa parmi les Crétois. Ils vinrent entourer le corps, pressant des crucifix sur leurs lèvres usées, les femmes se lamentant en un gémissement monotone, inarticulé, presque une ligne mélodique, et elles restèrent là, endeuillées, patientes, terrestres, femelles.

Il était 5 heures de l'après-midi; le soleil partiellement caché par la falaise menaçante glissait dans l'ouest, mais il était encore assez haut pour éclairer le petit groupe sombre sur la plage, la longue forme inerte à la peau dorée, aux yeux clos, aux longs cils hérissés de grains de sel, aux lèvres bleues sur lesquelles flottait un vague sourire. Une civière fut apportée, puis tous, Crétois et soldats américains, emportèrent Dane.

L'agitation régnait à Athènes, des émeutes secouaient la Grèce, mais le colonel de l'armée de l'air des U.S.A. parvint à joindre ses supérieurs sur une fréquence radio militaire; il tenait à la main le passeport australien de Dane. Comme tous les documents de ce genre, il n'apportait aucune lumière sur son propriétaire. Sous la mention profession, se trouvait le simple mot « étudiant » et, au dos, sous la rubrique « proches parents » était porté le nom de Justine et son adresse à Londres. Sans se préoccuper de la signification légale du terme, Dane avait mentionné le nom de sa sœur parce que Londres était infiniment plus proche que Drogheda. Dans sa petite chambre, à l'auberge, la valise noire qui contenait les objets du culte n'avait pas été ouverte; elle attendait avec ses bagages que l'on reçût des directives pour l'adresser à qui de droit.

Quand la sonnerie du téléphone retentit, à 9 heures du matin, Justine se tourna sur le dos, ouvrit un œil vague et demeura étendue, maudissant l'infernale invention, se jurant de faire suspendre cette saloperie de ligne. Sous prétexte que le reste du monde considérait comme normal et logique de commencer à s'agiter dès 9 heures du matin, pourquoi supposer qu'il en allait de même pour elle?

Mais la sonnerie persistait sans discontinuer. Peut-être était-ce Rain; cette pensée fit pencher la balance vers le retour à la vie, et Justine se leva, tituba en direction de la salle de séjour. Le Parlement allemand tenait une session extraordinaire; elle n'avait pas vu Rain depuis une semaine et ne pensait pas avoir la chance de le retrouver pendant encore au moins huit jours. Mais peut-être la crise était-elle surmontée et il appelait pour lui annoncer son arrivée.

— Allô?

— Miss Justine O'Neill?

— Elle-même à l'appareil.

— Ici la Maison de l'Australie à Aldwych.

La voix aux inflexions anglaises donna un nom qu'elle était trop abrutie pour comprendre, d'autant qu'elle remâchait sa déception depuis qu'elle avait compris que son correspondant n'était pas Rain.

— Bon. La Maison de l'Australie, et alors?

En bâillant, elle se tint sur un pied qu'elle se gratta avec la plante de l'autre.

— Avez-vous un frère, un certain M. Dane O'Neill?

Les yeux de Justine s'ouvrirent.

— Oui, en effet.

— Se trouve-t-il actuellement en Grèce, miss O'Neill?

Ses deux pieds se posèrent sur le tapis, s'y enfoncèrent.

— Oui, en effet.

Il ne lui vint pas à l'idée de rectifier en expliquant à son correspondant qu'il s'agissait du père O'Neill, et non de monsieur.

— Miss O'Neill, je suis au regret de devoir vous faire part d'une mauvaise nouvelle.

— Une mauvaise nouvelle? Une mauvaise nouvelle? Qu'est-ce que c'est? Qu'est-ce qui se passe? Qu'est-ce qui est arrivé?

— J'ai le regret de vous informer que votre frère, M. Dane O'Neill, s'est noyé hier en Crète, dans des circonstances héroïques, d'après mes renseignements. En sauvant quelqu'un en difficulté au bord de la mer.

349

Cependant, ainsi que vous devez le savoir, la Grèce est en proie à la révolution, et les informations dont nous disposons sont très fragmentaires, peut-être même inexactes.

L'appareil téléphonique se trouvait sur une table, près du mur auquel Justine s'appuya; ses genoux se dérobaient sous elle. Elle commença à glisser lentement vers le sol, se retrouva en boule sur le plancher. Elle émettait des bruits qui tenaient à la fois du rire et des pleurs, des halètements audibles. Dane noyé. Halètement. Dane mort. Halètement. Crète, Dane, noyé. Halètement. Mort. Mort.

— Miss O'Neill? Vous êtes là, miss O'Neill? demanda la voix avec insistance.

Mort. Noyé. Mon frère!

— Miss O'Neill, répondez-moi!

— Oui, oui, oui, oui! Je suis là, bon Dieu!

— D'après ce que je comprends, vous êtes sa plus proche parente. Nous devons donc vous demander vos instructions quant à ce qu'il y a lieu de faire du corps. Miss O'Neill, êtes-vous là?

— Oui, oui.

— Que voulez-vous qu'on fasse du corps, miss O'Neill?

Le corps! Il était un corps, et on ne disait même pas son corps, mais le corps. Dane, mon Dane. Il est un corps.

— Sa plus proche parente? s'entendit-elle demander d'une voix ténue entrecoupée de halètements. Je ne suis pas la plus proche parente de Dane; je suppose que c'est plutôt ma mère.

Il y eut une pause.

— Ceci est très ennuyeux, miss O'Neill. Si vous n'êtes pas sa plus proche parente, nous avons perdu un temps précieux. (La voix compatissante se laissait aller à l'impatience.) Vous ne semblez pas comprendre qu'il y a une révolution en Grèce et que l'accident s'est produit en Crète, île avec laquelle il est encore plus difficile de correspondre. Les communications avec Athènes sont pratiquement impossibles, et nous avons reçu l'ordre de faire connaître les intentions du plus proche parent en ce qui concerne le corps. Votre mère est-elle là? Puis-je lui parler, je vous prie?

— Mais ma mère n'est pas là; elle est en Australie.

— En Australie? Grand Dieu, ça va de mal en pis! Nous allons être obligés d'envoyer un câble en Australie; encore du retard. Si vous n'êtes pas sa plus proche parente, miss O'Neill, pourquoi votre frère a-t-il porté votre nom sous la rubrique réservée à cet effet dans son passeport?

— Je ne sais pas, dit-elle, et elle se rendit compte qu'elle riait.

— Donnez-moi l'adresse de votre mère en Australie; nous allons lui télégraphier immédiatement. Il faut absolument que nous sachions ce qu'il convient de faire du corps! L'échange de câbles va occasionner un retard d'au moins douze heures. Je voudrais que vous le compreniez. Les choses sont déjà assez difficiles sans ce contretemps.

— Téléphonez-lui alors. Ne perdez pas de temps avec des télégrammes.

— Notre budget ne nous permet pas de lancer des appels téléphoniques internationaux, miss O'Neill, déclara son correspondant d'un ton acerbe. Pouvez-vous me donner le nom et l'adresse de votre mère, je vous prie.

— Mme Meggie O'Neill. Drogheda. Gillanbone. Nouvelle-Galles du Sud. Australie.

Elle débita les noms comme une litanie, épelant ceux qui devaient paraître insolites à son correspondant.

— Je vous présente à nouveau mes sincères condoléances, miss O'Neill.

Après un cliquetis s'éleva du récepteur l'interminable

et monotone tonalité de la ligne. Justine s'assit sur le sol, laissa glisser le combiné sur ses genoux. Il y avait une erreur, tout cela ne tarderait pas à s'éclaircir. Dane noyé, alors qu'il nageait comme un poisson? Non, impossible. Mais c'est la vérité, Justine, tu le sais; tu ne l'as pas accompagné pour le protéger et il s'est noyé. Tu étais sa protectrice depuis l'époque où il était bébé et tu aurais dû être là. Si tu n'avais pu le sauver, tu aurais dû être là pour te noyer avec lui. Et tu ne l'as pas accompagné uniquement parce que tu voulais rentrer à Londres pour faire l'amour avec Rain.

Difficile de penser. Tout était difficile. Rien ne semblait fonctionner, pas même ses jambes. Elle n'arrivait pas à se lever; elle ne se lèverait jamais plus. Pas de place dans son esprit pour quiconque en dehors de Dane, et ses pensées tournoyaient en cercles de plus en plus étroits autour de Dane. Jusqu'à ce qu'elle pensât à sa mère, à la famille, à Drogheda. Oh, Dieu! Les nouvelles arriveraient là-bas, la toucheraient, les toucheraient. M'man n'avait même pas eu la joie de contempler une dernière fois son visage extatique à Rome. Le câble sera probablement expédié à la police de Gilly, songea-t-elle. Et le vieux sergent Ern grimpera dans sa voiture et parcourera le long trajet jusqu'à Drogheda pour annoncer à ma mère que son fils est mort. Pas l'homme qui convient pour ce genre de tâche, presque un étranger. Madame O'Neill, je vous présente mes condoléances les plus émues, votre fils est mort. Mots de pure forme, polis, vides... Non! Je ne peux pas permettre ça, elle est aussi ma mère! Pas de cette façon, pas de la façon dont je l'ai appris.

Elle posa l'appareil sur ses genoux, porta le récepteur à son oreille et forma le numéro des appels internationaux.

— Allô, je voudrais passer un appel international, je vous prie. Allô? Une communication urgente pour l'Australie. Gillanbone, 12,12. Et je vous en supplie, faites vite!

Meggie répondit elle-même au téléphone. Il était tard. Fee était allée se coucher. Depuis quelque temps, elle se retirait de plus en plus tôt, préférant rester assise dans son lit à écouter les grillons et les grenouilles, somnoler sur un livre, se souvenir.

— Allô?

— Un appel de Londres, madame O'Neill, dit Hazel depuis le standard de Gilly.

— Allô, Justine? dit Meggie sans appréhension.

Jussy téléphonait de temps en temps pour prendre des nouvelles.

— M'man? C'est toi, m'man?

— Oui, c'est moi, dit Meggie d'une voix douce, percevant la détresse de sa fille.

— Oh, m'man! Oh, m'man! (Un son se répercuta, halètement ou sanglot.) M'man, Dane est mort. Dane est mort!

Un gouffre s'ouvrit sous les pieds de Meggie. Elle s'enfonçait, s'enfonçait sans cesse et l'abîme n'avait pas de fond. Elle glissait, sentait la faille se refermer au-dessus d'elle, et elle comprit qu'elle ne referait jamais surface aussi longtemps qu'elle vivrait. Qu'est-ce que les dieux pouvaient faire de plus? Elle ne l'avait pas su en posant la question. Comment avait-elle pu la poser, comment avait-elle pu ne pas savoir? Ne tentez pas les dieux, ils n'attendent que ça. En se refusant à aller à Rome pour partager le plus beau moment de sa vie, elle avait cru payer le tribut. Dane en serait libéré, et libéré d'elle. En s'infligeant la peine de ne pas revoir le visage qui lui était le plus cher au monde, elle paierait. L'abîme se referma, suffocant. Et Meggie se tenait là, comprenant qu'il était trop tard.

— Justine, ma chérie, calme-toi, conseilla Meggie

d'une voix unie, dénuée de la moindre altération. Calme-toi, et explique-moi. En es-tu sûre?

— La Maison de l'Australie m'a appelée... ils croyaient que j'étais sa plus proche parente. Un type atroce qui demandait sans cesse ce que je voulais qu'on fasse du corps. Il appelait constamment Dane « le corps ». Comme s'il n'avait pas droit à autre chose, comme s'il n'était personne. (Un sanglot lui échappa.) Seigneur! Je suppose que le pauvre diable ne remplissait pas sa tâche de gaieté de cœur. Oh, m'man, Dane est mort!

— Dans quelles circonstances, Justine? Où? A Rome? Pourquoi Ralph ne m'a-t-il pas appelée?

— Non, pas à Rome. Le cardinal n'est probablement même pas au courant. En Crète. Celui qui m'a téléphoné m'a dit qu'il s'était noyé en sauvant quelqu'un qui se baignait. Il était en vacances, m'man. Il m'avait demandé de l'accompagner, mais je ne l'ai pas fait. Je voulais jouer Desdémone. Je voulais être avec Rain. Si seulement j'avais été avec lui! Si j'avais été près de lui, il ne serait peut-être rien arrivé. Oh, mon Dieu, que faire?

— Arrête, Justine! intima sévèrement Meggie. Ne ressasse pas ce genre de pensées, tu m'entends? Dane aurait horreur de ça. Tu le sais. Le malheur s'abat et nous ne savons pas pourquoi. Maintenant, il faut que tu te reprennes. Je ne vous ai pas perdus tous les deux. Tu es tout ce qui me reste à présent. Oh, Jussy, Jussy! C'est si loin. Le monde est trop vaste, trop vaste. Rentre à Drogheda, je ne veux pas te savoir seule.

— Non. Il faut que je travaille. Le travail est ma seule planche de salut. Si je ne travaillais pas, je deviendrais folle. Je ne veux voir personne, je ne veux pas de réconfort. Oh, m'man! (Elle se remit à sangloter.) Comment allons-nous vivre sans lui?

Oui, comment? Etait-ce là la vie? Dieu t'a donné la vie

et Dieu te la reprend. Tu es poussière et tu retourneras en poussière. Vivre est le lot de ceux d'entre nous qui ont échoué. Dieu cupide qui rassemble les meilleurs, laissant le monde aux autres pour qu'ils y pourrissent.

— Ce n'est pas à nous qu'il appartient de dire combien de temps nous devrons supporter notre fardeau, dit Meggie. Jussy, merci de m'avoir annoncé la nouvelle toi-même, de m'avoir téléphoné.

— Je ne pouvais pas supporter l'idée que tu l'apprennes par un étranger, m'man. Pas comme ça, par un inconnu. Que vas-tu faire? Que peux-tu faire?

Meggie rassembla toute sa volonté pour s'efforcer de faire franchir à l'immense distance qui les séparait chaleur et réconfort afin d'aider sa fille que minait la douleur. Son fils était mort, sa fille vivait. Il fallait qu'elle se soude en un être total. En admettant que ce fût possible. De toute sa vie, Justine semblait n'avoir aimé que Dane. Personne d'autre, pas même elle.

— Justine chérie, ne pleure pas. Essaie de ne pas avoir de chagrin. Il ne l'aurait pas voulu, tu le sais. Reviens à la maison et oublie. Nous ramènerons Dane chez lui, à Drogheda. Légalement, il est de nouveau à moi; l'Eglise ne peut pas m'en empêcher, il ne lui appartient pas. Je vais téléphoner à la Maison de l'Australie immédiatement et à l'ambassade à Athènes, si la communication peut passer. Il faut qu'il revienne chez lui! Je ne voudrais pas qu'il repose ailleurs qu'à Drogheda. C'est ici qu'il doit être. Il faut qu'il revienne. Viens avec lui, Justine.

Mais, assise par terre, Justine secouait la tête comme si sa mère pouvait la voir. Rentrer à la maison? Elle ne retournerait jamais chez elle. Si elle avait accompagné Dane, il ne serait pas mort. Rentrer et devoir contempler le visage de sa mère pendant le restant de ses jours? Non, elle n'en supportait même pas la pensée.

— Non, m'man, dit-elle le visage inondé de larmes

brûlantes. (Qui diable a pu prétendre que les grandes douleurs ne s'accompagnent pas de pleurs? Un crétin ignorant tout de la question.) Je resterai ici et je travaillerai. Je reviendrai à la maison avec Dane mais, ensuite je rentrerai. Je ne peux pas vivre à Drogheda.

Pendant trois jours, tous attendirent dans une sorte de vacuité aveugle, Justine à Londres, Meggie et la famille à Drogheda, allant jusqu'à meubler le silence officiel d'un espoir ténu. Oh, on n'allait sûrement pas tarder à s'apercevoir qu'il y avait une erreur, sinon ils auraient déjà eu des nouvelles! Dane frapperait à la porte de Justine, le sourire aux lèvres, et expliquerait qu'il s'agissait d'une stupide méprise. La Grèce était en ébullition; toutes sortes de fausses nouvelles avaient dû être colportées. Dane passerait la porte et éclaterait de rire à l'idée de sa mort; il se dresserait grand et fort, et vivant, et il rirait. L'espoir commença à se renforcer et s'accrut avec chaque minute d'attente. Perfide, horrible espoir. Il n'était pas mort, non! Pas noyé, pas Dane qui était suffisamment bon nageur pour braver n'importe quelle mer, et vivre. Et ils attendaient, n'admettant pas l'inéluctable, mus par l'espoir d'apprendre enfin qu'il s'agissait d'une erreur. Par la suite, on aurait tout le temps d'avertir tout le monde, de prévenir Rome.

Le matin du quatrième jour, Justine reçut le message. Comme une très vieille femme, elle souleva de nouveau le récepteur et demanda l'Australie.

— M'man?

— Justine?

— Oui, m'man. Il a déjà été enterré; nous ne pouvons pas le ramener à la maison. Qu'allons-nous faire? Les autorités sont incapables de me dire quoi que ce soit, sinon que la Crète est une île très vaste, le nom du village inconnu. Quand le câble est arrivé, il avait déjà été emporté et inhumé. Il repose quelque part dans une tombe qui ne porte aucune inscription! Je ne peux pas obtenir de visa pour la Grèce; personne ne veut m'aider, c'est le chaos. Qu'allons-nous faire, m'man?

— Retrouve-moi à Rome, Justine, dit Meggie.

Tous, à l'exception d'Anne Mueller, s'agglutinaient autour du téléphone, encore sous l'effet du choc. Les hommes paraissaient avoir vieilli de vingt ans en trois jours et Fee, ratatinée comme un oiseau malade, pâle et revêche, arpentait la maison en répétant :

— Pourquoi ne suis-je pas morte à sa place? Pourquoi est-ce qu'il fallait que ce soit lui? Je suis vieille, si vieille! Ça aurait été si simple pour moi de partir. Pourquoi fallait-il que ce soit lui? Pourquoi pas moi? Je suis si vieille!

Anne s'était effondrée, et Mme Smith, Minnie et Cat versaient des larmes en marchant, en dormant.

Meggie les regarda en silence et raccrocha. Voilà à quoi se résumait Drogheda, tout ce qui restait. Un petit groupe d'hommes et de femmes âgés, stériles, brisés.

— Dane est perdu, dit-elle. Personne ne peut le trouver. Il a été enterré quelque part en Crète. C'est si loin! Comment pourrait-il reposer si loin de Drogheda? Je vais aller à Rome, voir Ralph de Bricassart. Il est le seul qui puisse nous venir en aide.

Le secrétaire du cardinal de Bricassart entra dans la pièce.

— Votre Eminence, je suis désolé de vous déranger, mais une dame insiste pour vous voir. Je lui ai expliqué qu'il se tenait un concile, que vous étiez très occupé et que vous ne pouviez voir personne. Mais elle affirme qu'elle restera assise devant votre porte jusqu'à ce que vous puissiez la recevoir.

— A-t-elle des ennuis, père?

— De gros ennuis, Votre Eminence. C'est visible. Elle m'a demandé de vous dire qu'elle s'appelle Meggie O'Neill.

Le cardinal de Bricassart se leva vivement; son visage se vida de toute couleur, devint aussi blanc que ses cheveux.

— Votre Eminence! Vous ne vous sentez pas bien?

— Non, père. Je suis très bien, merci. Annulez tous mes rendez-vous jusqu'à nouvel ordre et introduisez Mme O'Neill immédiatement. Nous ne devons pas être dérangés, à moins qu'il ne s'agisse du Saint-Père.

Le prêtre s'inclina et sortit. O'Neill! Bien sûr! C'était le nom du jeune Dane. Il aurait dû s'en souvenir mais dans les appartements du cardinal tout le monde se contentait de l'appeler Dane. Ah! il avait commis une grave erreur en faisant attendre cette pauvre femme. Si Dane était le neveu bien-aimé de Son Éminence, alors Mme O'Neill était sa sœur bien-aimée.

Quand Meggie entra, Ralph la reconnut à peine. Il ne l'avait pas revue depuis treize ans; elle avait cinquante-trois ans et lui soixante et onze. Tous deux étaient vieux à présent, au lieu qu'il fût seul à l'être. Le visage de Meggie avait moins changé qu'il ne s'était figé, et dans un moule n'ayant aucun rapport avec celui qu'il lui avait accolé dans son imagination. L'intransigeance s'était substituée à la douceur, la dureté à la tendresse; elle évoquait une martyre vigoureuse, âgée et volontaire plutôt que la sainte résignée et contemplative de ses rêves. Sa beauté demeurait aussi frappante que jamais, ses yeux gardaient leur couleur gris argenté, mais ils s'étaient durcis, et ses cheveux éclatants étaient devenus d'un beige terne, un peu de la teinte de ceux de Dane, mais sans vie. Et, plus déconcertant encore, elle se refusait à le regarder assez longtemps pour qu'il pût satisfaire sa curiosité avide et aimante.

Incapable d'accueillir cette nouvelle Meggie avec naturel, il lui désigna un siège, ne retrouva pas le tutoiement d'autrefois.

— Je vous en prie, asseyez-vous.

— Merci, dit-elle, tout aussi guindée.

Une fois assise, elle lui apparut enfin dans son ensemble, et il remarqua combien elle avait les pieds et les chevilles enflés.

— Meggie! s'écria-t-il. Tu es venue directement d'Australie... sans t'arrêter en cours de route? Que se passe-t-il?

— Oui, je suis venue d'une seule traite, acquiesça-t-elle. Pendant les vingt-neuf heures qui viennent de s'écouler, je suis restée assise dans une succession d'avions entre Gilly et Rome, sans autre chose à faire qu'à regarder les nuages à travers les vitres et à réfléchir.

— Que se passe-t-il? répéta-t-il, impatient, anxieux, angoissé.

Elle leva les yeux, le regarda fixement.

Il y avait quelque chose d'atroce dans ses yeux; quelque chose de si sinistre et glacial qu'il sentit les poils de sa nuque se hérisser et machinalement, il y porta la main.

— Dane est mort, dit Meggie.

La main ornée de l'anneau cardinalice glissa, retomba comme celle d'une poupée de son sur les genoux écarlates tandis qu'il s'effondrait dans son fauteuil.

— Mort? demanda-t-il lentement. Dane, mort?

— Oui. Il s'est noyé il y a six jours en Crète en portant secours à des femmes que le courant emportait.

Il se pencha en avant, ses mains montèrent à la rencontre de son visage.

— Mort? balbutia-t-il. Dane? (Puis il se mit à soliloquer indistinctement.) Dane, mort? Ce merveilleux garçon... Il ne peut pas être mort! Dane... le prêtre parfait... tout ce que je ne pouvais être... Il avait tout ce qui me manquait... (Sa voix se brisa.) Il l'avait toujours eu... nous le savions tous... nous tous qui ne sommes pas des prêtres parfaits. Mort? Oh! doux Seigneur!

— Ne vous inquiétez pas de votre doux Seigneur, Ralph! lança l'étrangère assise en face de lui. Vous avez mieux à faire. Je suis venue pour vous demander votre aide... pas pour être témoin de votre chagrin. Durant toutes ces heures de vol, je n'ai cessé de me répéter les paroles que je vous dirais pour vous apprendre la nouvelle... toutes ces heures pendant lesquelles je ne pouvais que regarder les nuages à travers la vitre, sachant que Dane était mort. Après cette épreuve, je n'ai que faire de votre douleur.

Pourtant, quand il leva le visage d'entre ses mains, le cœur mort, froid de Meggie bondit, se vrilla, tressauta. C'était le visage de Dane sur lequel s'inscrivait une souffrance que la mort interdisait à Dane de jamais éprouver. Oh, grâces soient rendues à Dieu! Grâces à Dieu, il est mort; il ne pourra jamais connaître les épreuves par lesquelles cet homme est passé, celles que j'ai endurées. Mieux vaut être mort que de souffrir de la sorte.

— En quoi puis-je t'aider, Meggie? demanda-t-il d'un ton uni, réprimant son émotion pour se glisser dans la peau du conseiller spirituel.

— La Grèce est en pleine révolution. On a enterré Dane quelque part en Crète, et je ne sais ni où, ni quand, ni comment. Je suppose seulement que mes instructions demandant que son corps soit ramené par avion ont été interminablement retardées par la guerre civile et qu'en Crète il fait aussi chaud qu'en Australie. Voyant que personne ne le réclamait les autorités locales ont dû croire qu'il était seul au monde et l'ont enterré. (Elle se pencha en avant sur son siège, tendue.) Je veux qu'on me rende mon enfant, Ralph. Je veux qu'on le retrouve et qu'on le ramène chez lui pour qu'il repose dans sa terre à Drogheda. J'ai promis à Jims qu'il sera enterré à Drogheda et il le sera, même si je suis obligée de parcourir à genoux tous les cimetières de Crète. Jamais je ne le laisserai inhumer dans un quelconque tombeau de prêtres à Rome, Ralph. Pas tant que j'aurai un souffle de vie pour engager une bataille légale. Il doit rentrer à la maison.

— Personne ne te dénie ce droit, Meggie, dit-il doucement. L'Église exige seulement qu'il repose en terre consacrée. Moi aussi j'ai demandé à être enterré à Drogheda.

— Je n'ai pas de temps à perdre en formalités légales, reprit-elle sans tenir compte de sa réponse. Je ne parle pas grec et je n'ai ni pouvoir ni influence. Aussi, je suis venue pour que vous usiez des vôtres. Rendez-moi mon fils, Ralph.

— Ne t'inquiète pas, Meggie, nous te le rendrons, mais ça demandera peut-être du temps. La gauche est au pouvoir à présent et elle est très anticléricale. Pourtant, je ne manque pas d'amis en Grèce et ce sera fait. Laisse-moi mettre les choses en branle immédiatement et ne te tourmente pas. Il s'agit d'un prêtre appartenant à l'Église catholique; on nous le rendra.

Il tendit la main vers le cordon de sonnette mais, sous le regard glacé de Meggie, il suspendit son geste.

— Vous ne comprenez pas, Ralph. Je ne demande pas que les choses soient mises en branle. Je veux reprendre mon fils... pas la semaine prochaine ou le mois prochain, mais tout de suite. Vous parlez grec et il vous sera facile d'obtenir des visas pour vous et pour moi. Je veux que vous m'accompagniez en Grèce maintenant et que vous m'aidiez à retrouver mon fils.

Le regard de Ralph reflétait bien des sentiments : tendresse, compassion, émoi, chagrin. Mais c'était aussi celui d'un prêtre, calme, logique, raisonnable.

— Meggie, j'aime ton fils comme s'il avait été le mien, mais je ne peux pas quitter Rome actuellement. Je ne suis pas libre d'agir à ma guise... tu devrais le savoir mieux que quiconque. Quel que soit ce que j'éprouve pour toi, quelle que soit ma peine, je ne peux quitter Rome en plein concile. Je dois aider le Saint-Père.

Elle se rejeta en arrière, abasourdie, outragée, puis elle secoua la tête, esquissa un petit sourire comme si elle assistait aux bouffonneries d'un objet inanimé qu'il n'était pas en son pouvoir d'influencer; elle se mit à trembler, se passa la langue sur les lèvres, parut prendre une décision, et se dressa, droite, raide.

— Aimiez-vous réellement mon fils comme s'il était le vôtre, Ralph? demanda-t-elle. Que feriez-vous pour votre propre fils? Pourriez-vous rester assis, là, et dire à sa mère : « Non, je suis désolé; il m'est impossible de me libérer. » Pourriez-vous dire ça à la mère de votre fils?

Les yeux de Dane, qui pourtant n'étaient pas ceux de Dane, la regardaient, affolés, débordants de douleur, impuissants.

— Je n'ai pas de fils, dit-il. Mais le vôtre m'a appris, parmi bien d'autres choses, qu'en dépit des pires difficultés ma seule et unique allégeance va à Dieu.

— Dane était aussi votre fils, laissa tomber Meggie.

Il posa sur elle un regard vide d'expression.

— Quoi?

— J'ai dit que Dane était aussi *ton* fils. Quand j'ai quitté Matlock, j'étais enceinte, Dane est ton fils, pas celui de Luke O'Neill.

— Ce... ce n'est... pas vrai!

— Je n'ai jamais eu l'intention de te le dire, même maintenant. Crois-tu que je mentirais?

— Pour reprendre Dane? oui, dit-il d'une voix ténue.

Elle s'avança, vint se tenir au-dessus de la masse effondrée dans le fauteuil de brocart rouge, prit la main maigre, parcheminée, dans la sienne, se pencha et baisa l'anneau; son souffle ternit le rubis.

— Par ce que tu as de plus sacré, Ralph, je jure que Dane était ton fils. Il n'était pas et n'aurait pas pu être celui de Luke. Je te le jure. Je te le jure sur sa mémoire.

S'éleva un gémissement, la plainte d'une âme passant les portes de l'enfer. Ralph de Bricassart glissa de son fauteuil et pleura, effondré sur le tapis pourpre, masse écarlate à l'égal du sang frais, visage caché entre ses bras repliés, doigts crispés dans ses cheveux.

— Oui, pleure! s'écria Meggie. Pleure maintenant que tu sais! Il est juste que l'un des parents puisse verser des larmes sur lui. Pleure, Ralph. Pendant vingt-six ans, j'ai eu ton fils, et tu ne savais même pas qu'il était tien. Tu ne le voyais même pas, tu ne te rendais pas compte qu'il était toi, un nouveau toi! Quand ma mère l'a tiré hors de moi pour le mettre au monde, elle l'a su instantanément, mais toi jamais. Tes mains, tes pieds, ton visage, ton corps. Seule la couleur de ses cheveux était sienne; tout le reste était toi. Comprends-tu à présent? Quand je l'ai envoyé ici, je t'ai dit dans ma lettre : « Ce que j'ai volé, je le rends. » Tu te souviens? Nous l'avons volé tous les deux, Ralph. Nous avons volé ce que tu avais voué à Dieu, et nous avons dû payer tous les deux.

Elle retourna s'asseoir dans son fauteuil, implacable, impitoyable, et observa la forme écarlate gémissant sur le sol.

— Je t'aimais, Ralph, mais tu n'as jamais été mien. Ce que j'ai eu de toi, j'ai dû le voler. Dane était ma part, tout ce que je pouvais obtenir de toi. J'avais juré que tu ne le saurais jamais, que tu n'aurais jamais la possibilité de le reprendre. Et puis, il s'est donné à toi, de sa propre volonté. Il te considérait comme l'image du prêtre parfait. J'ai bien ri! Mais pour rien au monde je ne t'aurais donné une arme en t'avouant qu'il était ton fils. Sauf pour ça. Sauf pour ça! Il a fallu ça pour que je te le dise. Bien que ça n'ait probablement plus beaucoup d'importance maintenant. Il n'appartient plus à aucun de nous. Il appartient à Dieu.

Le cardinal de Bricassart loua un avion privé à Athènes; lui, Meggie et Justine ramenèrent Dane chez lui, a Drogheda; les vivants assis silencieusement, le mort étendu silencieusement dans son cercueil, n'exigeant plus rien de cette terre.

Je dois dire cette messe, ce requiem pour mon fils. Chair de ma chair, mon fils. Oui, Meggie, je te crois. Dès que j'ai retrouvé mon souffle, je t'ai cru; je t'aurais crue même sans ton terrible serment. Vittorio l'a su dès l'instant où il a posé les yeux sur Dane et, au fond de mon cœur, moi aussi, j'ai dû le savoir. Ton rire s'élevant derrière le buisson de roses montant du jeune garçon... tes yeux levés vers moi, tels qu'ils devaient être au temps de mon innocence. Fee savait, Anne Mueller savait. Mais pas nous, les hommes. Nous n'étions pas dignes de l'apprendre. Ainsi pensez-vous, vous les femmes; vous choyez vos mystères, prenant votre revanche pour le préjudice que Dieu vous a infligé en ne vous créant pas à son image. Vittorio savait, mais la féminité qu'il abrite lui a lié la langue. Un chef-d'œuvre de vengeance.

Profère les mots, Ralph de Bricassart, ouvre la bouche, impose les mains pour la bénédiction, entonne les psaumes latins pour l'âme du trépassé. Qui était ton fils. Que tu aimais plus que tu n'aimais sa mère. Oui, plus! Car il était toi, un nouveau toi, coulé dans un moule parfait.

In Nomine Patris, et Filii, et Spiritus Sancti...

La chapelle était comble; tous ceux qui pouvaient être présents se trouvaient là. Les King, les O'Rourke, les Davies, les Pugh, les MacQueen, les Gordon, les Carmichael, les Hopeton. Et les Cleary, les gens de Drogheda. Espoir fané, lumière morte. Et là, devant l'autel, dans un grand cercueil plombé, le père Dane O'Neill, recouvert de roses. Pourquoi les roses étaient-elles toujours en plein épanouissement à chacun de ses retours à Drogheda? On était en octobre, au cœur du printemps. Evidemment, elles éclataient. Le plein moment.

Sanctus... Sanctus... Sanctus...

Sache que le Saint des Saints est sur toi. Mon Dane, mon merveilleux fils. C'est mieux ainsi. Je n'aurais pas voulu que tu en arrives à ça, à ce que je suis déjà. Je ne sais ce qui me pousse à te dire ces paroles. Tu n'en as pas besoin, tu n'en as jamais eu besoin. Ce que je cherche à tâtons, tu l'as trouvé d'instinct. Ce n'est pas toi qui es malheureux, c'est nous tous ici, nous qui restons. Aie pitié de nous et, quand le moment viendra pour nous, aide-nous.

Ite, Missa est... Requiescat in pace...

Dehors, à travers la pelouse, passé les eucalyptus, les poivriers, vers le cimetière. Dors, Dane, seuls les élus meurent jeunes. Pourquoi nous affliger? Tu as eu la chance d'avoir échappé à cette vie épuisante si tôt. Peut-être est-ce là l'enfer, une longue sentence d'esclavage terrestre. Peut-être souffrons-nous notre enfer en vivant...

La journée s'écoula; ceux qui étaient venus aux obsèques s'en allèrent, les habitants de Drogheda se glissaient furtivement dans la maison, s'évitant les uns les autres; le regard du cardinal de Bricassart s'était posé un moment sur Meggie, mais il n'eut pas le courage de rencontrer ses yeux de nouveau. Justine partit en compagnie de Jean et Boy King afin de prendre l'avion de l'après-midi à destination de Sydney qui assurait la correspondance avec le vol de nuit pour Londres. Le cardinal ne se rappelait pas avoir entendu la voix rauque et ensorcelante de Justine, ni avoir rencontré ses curieux yeux pâles depuis le moment où elle était venue les retrouver, Meggie et lui, à Athènes, jusqu'à l'instant où elle était repartie avec Jean et Boy King. Elle n'avait cessé de se déplacer comme un fantôme, se refermant étroitement sous une sorte d'enveloppe imperméable. Pourquoi n'avait-elle pas appelé Rainer Hartheim pour lui demander de l'accompagner? Elle devait savoir à quel point il l'aimait, combien il eût souhaité être avec elle en de tels moments. Mais l'esprit fatigué du cardinal ne s'était pas appesanti sur cette pensée suffisamment longtemps pour qu'il appelât Rainer lui-même bien qu'il l'eût envisagé à plusieurs reprises avant de quitter Rome. Curieux, ces gens de Drogheda. Ils ne cherchaient pas la compagnie dans la peine; ils préféraient rester seuls avec leur douleur.

Seules, Fee et Meggie s'assirent dans le salon avec le cardinal après un dîner laissé intact. Personne ne disait mot. Sur le dessus de la cheminée de marbre, la pendule dorée égrenait son tic-tac qui résonnait avec un bruit de tonnerre et du haut de son portrait, de l'autre côté de la pièce, le regard figé de Mary Carson adressait un défi à la grand-mère de Fee. Fee et Meggie étaient assises, épaule contre épaule, sur un sofa crème. Le cardinal ne se rappelait pas les avoir vues si proches l'une de l'autre. Mais elles ne disaient rien, n'échangeaient pas un regard, et leurs yeux ne se fixaient pas sur lui.

Il tenta de comprendre en quoi il était coupable. Coupable sur trop de plans. Orgueil, ambition, un certain manque de scrupules. Et son amour pour Meggie s'était épanoui sur ce fumier. Mais il n'avait jamais connu le couronnement de cet amour. Quelle différence cela aurait-il fait s'il avait su que Dane était son fils? Lui aurait-il été possible d'aimer davantage cet être d'exception? Aurait-il suivi une autre voie s'il avait été au courant au sujet de son fils? Oui! criait son cœur. Non! persiflait sa raison.

Il s'adressa de véhéments reproches. Idiot! Tu aurais dû savoir que Meggie était incapable de retourner à Luke. Tu aurais dû savoir immédiatement de qui était

Dane. Elle était si fière de lui! Tout ce qu'elle pouvait obtenir de toi, c'est ce qu'elle t'a dit à Rome. Bien, Meggie... en lui, tu as eu le meilleur. Doux Seigneur, Ralph, comment as-tu pu être assez aveugle pour ne pas voir qu'il était ton fils! Tu aurais dû t'en rendre compte au moment où il est venu te trouver, une fois devenu homme, sinon avant. Elle attendait que tu le voies; elle brûlait que tu le voies. Si seulement tu l'avais compris, elle serait tombée à tes genoux. Mais tu étais aveugle. Tu ne voulais pas voir. Ralph, Raoul, cardinal de Bricassart, c'est là ce que tu voulais être; plus que l'avoir elle, plus qu'avoir ton fils! ·

La pièce s'était emplie de cris ténus, de bruissements, de chuchotements; la pendule égrenait ses secondes au même rythme que son cœur. Puis les battements se dissocièrent. Intervenait un décalage. Meggie et Fee nageaient en se redressant, dérivaient avec des faces effrayées, noyées dans une brume inconsistante, proférant des paroles qui ne l'atteignaient pas.

— Aaaah! fit-il dans un cri.

Et il comprit.

Il avait à peine conscience de la douleur, tant son attention se concentrait sur les bras de Meggie qui l'étreignaient, sur la façon dont sa tête s'affaissait contre elle. Mais il parvint à se tourner jusqu'à ce qu'il rencontrât les yeux gris, et il la regarda. Il tenta de dire « pardonne-moi » et vit qu'elle l'avait pardonné depuis longtemps. Elle savait qu'elle avait eu la meilleure part de lui. Il souhaita prononcer des phrases si parfaites qu'elle en serait éternellement consolée, et il se rendit compte que ça non plus n'était pas nécessaire. Quel que fût son fardeau, elle pouvait le supporter. Elle pouvait supporter n'importe quoi. N'importe quoi! Aussi ferma-t-il les yeux pour s'abandonner, chercher, une ultime fois, l'oubli en Meggie.

LIVRE VII

1965 - 1969

JUSTINE

19

Assis à son bureau, à Bonn, devant une tasse de café matinale, Rainer apprit par son journal la mort du cardinal de Bricassart. La crise politique des dernières semaines perdait de son acuité, aussi s'était-il installé confortablement pour lire, réjoui de l'idée de voir Justine sous peu et pas le moins du monde inquiet devant le silence de la jeune femme. Il considérait sa réaction comme typique; elle était encore loin d'admettre la gravité de l'engagement qui la liait à lui.

Mais la nouvelle de la mort du cardinal éloigna toute pensée relative à Justine. Dix minutes plus tard, il était au volant d'une Mercedes 280 SL, roulant en direction de l'autoroute. Ce pauvre cher Vittorio devait être si seul, d'autant que son fardeau restait invariablement lourd même quand tout allait pour le mieux. Plus vite par la route; avant d'en avoir terminé avec les allées et venues d'un aéroport à l'autre pour trouver une place dans un vol à destination de Rome, il serait déjà arrivé au Vatican. Et c'était là une action positive qui lui permettait de se contrôler, considération toujours importante pour un homme tel que lui.

Du cardinal di Contini-Verchese, il apprit toute l'histoire; il en fut si bouleversé que, tout d'abord, il ne se demanda pas pourquoi Justine ne l'avait pas prévenu.

— Il est venu me trouver et m'a demandé si je savais que Dane était son fils, expliqua le cardinal de sa voix douce en caressant le dos gris-bleu de Natasha.

— Et qu'avez-vous répondu?

— Je lui ai dit que je l'avais pressenti. Je ne pouvais rien ajouter de plus. Mais quel bouleversement pour lui! Quel bouleversement! J'ai pleuré devant son visage ravagé.

— Ça l'a tué, évidemment. La dernière fois que je l'ai vu, je lui ai trouvé mauvaise mine, mais il a éclaté de rire quand je lui ai conseillé de consulter un médecin.

— La volonté de Dieu s'est accomplie. Je crois que Ralph de Bricassart était l'un des hommes les plus tourmentés qu'il m'ait jamais été donné de connaître. Dans la mort, il trouvera la paix qu'il a vainement cherchée sur terre.

— Et Dane, Vittorio! Quelle tragédie!

— Le croyez-vous? Je pense, au contraire, que c'est une bénédiction. Je ne peux pas croire que Dane n'ait pas bien accueilli la mort, et il n'est pas surprenant que Notre Doux Seigneur l'ait rappelé à Lui. Je suis affligé, bien sûr, mais pas pour Dane. Pour sa mère, qui doit tant souffrir. Et pour sa sœur, ses oncles, sa grandmère. Non, je ne m'afflige pas pour lui. Le père O'Neill a vécu dans une pureté presque totale d'âme et d'esprit. Que pouvait représenter la mort pour lui sinon l'occasion à la vie éternelle?

De retour à son hôtel, Rainer expédia un câble à Londres dans lequel il ne pouvait se permettre d'exprimer sa colère, sa douleur, ni sa déception. Il était simplement ainsi libellé : OBLIGE RETOURNER BONN MAIS SERAI LONDRES WEEK END STOP POURQUOI CE SILENCE DOUTEZ VOUS MA TENDRESSE RAIN.

Sur la table de son bureau, à Bonn, l'attendaient une lettre express de Justine et un paquet recommandé provenant du notaire de Ralph de Bricassart à Rome. Il l'ouvrit en premier et apprit qu'aux termes des dispositions testamentaires de Ralph de Bricassart, il devrait ajouter une autre société à la liste déjà considérable des affaires qu'il administrait. Michar Limited. Et Drogheda. Exaspéré, et néanmoins touché, il comprit que c'était là la façon dont le cardinal tenait à lui dire que, tout bien pesé, il le jugeait digne, que ses prières pendant les années de guerre avaient porté leurs fruits. Il remettait entre les mains de Rainer l'avenir matériel de Meggie O'Neil et des siens. Ou, tout au moins, c'est ainsi que Rainer interpréta le geste car les formules testamentaires du cardinal étaient très impersonnelles. Comment aurait-il pu en être autrement?

Il posa le paquet dans le répartiteur destiné à recevoir la correspondance non confidentielle, exigeant une réponse immédiate, et décacheta la lettre de Justine. Elle commençait sèchement, sans la moindre formule amicale.

Merci pour le câble. Vous n'imaginez pas combien je suis heureuse que nous n'ayons pas été en rapport au cours de ces deux dernières semaines parce que je n'aurais pas supporté de vous avoir à mes côtés. Sur le moment, à chaque fois que je pensais à vous, je remerciais le Ciel que vous ne soyez pas au courant. Cela vous paraîtra peut-être difficile à comprendre, mais je ne veux pas vous avoir auprès de moi. Le chagrin n'est pas beau à contempler, Rain, et si vous étiez témoin du mien, vous ne pourriez le soulager. On pourrait aller jusqu'à dire que ce malheur m'a prouvé combien je vous aime peu. Si je vous aimais réellement, je me tournerais instinctivement vers vous. Or, je m'aperçois que je me détourne.

Aussi je préférerais de beaucoup que nous en restions là, et définitivement, Rain. Je n'ai rien à vous donner, et je ne veux rien de vous. Ce qui s'est passé m'a appris combien la présence d'un être peut être chère quand elle s'est poursuivie pendant vingt-six ans. Je ne pourrais supporter de traverser une fois de plus une telle épreuve, et vous l'avez dit vous-même, vous vous souvenez? Le mariage ou rien. Eh bien, je choisis rien.

Ma mère m'apprend que le vieux cardinal est mort quelques heures après mon départ de Drogheda. C'est drôle. Maman a été très affectée par sa mort. Non qu'elle m'en ait dit quoi que ce soit, mais je la connais. Je n'arriverai jamais à comprendre pourquoi elle, Dane et vous l'aimiez tant. Moi, j'aurais été incapable de lui vouer la moindre sympathie; pour moi, il était encore plus faux jeton que je ne saurais le dire. Opinion que je maintiens, même après sa mort.

Et voilà. Tout est dit. Je suis sincère, Rain. J'ai choisi, je ne veux rien de vous. Ménagez-vous.

Elle avait signé « Justine » de son écriture incisive, tracée à l'encre noire avec le nouveau stylo à pointe feutre qu'elle avait accueilli avec tant de joie quand il le lui avait offert, objet suffisamment massif, sobre et positif pour la satisfaire.

Il ne plia pas la lettre, ne la mit pas dans son portefeuille, ne la brûla pas; il la traita comme le reste du courrier n'exigeant pas de réponse — directement dans le déchiqueteur électrique fixé sur le dessus de sa corbeille à papier, dès qu'il en eut achevé la lecture. Il pensait que la mort de Dane avait effectivement mis un terme à l'éveil émotionnel de Justine et il en éprouvait infiniment de peine. Ce n'était pas juste. Il avait attendu si longtemps.

Pendant le week-end, il n'en prit pas moins l'avion pour Londres, mais pas pour lui rendre visite bien qu'il la vît effectivement. Au théâtre, incarnant l'épouse bien-aimée du Maure, Desdémone. Formidable. Il n'y avait rien qu'il pût faire pour elle; son art la comblait, tout au moins pour le moment. Voilà qui est bien. Tu es une bonne petite fille. Déverse tout ce que tu as en toi sur la scène.

Mais elle ne pouvait tout déverser sur scène; elle était trop jeune pour jouer Hécube. Le théâtre était simplement l'unique endroit où elle trouvait paix et oubli. Elle pouvait seulement se dire : le temps cicatrise toutes les blessures — tout en n'en croyant rien. Elle ne cessait de se demander pourquoi sa peine demeurait aussi vive. Quand Dane était vivant, elle ne pensait guère à lui lorsqu'il était loin d'elle et, une fois adultes, leurs vocations respectives les avaient presque opposés. Mais sa perte avait causé un vide tellement immense qu'elle désespérait de jamais le combler.

Le coup qu'elle subissait chaque fois qu'elle devait se ressaisir à l'occasion d'une réaction spontanée — il ne faut pas que j'oublie de parler de ça à Dane, ça le fera bicher — lui causait une douleur déchirante. Et la répétition constante de ce choc prolongeait son chagrin. Si les circonstances entourant la mort de son frère avaient été moins horribles, elle s'en serait peut-être remise plus rapidement, mais le cauchemar de ces quelques jours se poursuivait; Dane lui manquait affreusement; elle retournait sans cesse dans sa tête l'incroyable réalité, la mort de Dane. Dane qui ne reviendrait jamais.

Et puis l'accablait le remords de ne pas l'avoir suffisamment aidé. Tous, sauf elle, paraissaient le considérer comme parfait, exempt des angoisses communes aux autres hommes, mais Justine savait qu'il avait été harcelé par le doute, tourmenté par son indignité, se demandant ce que les autres pouvaient voir en lui au delà du visage et du corps. Pauvre Dane qui semblait ne jamais comprendre que les autres aimaient en lui sa bonté. Terrible de constater qu'il était trop tard pour l'aider.

Elle éprouvait aussi de la peine pour sa mère. Si la mort de Dane l'affectait, elle, aussi profondément, quelle devait être la souffrance de m'man? Cette pensée l'incitait à désirer fuir en hurlant et en criant loin de la mémoire et de la conscience. L'image des oncles à Rome pendant l'ordination, bombant la poitrine fièrement comme des pigeons-paons. C'était là le pire, imaginer le vide, la désolation de sa mère et des autres habitants de Drogheda.

Sois franche, Justine. Etait-ce là vraiment le pire? N'y avait-il pas un autre facteur infiniment plus lancinant? Elle ne pouvait repousser la pensée de Rain ni de ce qu'elle estimait être sa trahison envers Dane. Pour satisfaire ses propres désirs, elle avait laissé Dane partir en Grèce seul, alors que le fait de l'accompagner lui aurait peut-être sauvé la vie. Impossible de voir les choses sous un autre angle. Dane était mort à cause de son égoïste obsession de Rain. Trop tard à présent pour ramener son frère, mais si en revoyant jamais Rain elle pouvait se racheter d'une façon quelconque, l'inassouvissement et la solitude ne seraient pas trop cher payés.

Ainsi s'écoulèrent les semaines, puis les mois. Et un an, deux ans. Desdémone, Ophélie, Portia, Cléopâtre. Dès le début, elle s'était flattée de se comporter extérieurement comme si rien n'était venu détruire son monde; elle s'efforçait de s'exprimer avec infiniment de soin, de rire, d'entretenir des relations tout à fait normales avec ses semblables. S'il y avait changement, il fallait le chercher dans sa nouvelle compréhension de la peine des autres qu'elle avait tendance à considérer comme la sienne propre. Mais, dans l'ensemble, elle donnait bien l'impression d'être la même Justine — impertinente, exubérante, caustique, désinvolte, acerbe.

A deux reprises, elle essaya de se rendre à Drogheda; la deuxième fois, elle alla même jusqu'à prendre son billet d'avion. A chaque occasion, une raison de dernière minute, d'une importance vitale, l'empêcha de partir mais, au fond d'elle-même, elle savait que le véritable motif n'était autre qu'un mélange de culpabilité et de lâcheté. Elle n'avait tout simplement pas le courage de faire face à sa mère; si elle la revoyait, toute cette malheureuse histoire reviendrait à la surface, vraisemblablement avec une bruyante explosion de chagrin qu'elle était, jusque-là, parvenue à éviter. Les habitants de Drogheda, surtout sa mère, devaient continuer à avoir la certitude que, au moins, Justine allait bien, que Justine avait surmonté l'épreuve sans trop de dommages. Alors, mieux valait rester loin de Drogheda. C'était infiniment préférable.

Meggie se surprit à exhaler un soupir, elle l'étouffa. Si ses os ne lui étaient pas si douloureux, elle aurait peut-être sellé un cheval et galopé à travers les enclos mais, ce jour-là, cette seule pensée lui était pénible. Une autre fois, peut-être, quand son arthritisme relâcherait un peu sa cruelle emprise.

Elle entendit une voiture, le heurtoir de bronze résonner contre la porte d'entrée. Elle surprit un murmure de voix, les inflexions de sa mère, un bruit de pas. Ce n'était pas Justine, alors à quoi bon?

— Meggie, dit Fee en apparaissant sur la véranda. Nous avons un visiteur. Veux-tu entrer, je te prie?

Le visiteur, un homme à l'allure distinguée, dans la force de l'âge, pouvait fort bien être plus jeune qu'il ne le paraissait. Très différent de tout autre homme qu'elle eût jamais vu, sinon qu'il possédait ce même genre de puissance et de confiance en soi qui animait Ralph. Qui avait animé Ralph. Qui avait animé. Le passé le plus définitif, maintenant réellement définitif.

— Meggie, je te présente M. Rainer Hartheim, dit Fee, debout à côté de son fauteuil.

— Oh! s'exclama involontairement Meggie, très surprise par le physique de ce Rain autrefois si souvent mentionné dans les lettres de Justine. Je vous en prie, asseyez-vous, monsieur Hartheim, invita-t-elle, retrouvant son sens de l'hospitalité.

Lui aussi la dévisageait avec étonnement.

— Vous ne ressemblez pas du tout à Justine, dit-il, décontenancé.

— En effet, convint-elle en s'asseyant en face de lui.

— Je vais te laisser avec M. Hartheim, Meggie, puisqu'il m'a dit qu'il désirait te voir en particulier, annonça Fee. Quand tu seras prête pour le thé, tu pourras sonner.

Sur quoi, elle quitta la pièce.

— Vous êtes l'ami allemand de Justine, évidemment, marmotta Meggie, un peu perdue.

Il tira son étui à cigarettes de sa poche.

— Puis-je?

— Je vous en prie.

— Accepteriez-vous une cigarette, madame O'Neill?

— Non, merci. Je ne fume pas. (Elle lissa sa robe.) Vous êtes bien loin de chez vous, monsieur Hartheim. Vos affaires vous appellent-elles en Australie?

Il sourit, se demandant quelle serait la réaction de cette femme si elle savait qu'en fait il était le maître de Drogheda. Mais il n'avait pas l'intention de le lui dire; il préférait que tous les habitants du domaine continuent de penser que leur bien-être dépendait uniquement de l'administrateur, rigoureusement impersonnel, qu'il utilisait en tant qu'intermédiaire.

— Je vous en prie, madame O'Neill, appelez-moi Rainer, proposa-t-il tout en songeant que cette femme n'userait pas de son prénom avant un certain temps. Non, je n'ai pas d'affaires officielles à traiter en Australie, mais je n'en avais pas moins de bonnes raisons pour faire ce voyage. Je voulais vous voir.

— Me voir? moi? demanda-t-elle, surprise. (Afin de masquer sa subite confusion, elle aborda immédiatement un sujet plus sûr.) Mes frères parlent souvent de vous. Vous avez été bon à leur endroit lorsqu'ils étaient à Rome pour l'ordination de Dane. (Elle prononça le nom de Dane sans la moindre altération dans la voix, comme si elle l'utilisait fréquemment.) J'espère que vous pourrez rester quelques jours, ce qui leur permettra de vous voir.

— Volontiers, madame O'Neill, répondit-il tranquillement.

Pour Meggie, l'entrevue inattendue avait quelque chose de gênant. Cet inconnu lui annonçait qu'il avait parcouru dix-huit mille kilomètres simplement pour la voir, et il ne paraissait nullement pressé de lui faire part de l'objet de sa visite. Elle pensait qu'elle finirait par le trouver sympathique, mais il l'intimidait un peu. Peut-être n'était-elle pas habituée à ce genre d'homme et c'est pour cela qu'il la déconcertait. Justine lui apparut soudain sous un jour très neuf : sa fille était réellement capable d'entretenir des relations aisées avec un homme tel que Rainer Moerling Hartheim! Elle imagina enfin Justine comme une vraie femme, une égale.

Malgré son âge et ses cheveux blancs, elle est encore très belle, songea-t-il pendant qu'elle l'enveloppait d'un regard poli; il était encore surpris qu'elle n'eût aucune similitude de traits avec Justine, alors que Dane avait si fortement ressemblé au cardinal. Comme elle devait se sentir seule! Pourtant, il ne parvenait pas à la plaindre à la façon dont il plaignait Justine; elle avait su composer avec elle-même.

— Comment va Justine? demanda-t-elle.

— Malheureusement, je ne le sais pas. Ma dernière rencontre avec elle remonte à avant la mort de Dane.

Elle ne parut pas surprise.

— Moi-même, je ne l'ai pas revue depuis l'enterrement de Dane, dit-elle avec un soupir. J'espérais qu'elle reviendrait à la maison, mais je crois que je me berce d'illusions.

Il émit quelques mots apaisants qu'elle ne sembla pas entendre car elle continua à parler, mais d'un ton différent qui tenait du soliloque.

— Drogheda ressemble à une maison de retraite maintenant, marmotta-t-elle. Nous avons besoin de sang jeune, et celui de Justine est le seul qui nous reste.

La pitié le déserta; il se pencha vivement en avant, les yeux brillants.

— Vous parlez d'elle comme si elle appartenait corps et âme à Drogheda, dit-il d'un ton dur. Je vous avertis, madame O'Neill, il n'en est rien.

— De quel droit vous permettez-vous de juger de ce qu'est ou de ce que n'est pas Justine? demanda-t-elle avec colère. Après tout, vous m'avez avoué que votre dernière rencontre avec elle remonte à avant la mort de Dane, et cela fait deux ans!

— Oui, vous avez raison. Ça fait deux ans passés. (Il s'exprima d'une voix plus douce, prenant de nouveau conscience de ce que devait être la vie de cette femme.) Vous acceptez bien, madame O'Neill.

— Vraiment? fit-elle en s'efforçant de sourire, les yeux rivés sur ceux de son visiteur.

Soudain, il commença à comprendre ce que le cardinal avait dû voir en elle pour tant l'aimer. Justine en était exempte, mais lui-même n'était pas le cardinal; il recherchait autre chose.

— Oui, vous acceptez bien, répéta-t-il.

Elle comprit immédiatement ce qu'il sous-entendait et accusa le coup.

— Comment êtes-vous au courant au sujet de Dane et de Ralph? demanda-t-elle d'une voix altérée.

— Je l'ai deviné. Ne vous inquiétez pas, madame O'Neill, personne d'autre ne s'en doute. Je l'ai deviné parce que je connaissais le cardinal longtemps avant d'avoir rencontré Dane. A Rome, tous croyaient que le cardinal était votre frère, l'oncle de Dane, mais Justine m'en a dissuadé le jour même où je l'ai connue.

— Justine? Oh, pas Justine! s'écria Meggie.

Il se rapprocha pour lui prendre la main avec laquelle elle se frappait frénétiquement le genou.

— Non, non, non, non! madame O'Neill! Justine ne soupçonne absolument pas la vérité, et je prie pour qu'elle l'ignore toujours! Elle a remis les choses au point sans s'en rendre compte, croyez-moi.

— Vous êtes sûr?

— Oui, je vous le jure.

— Alors, au nom du Ciel, pourquoi n'est-elle pas revenue ici? Pourquoi n'est-elle pas venue me voir? Pourquoi n'ose-t-elle pas paraître devant moi?

Non seulement ses paroles, mais aussi le désespoir qui perçait dans sa voix lui apprirent ce qui avait torturé la mère de Justine devant l'absence de celle-ci au cours des deux dernières années. L'importance de sa propre mission s'amenuisait; à présent, il lui en incombait une nouvelle : dissiper les craintes de Meggie.

— C'est moi qui suis à blâmer, dit-il d'un ton catégorique.

— Vous? s'enquit Meggie, stupéfaite.

— Justine avait prévu d'accompagner Dane en Grèce, et elle est persuadée que si elle avait donné suite à son projet Dane serait encore vivant.

— Ridicule! s'exclama Meggie.

— Absolument. Mais bien que nous sachions que

c'est ridicule, Justine ne voit pas les choses sous cet angle. C'est à vous qu'il appartient de lui faire entendre raison.

— A moi? Vous ne comprenez pas, monsieur Hartheim. Justine ne m'a jamais écoutée de toute sa vie et le peu d'influence que j'ai pu avoir sur elle autrefois a totalement disparu. Elle ne veut même pas me revoir.

La défaite perçait sous son ton sans toutefois laisser entrevoir la déchéance.

— Je suis tombée dans le même piège que ma mère, reprit-elle tranquillement. Drogheda est ma vie... la maison, les registres... Ici, on a besoin de moi, ma vie a encore un sens. Il y a des gens qui comptent sur moi. Tel n'a jamais été le cas pour mes enfants, vous savez, jamais.

— C'est inexact, madame O'Neill. Si vous ne vous trompiez pas, Justine pourrait revenir à vous sans le moindre remords. Vous sous-estimez l'amour qu'elle vous porte. Quand je dis que c'est moi qui suis à blâmer pour le calvaire que gravit Justine, j'entends qu'elle est restée à Londres à cause de moi, pour être avec moi, mais c'est pour vous qu'elle souffre, par pour moi.

Meggie se raidit.

— Elle n'a pas à souffrir pour moi! Qu'elle souffre pour son propre compte si elle doit porter sa croix, mais pas pour moi. Jamais pour moi!

— Alors, vous me croyez quand je vous affirme qu'elle n'a pas le moindre soupçon sur les liens qui unissaient Dane et le cardinal?

L'attitude de Meggie se modifia, comme si son visiteur lui rappelait qu'il y avait autre chose en jeu qu'elle perdait de vue.

— Oui, répondit-elle, je vous crois.

— Je suis venu vous trouver parce que Justine a besoin de votre aide et elle ne peut vous la demander, expliqua-t-il. Il faut que vous la persuadiez de rassembler toutes ses forces éparses pour qu'elle puisse continuer à vivre... pas de Drogheda, mais pour mener sa propre vie qui n'a rien à voir avec Drogheda.

Il s'adossa à son fauteuil, croisa les jambes et alluma une autre cigarette.

— Justine a endossé une sorte de cilice pour des raisons fallacieuses, continua-t-il. Si quelqu'un est capable de lui faire comprendre, c'est vous. Mais je vous préviens que si vous vous décidez à le faire, elle ne rentrera jamais à Drogheda, tandis que si elle continue dans cette voie il est fort possible qu'elle finisse par revenir ici, et définitivement.

« La scène ne suffit pas à une femme comme Justine, reprit-il après un silence. Et le jour approche où elle s'en rendra compte. Alors, il lui faudra opter... soit pour sa famille et Drogheda, soit pour moi. (Il lui dédia un sourire compréhensif.) Mais ceux qui l'entoureront ne suffiront pas non plus à Justine, madame O'Neill. Si Justine me choisit, elle pourra poursuivre sa carrière théâtrale. C'est là une prime que Drogheda ne peut lui offrir. (Son expression changea; il la considéra avec sévérité comme s'il avait affaire à un adversaire.) Je suis venu vous demander de vous assurer qu'elle me choisira. Mes paroles peuvent vous paraître cruelles, mais j'ai plus besoin d'elle que vous.

La raideur reprit possession de Meggie.

— Drogheda n'est pas un si mauvais choix, contre-attaqua-t-elle. Vous en parlez comme si ce devait être un enterrement, mais ce ne serait rien de tel, vous savez. Elle pourrait continuer à faire du théâtre. Ici, nous formons une véritable communauté. Même si elle épousait Boy King, comme son grand-père et moi l'avons espéré pendant des années, ses enfants seraient aussi bien soignés pendant ses absences que si elle devenait votre femme. Ici, c'est son foyer. Elle connaît et comprend la vie que nous y menons. Si elle la choisissait, elle aurait parfaitement conscience de ce qu'elle implique. Pouvez-vous en dire autant pour le genre de vie que vous lui offririez?

— Non, convint-il, flegmatique. Mais Justine est avide de surprises. A Drogheda, elle stagnerait.

— Ce que vous entendez, c'est qu'elle serait malheureuse ici.

— Non, pas exactement. Je ne doute pas que si elle choisissait de revenir ici, d'épouser ce Boy King... Au fait, qui est ce Boy King?

— L'héritier d'un domaine voisin, un de ses amis d'enfance qui souhaiterait devenir plus qu'un ami. Son grand-père voudrait le voir marié pour perpétuer le nom; de mon côté, je serais favorable à cette union parce que j'estime que c'est ce dont Justine a besoin.

— Je vois. Eh bien, si elle revenait et épousait Boy King, elle apprendrait à être heureuse. Mais le bonheur est un état relatif. Je ne pense pas qu'elle connaîtrait jamais le genre de satisfaction qu'elle trouverait avec moi. Parce que, madame O'Neill, c'est moi que Justine aime, pas Boy King.

— Alors, elle a une façon bien curieuse de le montrer, remarqua Meggie en allant tirer le cordon de sonnette pour demander qu'on servît le thé. D'ailleurs, monsieur Hartheim, ainsi que je vous le disais, je crois que vous surestimez mon influence sur elle. Justine n'a jamais tenu compte de mes recommandations et encore moins de ma volonté.

— Vous ne me donnez pas le change, madame O'Neill, riposta-t-il. Vous savez très bien que vous êtes capable de l'influencer si vous le voulez. Je vous demande seulement de réfléchir à ce que je vous ai dit. Prenez tout votre temps, rien ne presse. Je suis patient.

— Dans ce cas, vous appartenez à une espèce en voie de disparition, dit Meggie en souriant.

Il ne revint pas sur le sujet, pas plus qu'elle d'ailleurs.

Au cours de la semaine qu'il passa à Drogheda, il se conduisit comme n'importe quel autre invité, bien que Meggie eût le sentiment qu'il faisait en sorte de lui montrer l'homme qu'il était. La sympathie que lui vouaient ses frères ne pouvait être mise en doute; dès l'instant où la nouvelle de son arrivée s'était propagée dans les enclos, ils rentrèrent tous à la maison et y demeurèrent jusqu'à son départ pour l'Allemagne.

Il plaisait aussi à Fee; sa vue ne lui permettait plus de tenir les registres, mais elle était loin d'être sénile. Mme Smith était morte dans son sommeil l'hiver précédent et, plutôt que d'infliger une nouvelle gouvernante à Minnie et Cat, toutes deux âgées mais encore d'une santé florissante et solides au poste, Fee avait transmis la tenue des livres à Meggie et supervisait elle-même les besognes ménagères. Ce fut Fee qui, la première, prit conscience du fait que Rainer avait été étroitement lié à cette phase de la vie de Dane que personne, à Drogheda, n'avait eu la possibilité de partager; aussi lui demanda-t-elle de leur en parler. Il souscrivit avec plaisir à son désir, d'autant qu'il avait remarqué qu'aucun des habitants de Drogheda ne répugnait à évoquer Dane et que tous éprouvaient une joie réelle en écoutant de nouveaux récits le concernant.

Sous des dehors polis, Meggie ne pouvait s'empêcher de penser à ce que Rainer lui avait dit, s'appesantissant souvent sur le choix qu'il lui avait proposé. Depuis longtemps, elle avait abandonné tout espoir de voir revenir Justine, et voilà que cet homme lui garantissait pratiquement le retour de sa fille à Drogheda, allant même jusqu'à admettre que Justine pourrait y être heureuse. Par ailleurs, elle éprouvait une immense reconnaissance à son endroit; il avait écarté les craintes qu'elle nourrissait, redoutant que, d'une façon quelconque, Justine eût découvert les liens qui unissaient Dane et Ralph.

Quant au mariage avec Rain, Meggie ne voyait pas de quelle façon elle pourrait amener Justine à y souscrire puisqu'elle ne semblait pas vouloir l'envisager. Ou Meggie se refusait-elle à l'admettre? Elle avait fini par éprouver beaucoup de sympathie pour Rain, mais le bonheur de celui-ci ne pouvait évidemment pas revêtir la même importance à ses yeux que le bien-être de sa fille, des habitants de Drogheda, et l'avenir du domaine. La question cruciale était de savoir jusqu'à quel point le bonheur futur de Justine passait par cet homme. D'après lui, Justine l'aimait, mais Meggie ne se souvenait pas que sa fille eût jamais dit quoi que ce soit susceptible d'indiquer que Rain revêtît une importance analogue à celle que Ralph avait eue pour Meggie.

— Je suppose que, tôt ou tard, vous verrez Justine, dit-elle à Rainer en le conduisant à l'aéroport. Et, à ce moment, je préférerais que vous ne mentionniez pas votre visite à Drogheda.

— Comme vous voudrez, répondit-il. Je vous demande seulement de penser à ce que je vous ai dit, et prenez tout votre temps.

Mais, au moment où il exprimait sa requête, il eut l'impression que Meggie avait retiré infiniment plus de profit de sa visite que lui.

Lorsque vint la mi-avril, soit deux ans et demi après la mort de Dane, Justine se sentit tenaillée par une envie irrésistible de voir autre chose que des rangées de maisons et un flot de gens tristes. Subitement, par cette belle journée printanière et ensoleillée, la ville lui parut intolérable. Elle prit le train pour se rendre aux jardins de Kew, heureuse que ce fût un mardi, ce qui lui permettrait de jouir de la beauté des lieux en toute tranquillité. Il y avait relâche ce soir-là et, si le cœur lui en disait, elle pourrait arpenter les allées jusqu'à épuisement.

Elle connaissait bien le parc, évidemment. Pour quiconque venait de Drogheda, Londres était une joie avec ses innombrables massifs fleuris, mais Kew dégageait un charme particulier. Au début de son séjour en Angleterre, elle avait pris l'habitude de s'y rendre d'avril à fin octobre car chaque mois offrait une nouvelle disposition florale.

La mi-avril était son époque préférée; celle des jonquilles, des azalées et des arbres en fleurs. Elle avait découvert un endroit qui, d'après elle, offrait l'une des plus ravissantes vues du monde, à une échelle réduite, intime; aussi s'assit-elle sur la terre humide, seule spectatrice, pour s'en repaître. A perte de vue s'étendait un tapis de jonquilles; à mi-distance, le flot de petites clochettes jaunes enserrait un grand amandier en fleur dont les branches alourdies, épanouies, se courbaient en arcs aussi parfaits et immobiles que s'ils figuraient sur une estampe japonaise. La paix. Si difficile à trouver.

Et puis, comme elle rejetait la tête en arrière pour mieux s'imprégner de la beauté absolue de l'amandier en fleur au milieu de sa mer dorée et ondoyante, quelque chose d'infiniment moins beau vint gâcher le paysage. Rainer Moerling Hartheim, en personne, se frayant un chemin avec précaution à travers les touffes de jonquilles, sa masse abritée de l'air frais par l'inévitable manteau de cuir allemand, le soleil accrochant ses cheveux argentés.

— Vous allez prendre mal aux reins, dit-il en ôtant son manteau qu'il étendit sur le sol afin que tous deux puissent s'y asseoir.

— Comment m'avez-vous trouvée ici? demanda-t-elle en se glissant sur un coin de doublure brune.

— Mme Kelly m'a dit que vous étiez partie pour Kew. Le reste était facile. Je me suis contenté de marcher jusqu'à ce que je vous trouve.

— Et vous vous attendez probablement à ce que je vous saute au cou comme une vieille médaille, hein!

— En avez-vous l'intention?

— Toujours fidèle à vous-même, hein, Rain? Vous répondez à une question par une question. Non, je ne suis pas spécialement heureuse de vous voir. Je croyais que vous vous étiez retiré sous votre tente définitivement.

— Il est difficile à un brave type de se retirer sous sa tente définitivement. Comment allez-vous?

— Bien.

— Avez-vous suffisamment léché vos plaies?

— Non.

— Je devais m'y attendre. Mais j'ai fini par comprendre qu'après m'avoir congédié vous ne parviendriez jamais à museler suffisamment votre fierté pour faire le premier pas vers la réconciliation. Tandis que moi, *herzchen*, je suis assez avisé pour savoir que la fierté est une compagne de lit qui vous confine à la solitude.

— Ne vous faites pas d'illusions. Si vous comptez la virer à grands coups de pied de mon lit pour vous mettre à sa place, je vous préviens, Rain, je n'ai pas l'intention de vous voir reprendre ce rôle.

— Je ne veux plus reprendre ce rôle.

La vivacité de sa réponse agaça Justine, mais elle prit un air soulagé et dit :

— Vraiment?

— Si c'était le cas, croyez-vous que j'aurais supporté d'être éloigné de vous si longtemps? Cet intermède n'a jamais été qu'un incident de parcours, mais je continue à penser à vous comme à une amie très chère et, sous cet aspect, vous me manquez.

— Oh, Rain, vous me manquez aussi!

— Parfait. Alors puis-je me considérer comme votre ami?

— Bien sûr.

Il s'étendit sur le manteau, ramena les bras derrière sa tête, sourit paresseusement.

— Quel âge avez-vous? Trente ans? Dans ces vêtements épouvantables, vous avez plutôt l'air d'une écolière mal fagotée. Si vous n'avez pas besoin de moi dans votre vie pour d'autres raisons, Justine, je vous suis indiscutablement indispensable en tant qu'arbitre des élégances.

Elle rit.

— Je reconnais qu'à l'époque où je pensais que vous pouviez à tout moment sortir de votre tanière, je soignais beaucoup plus mon apparence. Mais, si j'ai trente ans, de votre côté vous n'avez rien du poulet de grain. Vous devez avoir au moins quarante ans. Maintenant, la différence ne semble pas aussi énorme, hein? Vous avez maigri; vous n'êtes pas malade, Rain?

— Je n'ai jamais été gras, seulement un peu fort, et le fait de rester assis derrière un bureau m'a ratatiné.

Elle se laissa glisser un peu plus bas, se tourna sur le ventre, approcha son visage du sien, sourit.

— Oh, comme c'est bon de vous voir! Personne d'autre ne m'en donne autant pour mon argent.

— Pauvre Justine! Et vous en avez tant maintenant, n'est-ce pas?

— D'argent? (Elle opina.) Curieux que le cardinal m'ait légué toute sa fortune personnelle... Enfin, la moitié pour moi, la moitié pour Dane mais, évidemment, sa part m'est revenue. (Malgré elle, son visage se crispa. Elle détourna la tête et fit mine de s'absorber dans la contemplation d'une jonquille jusqu'à ce qu'elle parvînt de nouveau à contrôler sa voix.) Vous savez, Rain, je donnerais cher pour savoir exactement ce que représentait le cardinal pour ma famille. Un ami, seulement un ami? Certainement plus que ça, d'une façon quelconque. Je ne sais pas exactement quoi. J'aimerais bien percer ce mystère.

— Il n'y en a pas. (Il se remit vivement sur pied et lui tendit la main.) Venez, *herzchen*, je vais vous emmener dîner dans un endroit à la mode où toute l'assistance pourra constater que le fossé qui séparait l'actrice australienne aux cheveux carotte d'un membre du gouvernement allemand est comblé. Ma réputation de play-boy a beaucoup souffert depuis que vous m'avez écarté de votre vie.

— Il faudra la rétablir, mon cher ami. On ne me qualifie plus d'actrice australienne aux cheveux carotte... Maintenant, je suis la merveilleuse, la superbe actrice britannique aux cheveux blond vénitien, cela grâce à mon immortelle interprétation de Cléopâtre. Vous n'allez pas prétendre ignorer que les critiques voient en moi la Cléopâtre la plus exotique qui ait sévi depuis bien des années?

Elle imprima à ses bras et mains une pose figurant un hiéroglyphe égyptien.

Une lueur traversa les yeux de Rain.

— Exotique? demanda-t-il d'un ton dubitatif.

— Oui, exotique, répéta-t-elle, catégorique.

Le cardinal di Contini-Verchese étant mort, Rain n'allait presque plus à Rome. Il préférait se rendre à Londres chaque fois qu'il le pouvait. Au début, Justine était tellement enchantée qu'elle se contenta de l'amitié qu'il lui offrait mais, au fil des mois, alors qu'il s'abstenait toujours de faire allusion par la parole ou le regard à leurs relations amoureuses, son indignation, tout d'abord légère, devint de plus en plus obsédante. Non qu'elle souhaitât renouer avec cet aspect du passé, ainsi qu'elle se le répétait constamment; elle en avait fini avec ce genre de choses, elle n'en avait ni besoin ni désir. Pas plus qu'elle n'autorisait ses pensées à s'appesantir sur une image de Rain, si bien ensevelie qu'elle ne resurgissait qu'à l'occasion de rêves perfides.

Les premiers mois ayant suivi la mort de Dane avaient été atroces. Il lui avait fallu résister au désir de se précipiter vers Rain, de l'étreindre de tout son corps, de tout son esprit, sachant très bien qu'il se laisserait aller si elle le voulait vraiment. Mais elle ne pouvait se le permettre alors que le visage de Rain était obscurci par celui de Dane. Il était juste de l'écarter, juste de lutter afin d'oblitérer en elle jusqu'au moindre reflet de désir pour cet homme. Et, au fil du temps, il semblait qu'il dût rester hors de sa vie définitivement; alors son corps s'installa dans une torpeur que rien n'éveillait, et elle disciplina son esprit, le forçant à l'oubli.

Mais maintenant que Rain était de retour, les choses devenaient de plus en plus difficiles. Elle grillait de lui demander s'il se rappelait leurs étreintes — comment aurait-il pu les oublier? Bien sûr, de son côté, elle en avait fini avec ce genre de choses, mais c'eût été une satisfaction que d'apprendre qu'il n'en allait pas de même pour lui. Cela, évidemment, à condition que ce ne fût qu'à l'égard de Justine, et uniquement à l'égard de Justine.

Rêves fumeux. Rain ne donnait pas l'impression d'un homme qui se consumait pour un amour non partagé, mental ou physique, et il ne montrait jamais la moindre velléité de reprendre cette phase de leur vie. Il la voulait en tant qu'amie, était heureux avec elle en tant qu'amie. Parfait! C'est ce qu'elle souhaitait aussi. Mais... pouvait-il avoir oublié? Non, ça n'était pas possible. Mais le diable l'emporte s'il avait oublié!

Un soir, l'obsession de Justine atteignit un tel paroxysme que le rôle de lady Macbeth qu'elle interprétait se teinta d'une sauvagerie tout à fait étrangère à sa manière de jouer habituelle. Après quoi, elle ne dormit pas très bien et, le lendemain matin, elle reçut une lettre de sa mère qui lui communiqua une impression de malaise.

M'man n'écrivait plus très souvent, sans doute un symptôme de la longue séparation qui les affectait toutes les deux, et ses rares lettres étaient guindées, pâles. Il en allait tout autrement pour la dernière en date qui contenait un lointain murmure de vieillesse; une lassitude sous-jacente se devinait dans les quelques mots qui crevaient la surface des banalités, comme la partie émergée de l'iceberg. Justine n'aimait pas ça. Vieille. M'man, vieille!

Que se passait-il à Drogheda? Maman essayait-elle de lui cacher des ennuis sérieux? Grand-mère était-elle malade? Ou l'un des oncles? Ou m'man elle-même? Mon Dieu, surtout pas ça! Il y avait trois ans qu'elle n'avait vu aucun des habitants de Drogheda, et bien des événements pouvaient survenir en trois ans, même si rien n'intervenait dans la vie de Justine O'Neill. Du fait que sa propre existence était stagnante et terne, elle ne devait pas croire qu'il en allait de même chez les autres.

Ce soir-là, il y avait relâche et il ne restait qu'une seule représentation de *Macbeth* avant la fin de la saison. La journée s'était traînée lamentablement et la perspective d'un dîner avec Rain ne lui communiquait pas le même plaisir qu'à l'accoutumée. Notre amitié est inutile, futile, statique, se dit-elle en enfilant une robe exactement de l'orange qu'il détestait le plus. Vieux croulant conservateur! Si elle ne plaisait pas à Rain telle qu'elle était, il n'avait qu'à aller se faire cuire un œuf! Puis, en faisant bouffer les volants du corsage échancré sur sa maigre poitrine, elle surprit ses yeux dans le miroir et rit tristement. Oh, quelle tempête dans un verre d'eau! Elle agissait exactement comme le genre de femmes qu'elle méprisait tant. C'était probablement très simple. Elle était déprimée, avait besoin de repos. Dieu soit loué pour la fin de lady M! Mais que pouvait bien avoir m'man?

Ces derniers temps, Rain prolongeait de plus en plus

ses séjours à Londres et Justine s'émerveillait devant la facilité avec laquelle il allait et venait entre Bonn et l'Angleterre. Sans doute, l'avion privé facilitait les choses, mais ce devait être épuisant.

— Pourquoi venez-vous me voir si souvent? lui demanda-t-elle sans raison. Tous les journalistes en mal de potins s'en réjouissent, mais je dois avouer que je me demande parfois si je ne vous sers pas simplement d'excuse pour d'autres activités que vous mèneriez à Londres.

— Il est exact que vous me servez de couverture de temps à autre, reconnut-il calmement. En fait, j'ai pu ainsi jeter de la poudre aux yeux à pas mal de gens. Mais il ne m'est pas pénible d'être avec vous parce que j'aime votre compagnie. (Ses yeux sombres s'appesantirent pensivement sur le petit visage qui lui faisait face.) Vous êtes bien calme ce soir, *herzchen*. Auriez-vous des ennuis?

— Non, pas vraiment. (Elle écarta l'assiette de son dessert auquel elle n'avait pas touché.) Enfin, ce n'est qu'une bêtise. Nous ne nous écrivons plus chaque semaine, maman et moi... Nous ne nous sommes plus vues depuis si longtemps et nous n'avons plus grand-chose à nous dire... mais, aujourd'hui, j'ai reçu d'elle une lettre bizarre; elle ne lui ressemble pas du tout.

Rain sentit le cœur lui manquer; Meggie avait effectivement pris son temps pour réfléchir; il comprit instinctivement qu'elle s'était décidée à agir, mais pas en sa faveur. Elle commençait le siège de sa fille pour la ramener à Drogheda, perpétuer la dynastie.

Il tendit la main à travers la table pour prendre celle de Justine. La maturité lui va bien, songea-t-il. Elle est plus belle que jamais en dépit de cette robe atroce. De minuscules rides conféraient une certaine dignité à ce visage gamin, qui en avait le plus grand besoin, et un caractère qui, pourtant, avait toujours été excédentaire chez Justine. Mais jusqu'où allait cette maturité de surface? C'était là ce qui péchait chez Justine; elle n'essayait même pas de s'interroger.

— *Herzchen*, votre mère se sent seule, dit-il, brûlant ses vaisseaux.

Si c'était là ce que voulait Meggie, comment pouvait-il persister à croire qu'il était dans le vrai et qu'elle se trompait? Justine était sa fille; elle devait la connaître infiniment mieux que lui.

— Oui, peut-être, marmonna Justine en fronçant les sourcils. Mais je ne peux pas m'empêcher de penser qu'il y a autre chose. Après tout, elle est seule depuis des années. Alors, pourquoi ce changement? Je n'arrive pas à mettre le doigt dessus, Rain, et c'est peut-être ce qui m'inquiète le plus.

— Elle prend de l'âge, ce que vous avez tendance à oublier, me semble-t-il. Il est possible que certaines choses lui soient plus difficiles à supporter qu'autrefois. (Ses yeux parurent subitement lointains, comme s'il se concentrait sur une pensée n'ayant rien à voir avec ses paroles.) Justine, il y a trois ans, elle a perdu son fils unique. Croyez-vous que le chagrin s'amenuise au fil du temps? Je pense qu'il doit s'accroître. Il est parti et, maintenant, elle doit croire que vous êtes partie aussi. Après tout, vous n'êtes même pas allée lui rendre visite.

Elle ferma les yeux.

— J'irai, Rain, j'irai! Je vous promets que j'irai la voir, et bientôt! Vous avez raison, évidemment. Vous avez toujours raison. Je ne pensais pas que Drogheda puisse jamais me manquer mais, ces derniers temps, j'ai l'impression qu'il m'est plus cher. Comme si j'en faisais partie, malgré tout.

Tout à coup, il consulta sa montre, esquissa un sourire contrit.

— Je crains que cette soirée ne soit l'une des occasions où je me suis servi de vous, *herzchen*. Je suis navré d'avoir à vous demander de rentrer seule mais, dans moins d'une heure, je dois retrouver un gentleman très important en un lieu ultra-secret qu'il me faut gagner dans ma propre voiture, conduite par Fritz, mon chauffeur, qui a passé avec brio le triple examen des services de sécurité.

— Silence et manteau couleur de muraille! s'exclama-t-elle gaiement, dissimulant sa peine. Maintenant, je comprends! Moi, je peux être confiée à un vulgaire chauffeur de taxi, mais pas l'avenir du Marché Commun, hein? Eh bien, pour vous prouver que je n'ai besoin ni d'un taxi ni de votre Fritz agréé par les services de sécurité, je vais prendre le métro pour rentrer. Il est encore très tôt.

Les doigts de Rainer reposaient toujours sur ceux de Justine; elle lui saisit la main, la porta à sa joue et l'embrassa.

— Oh, Rain, je ne sais pas ce que je ferais sans vous!

Il enfonça la main dans sa poche, se leva, contourna la table et saisit le dossier de la chaise de Justine.

— Je suis votre ami, dit-il. Et c'est ainsi avec les amis, on ne peut pas se passer d'eux.

Dès qu'il l'eut quittée, Justine regagna son appartement d'une humeur très pensive qui se mua bientôt en un état dépressif. Ce soir, la conversation avait pris un tour plus personnel qu'à l'accoutumée, mais il n'en était rien sorti, sinon qu'il croyait sa mère très seule, vieillissante, et qu'elle ferait bien de rentrer à Drogheda. Il avait parlé d'une visite, mais elle ne pouvait s'empêcher de se demander s'il n'entendait pas un retour définitif. Son attitude semblait indiquer que, quels que fussent les sentiments qu'il avait autrefois éprouvés pour elle, ceux-ci faisaient bel et bien partie du passé, et il ne souhaitait pas les ramener à la vie.

Jamais auparavant, elle ne s'était demandé s'il ne la considérait pas comme une gêneuse, une partie de son passé qu'il préférait voir reléguée à une saine obscurité, dans un endroit tel que Drogheda; après tout, peut-être était-ce le cas. Mais alors, pourquoi avait-il resurgi dans sa vie neuf mois plus tôt? Parce qu'il éprouvait de la pitié à son égard? Parce qu'il avait le sentiment de lui être redevable d'une façon quelconque? Parce qu'il avait l'impression qu'il lui fallait la secouer pour qu'elle retournât vers sa mère, qu'il le devait à la mémoire de Dane? Il avait beaucoup aimé Dane, et comment savoir de quoi ils avaient parlé tous deux en son absence pendant les longues visites de Rain à Rome? Peut-être Dane lui avait-il demandé de garder l'œil sur elle, et il s'acquittait de cette mission. Après avoir attendu pendant une période convenable afin de s'assurer qu'elle ne le rembarrerait pas, il s'était de nouveau manifesté pour tenir une promesse faite à Dane. Oui, c'était vraisemblablement là la réponse. Il n'était certainement plus amoureux d'elle. Quelle que fût l'attirance qu'elle avait pu exercer sur lui à une époque, elle s'était depuis longtemps dissipée; après tout, elle l'avait traité abominablement. Elle ne pouvait s'en prendre qu'à elle.

Le brassage de ces pensées déclencha les larmes; elle pleura lamentablement, puis elle parvint à se ressaisir et se tança pour sa sottise. Et de se tourner, de se retourner, de bourrer son oreiller de coups de poing dans son infructueuse quête de sommeil; enfin, vaincue, elle resta étendue et essaya de lire un manuscrit. Après quelques pages, les mots dansèrent devant ses yeux, s'emmêlèrent; elle avait beau essayer de recourir à sa vieille méthode consistant à acculer le désespoir dans quelque recoin de son cerveau, il finit par la submerger. Et, tandis que la morne lueur de l'aube filtrait à travers les rideaux, elle s'assit à son bureau, transie, écoutant le bruit lointain et sourd du trafic, percevant de tous ses sens l'humidité, l'aigreur du petit matin. Subitement, l'idée de Drogheda paraissait merveilleuse. L'air pur et doux, un silence rompu seulement par des éléments naturels. La paix.

Elle saisit l'un de ses stylos à pointe de feutre noire et commença à écrire à sa mère; ses larmes séchaient au fur et à mesure qu'elle traçait ses mots.

J'espère que tu comprends pourquoi je ne suis pas revenue depuis la mort de Dane mais, quel que soit ce que tu penses de mes raisons, je sais que tu seras heureuse d'apprendre que je compte réparer cette absence en rentrant définitivement.

Oui, tu as bien lu. Je vais rentrer à la maison pour de bon, m'man. Tu avais raison — le moment est venu où Drogheda me manque. J'ai voulu voler de mes propres ailes et je me suis rendu compte que ça ne rimait pas à grand-chose. A quoi bon traîner d'une scène à l'autre pendant le restant de mes jours? Et qu'existe-t-il pour moi ici en dehors du théâtre? J'ai besoin de quelque chose de sûr, de permanent, de durable, alors je rentre à Drogheda qui m'offre tout ça. Plus de rêves fumeux. Qui sait? Peut-être épouserai-je Boy King s'il veut encore de moi; finalement, ma vie pourra prendre un sens, par exemple en donnant le jour à toute une tribu de petits broussards du Nord-Ouest. Je suis fatiguée, m'man, si fatiguée que je ne sais pas ce que je dis, et je souhaiterais être capable de te faire part de ce que je ressens.

Enfin, je m'attaquerai à ce problème une autre fois. Les représentations de lady Macbeth sont terminées, et je n'ai encore rien signé pour la prochaine saison; donc, si je tire ma révérence au théâtre, personne n'en pâtira. Londres grouille de comédiennes. Clyde peut me remplacer en quelques minutes, toi pas. Je suis désolée qu'il m'ait fallu arriver à trente et un ans pour le comprendre.

Si Rain ne m'avait pas aidée à voir clair en moi, ça

aurait pu demander encore plus longtemps, mais c'est un type très intuitif. Il ne te connaît pas, et pourtant il semble mieux te comprendre que moi. Evidemment, on prétend que le spectateur voit mieux l'ensemble du jeu. C'est certainement vrai pour lui, mais j'en ai marre de le voir superviser ma vie du haut de son Olympe. On dirait qu'il estime avoir une sorte de dette envers Dane ou qu'il veut tenir une promesse qu'il lui aurait faite, et il m'embête en surgissant constamment dans ma vie; mais j'ai fini par comprendre que je suis une gêneuse à ses yeux. Si je retourne à Drogheda, sa dette ou sa promesse s'éteindra, n'est-ce pas? En tout cas, il devrait être heureux que je lui épargne d'incessants va-et-vient en avion.

Dès que je me serai organisée, je t'écrirai de nouveau pour t'annoncer la date de mon arrivée. En attendant, rappelle-toi qu'à ma façon bizarre je t'aime.

Elle signa sans apporter à son paraphe les habituelles fioritures, un peu comme le « Justine » qui apparaissait au bas des lettres écrites comme un pensum au pensionnat sous l'œil perçant de la sœur préposée à la censure. Puis elle plia les feuillets, les glissa dans une enveloppe et traça l'adresse. Elle posta sa lettre en se rendant au théâtre pour l'ultime représentation de *Macbeth*.

Elle entreprit de se préparer à quitter l'Angleterre. Quand elle lui fit part de sa décision, Clyde explosa, hurla, lui adressa des reproches si véhéments qu'elle en fut bouleversée, puis le lendemain il opéra un revirement complet et céda avec une bonne grâce bourrue. La cession du bail de son appartement ne présentait aucune difficulté car elle habitait un quartier très recherché; en fait, dès que la nouvelle se propagea, le téléphone sonna toutes les cinq minutes jusqu'à ce qu'elle décrochât. Mme Kelly, au service de Justine depuis l'époque lointaine de son arrivée à Londres, errait tristement au milieu d'un fouillis de fibre de bois et de caisses, gémissant sur son sort et raccrochant subrepticement le récepteur dans l'espoir que quelqu'un ayant le pouvoir de faire revenir Justine sur sa décision téléphonerait.

Effectivement, au milieu de cette agitation, quelqu'un ayant ce pouvoir téléphona, mais pas pour la persuader de changer d'avis; Rain n'était même pas au courant de son départ. Il lui demanda simplement de venir tenir le rôle de maîtresse de maison à l'occasion d'un dîner qu'il donnait dans sa résidence de Park Lane.

— Comment ça, votre maison de Park Lane? demanda Justine étonnée, d'une voix haut perchée.

— Eh bien, avec la participation croissante de l'Angleterre dans la Communauté économique européenne, je passe tant de temps à Londres qu'il devient plus pratique pour moi d'y avoir une sorte de pied-à-terre, et j'ai loué une maison à Park Lane, expliqua-t-il.

— Tudieu, Rain, vous êtes un beau salaud, un cachottier! Depuis combien de temps avez-vous cette maison?

— Environ un mois.

— Et vous m'avez laissé débloquer l'autre soir sans rien m'en dire? Le diable vous emporte!

Elle était en proie à une telle colère qu'elle en bafouillait.

— Je comptais vous l'annoncer, mais vous m'avez tellement réjoui en pensant que j'effectuais de constants va-et-vient par avion que je n'ai pas résisté à l'envie de prolonger le quiproquo, dit-il d'un ton rieur.

— Oh, je vous tuerai! grinça-t-elle entre ses dents, refoulant ses larmes.

— Non, *herzchen*, je vous en prie! Ne vous mettez pas en colère! Venez jouer les maîtresses de maison et vous aurez tout loisir d'inspecter les lieux.

— Chaperonnée par une flopée d'invités, bien sûr!

Qu'est-ce qui se passe, Rain? Avez-vous peur de vos réactions en étant seul avec moi? Ou seraient-ce les miennes que vous redoutez?

— Vous ne serez pas une invitée, dit-il, répondant à la première partie de la tirade. Vous serez la maîtresse de maison, ce qui est très différent. Acceptez-vous?

Elle essuya ses larmes d'un revers de main.

— Oui, fit-elle d'un ton bougon.

La soirée se révéla plus agréable qu'elle n'eût osé l'espérer; la maison de Rain était réellement très belle et lui d'une humeur si enjouée que Justine ne put s'empêcher de la partager. Elle arriva à l'heure, vêtue d'une façon un peu trop flamboyante au goût du maître de céans mais, après une grimace involontaire de celui-ci à la vue des chaussures de satin rose pour le moins osées, il la prit par le bras et lui fit visiter les lieux avant l'arrivée des invités. Il eut une attitude parfaite au cours de la soirée, la traitant avec une intimité primesautière qui donna à Justine l'impression d'être à la fois utile et appréciée. Les invités tenaient une si haute place dans le monde politique qu'elle préférait ne pas penser au genre de décisions qu'il leur appartenait de prendre. Des gens si ordinaires. Ce qui rendait les choses encore pires.

— Ça m'aurait moins ennuyée si un seul d'entre eux avait eu l'allure qui convient à des gens si haut placés, lui dit-elle après leur départ, heureuse de se retrouver seule avec lui et se demandant s'il ne la renverrait pas trop vite chez elle. Vous savez, comme Napoléon ou Churchill. Il est bon de croire qu'on est élu par le destin quand on est un homme d'Etat. Vous considérez-vous comme un homme élu par le destin?

Il accusa le coup.

— Vous pourriez mieux choisir vos questions quand vous interrogez un Allemand, Justine. Non, ce n'est pas le cas, et il n'est pas bon que les politiciens s'estiment choisis par le destin. Ça peut être satisfaisant pour certains d'entre eux, bien que j'en doute, mais la grande majorité de tels hommes cause à eux-mêmes et à leurs pays bien des ennuis.

Elle ne souhaitait pas approfondir la question. Celle-ci avait été utile pour entamer la conversation; elle pouvait changer de sujet sans que cela paraisse trop évident.

— Il y avait de tout dans le lot des épouses, hein? fit-elle assez maladroitement. La plupart d'entre elles étaient infiniment moins présentables que moi, même si vous ne délirez pas d'enthousiasme devant le rose éclatant. Mme Untel n'était pas trop mal et Mme Machin se confondait avec la tapisserie, mais Mme Macmuche était tout simplement abominable. Comment son mari arrive-t-il à la supporter? Mais les hommes sont tellement bêtes dans le choix de leurs épouses!

— Justine! Quand apprendrez-vous à retenir les noms? Heureusement que vous m'avez éconduit; quelle merveilleuse femme de politicien vous auriez été! Je vous ai entendue marmotter quand vous vous adressiez à quelqu'un dont vous aviez complètement oublié le nom. Bien des hommes nantis d'épouses abominables ont fort bien réussi, et nombre d'autres, pouvant se prévaloir de femmes parfaites, ne sont pas parvenus à percer. A long terme, ça n'a pas d'importance car c'est la valeur de l'homme qui compte. Rares sont ceux qui se marient pour des raisons purement politiques.

Sa vieille propension à la remettre en place pouvait encore la heurter; elle lui dédia une courbette moqueuse pour cacher son visage et se laissa glisser sur le tapis.

— Oh, je vous en prie, levez-vous, Justine!

En un geste de défi, elle ramena ses pieds sous elle, s'appuya au jambage de la cheminée et caressa Natasha. A son arrivée, elle avait découvert que Rain avait recueilli la chatte du cardinal di Contini-Verchese après la mort de celui-ci; il paraissait lui vouer une réelle affection bien que la bête fût âgée et assez capricieuse.

— Vous ai-je dit que je rentrais à Drogheda définitivement? demanda-t-elle, tout à trac.

Il prenait une cigarette dans son étui; les mains vigoureuses n'hésitèrent pas, ne tremblèrent pas. Les doigts achevèrent tranquillement leur geste.

— Vous savez parfaitement que vous ne m'en avez rien dit.

— Eh bien, alors je vous l'annonce.

— Quand avez-vous pris cette décision?

— Il y a cinq jours. J'espère pouvoir partir à la fin de la semaine. Je grille d'impatience.

— Je vois, commenta-t-il.

— Et c'est là tout ce que vous trouvez à dire?

— Que pourrais-je dire d'autre, sinon que je souhaite votre bonheur, quelles que soient vos décisions.

Il s'exprimait avec une telle maîtrise qu'elle en fut blessée.

— Eh bien, je vous remercie, laissa-t-elle tomber, très désinvolte. Etes-vous heureux à la perspective d'être débarrassé de moi?

— Vous ne m'embarrassez pas, Justine, rétorqua-t-il.

Elle abandonna Natasha, saisit le tisonnier et s'attaqua assez sauvagement aux bûches calcinées, devenues charbonneuses; celles-ci s'effondrèrent avec une gerbe d'étincelles et la chaleur du feu diminua brusquement.

— Ce doit être le démon de la destruction que nous abritons qui nous pousse à anéantir ce qui reste d'un feu. Ça ne fait qu'en hâter la fin. Mais quelle belle fin, hein, Rain?

Apparemment, il ne s'intéressait guère à ce que devenait le feu quand on le tisonnait de la sorte car il demanda simplement :

— A la fin de la semaine, vraiment? Vous ne perdez pas de temps.

— A quoi bon remettre à plus tard?

— Et votre carrière?

— J'en ai par-dessus la tête de ma carrière. D'ailleurs, après lady Macbeth, que me reste-t-il à interpréter?

— Oh, Justine, cessez de vous conduire en enfant! J'ai envie de vous secouer quand vous proférez de telles inepties! Pourquoi ne pas simplement avouer que vous ne voyez plus un défi dans le théâtre et que vous avez la nostalgie de Drogheda?

— Bon, bon, bon! J'en ai rien à foutre de la façon dont vous voyez les choses! Vous voyez, j'ai retrouvé ma grossièreté habituelle. Désolée de vous avoir offensé! (Elle se remit sur pied d'un bond.) Bon Dieu, où sont mes chaussures? Où est passé mon manteau?

Fritz se matérialisa, porteur des deux articles vestimentaires et la reconduisit chez elle. Rain lui demanda de l'excuser de ne pouvoir l'accompagner, prétendant qu'il avait encore à travailler, mais quand elle l'eut quitté, il s'assit devant le feu après l'avoir alimenté d'une nouvelle bûche, Natasha sur les genoux; il ne paraissait pas avoir à faire face à une soirée de travail.

— Enfin, dit Meggie à sa mère, j'espère que nous avons bien manœuvré.

Fee la considéra, opina.

— Oh oui! j'en suis sûre. L'ennui, avec Justine, c'est qu'elle est incapable de prendre une telle décision. Aussi, nous n'avons pas le choix. Il nous faut la prendre à sa place.

— Je n'aime pas beaucoup jouer les *deus ex machina*. Je crois savoir ce qu'elle souhaite réellement mais, même si je le lui disais en face, elle trouverait le moyen de biaiser.

— La fierté des Cleary, commenta Fee avec un léger

sourire. Elle se fait jour même chez ceux qui nous paraissent le moins susceptibles de l'abriter.

— Allons donc, ce n'est pas uniquement la fierté des Cleary; il s'y mêle aussi une pointe de celle des Armstrong.

Mais Fee secoua la tête.

— Non. Quelle que soit la raison de mes actes, la fierté n'y tenait pas grand-place. Vois-tu, l'âge nous confère certaines prérogatives, Meggie, en nous donnant le temps de souffler pour nous permettre de comprendre les raisons de nos actes.

— A condition que la sénilité ne nous en rende pas incapables, répliqua sèchement Meggie. Non que tu coures ce danger, pas plus que moi, je suppose.

— La sénilité est peut-être une grâce accordée à ceux qui sont incapables de faire face à leur passé. N'importe comment, tu n'es pas encore assez âgée pour soutenir que tu as évité la sénilité. Attends encore une vingtaine d'années.

— Une vingtaine d'années! répéta Meggie, consternée. Oh, ça paraît si long!

— Eh bien, ces vingt années pourraient être moins solitaires si tu le voulais, laissa tomber Fee en continuant à tricoter avec acharnement.

— Oui, si je le voulais. Mais est-ce que ça en vaudrait la peine, m'man? Le crois-tu vraiment? (Du bout de son aiguille à tricoter, elle tapota la lettre de Justine; un très léger doute s'insinua dans sa voix.) J'ai assez perdu de temps comme ça depuis la visite de Rainer, espérant que je n'aurais pas à agir, que la décision ne viendrait pas de moi. Pourtant, il avait raison. En fin de compte, c'était à moi qu'il appartenait de faire le premier pas.

— Tu pourrais peut-être reconnaître que je t'y ai aidée, protesta Fee, blessée. En tout cas, dès l'instant où ton orgueil ne t'a plus interdit de m'en parler.

— Oui, tu m'as aidée, convint gentiment Meggie.

La vieille pendule égrenait ses secondes; les quatre mains continuaient sans relâche à faire cliqueter les aiguilles d'écaille.

— Dis-moi, m'man?... demanda tout à coup Meggie. Pourquoi t'es-tu effondrée après la disparition de Dane alors que tu avais résisté au départ de papa, de Frank et de Stu?

— Effondrée? (Les mains de Fee s'immobilisèrent; elle posa ses aiguilles. Elle tricotait encore aussi bien qu'à l'époque où elle y voyait parfaitement.) Comment ça, effondrée?

— On aurait dit que ça t'avait anéantie.

— Toutes ces disparitions m'ont anéantie, Meggie. Seulement, lors des trois premières, j'étais plus jeune et j'avais suffisamment d'énergie pour mieux cacher ma peine. Plus de raisons aussi. Tout comme toi à présent. Mais Ralph savait ce que j'ai ressenti à la mort de Paddy et de Stu. Tu étais trop jeune pour t'en apercevoir. (Elle sourit.) J'adorais Ralph, tu sais. Il était... tellement à part. Terriblement comme Dane.

— Oui, en effet. Je n'avais jamais compris que tu t'en étais aperçue, m'man... je veux dire de leur nature. C'est drôle. Pour moi, tu es un personnage vraiment impénétrable. Il y a tant de choses que j'ignore de toi.

— Heureusement! s'exclama Fee, ponctuant le mot de son curieux rire, mains toujours inertes. Pour en revenir à nos moutons... si tu réussis ça maintenant pour Justine, Meggie, je crois que tu auras retiré plus d'avantages de tes ennuis que moi des miens. Je n'étais pas prête à agir comme Ralph me l'avait demandé, en veillant sur toi. Je m'accrochais à mes souvenirs... Rien ne comptait, hormis mes souvenirs. Tandis que toi, tu n'as pas le choix. Tu n'as rien d'autre que des souvenirs.

— Ils sont d'un certain réconfort quand le chagrin

s'atténue. Tu ne crois pas? J'ai profité de Dane pendant vingt-six ans et, depuis, je n'ai cessé de me répéter que ce qui s'est produit était ce qui pouvait arriver de mieux, que cela lui avait évité quelque affreuse épreuve qu'il n'aurait peut-être pas eu la force de surmonter. Comme Franck, sans doute. Mais pas de la même nature. Il y a des destins qui sont pires que la mort, nous le savons toutes deux.

— N'es-tu pas aigrie? demanda Fee.

— Oh! au début je l'étais, mais, pour leur bien, j'ai fait en sorte de ne plus l'être.

Fee reprit son tricot.

— Ainsi, quand nous partirons, il n'y aura plus personne, dit-elle doucement. Drogheda n'existera plus. Oh! on lui attribuera une ligne dans l'histoire du pays, et quelque jeune homme enthousiaste viendra à Gilly pour interroger les personnes susceptibles de se souvenir afin de l'aider dans la rédaction de l'ouvrage qu'il aura l'intention d'écrire sur Drogheda. Le dernier des puissants domaines de la Nouvelle-Galles du Sud. Mais aucun de ses lecteurs ne saura jamais ce qu'était réellement Drogheda, parce que c'est impossible. Il aurait fallu qu'ils en fassent partie.

— Oui, approuva Meggie qui n'avait pas cessé de tricoter. Il aurait fallu qu'ils en fassent partie.

Faire ses adieux à Rain dans une lettre, anéantie qu'elle était par le chagrin et l'émotion, s'était révélé facile; elle y avait même pris un certain plaisir car, à son tour, elle s'était faite cinglante — je souffre, il est donc juste que tu souffres aussi. Mais, cette fois, Rain ne s'était pas placé dans une position où une banale lettre d'adieu pouvait suffire. Il fallait donc aller dîner à leur restaurant favori. Il n'avait pas proposé la maison de Park Lane, ce qui la déçut mais ne la surprit pas. Sans aucun doute, il avait l'intention de prendre congé d'elle sous l'œil indifférent de Fritz. Il ne voulait pas courir le moindre risque.

Exceptionnellement, elle prit soin de s'habiller selon les goûts de Rain; le démon qui la poussait à des falbalas orange semblait avoir relâché son emprise. Puisque Rain appréciait le style simple, elle passa une robe tombant jusqu'à terre en jersey de soie bourgogne, au col resserré et à manches longues. Elle ajouta un large collier d'or torsadé enchâssant des perles et des grenats, orna ses poignets de deux bracelets assortis. Quels horribles, horribles cheveux! Ils n'étaient jamais assez disciplinés au goût de Rain. Elle força un peu sur le maquillage pour masquer sa mine défaite. Voilà. Ça ferait l'affaire s'il n'y regardait pas de trop près.

Il ne parut pas percer l'artifice; en tout cas, il ne se livra à aucun commentaire sur la fatigue, une maladie possible, ni même les tracas d'un déménagement. Cela ne lui ressemblait guère. Et, après un temps, elle éprouva une sensation étrange, comme si le monde arrivait à son terme tant il était différent de son personnage habituel.

Il ne l'aida pas en cherchant à faire de ce dîner une réussite, le genre d'événement auquel ils pourraient faire allusion dans leurs lettres avec plaisir et amusement. Si seulement elle pouvait se convaincre qu'il était le moins du monde ému par son départ, elle en eût éprouvé une certaine joie, mais ce n'était pas le cas. Il affichait un calme imperturbable. Il était si distant qu'elle avait l'impression d'être assise devant une effigie en papier léger, attendant le premier souffle de brise pour s'envoler loin d'elle. Un peu comme s'il lui avait déjà fait ses adieux et que cette rencontre fût surperflue.

— Avez-vous déjà eu une réponse de votre mère? s'enquit-il poliment.

— Non, mais à vrai dire je n'en attends pas. Elle est

probablement à court de mots pour me dire sa joie.

— Voulez-vous que Fritz vous accompagne à l'aéro-port demain?

— Merci, je peux prendre un taxi, répondit-elle sèche-ment. Je ne voudrais pas vous priver de ses services.

— J'ai des réunions toute la journée. Je vous assure que ça ne me causerait pas le moindre dérangement.

— Je vous ai dit que je prendrai un taxi!

— Inutile de crier, Justine, dit-il avec un froncement de sourcils. Je me plierai à vos désirs.

Il ne l'appelait plus *herzchen*; ces derniers temps, elle avait remarqué qu'il usait de moins en moins de ce terme et, ce soir, il n'avait pas eu recours une seule fois à ce mot tendre. Oh, quel dîner, morne et déprimant! Vivement que ce soit fini! Elle s'aperçut qu'elle gardait les yeux braqués sur les mains de Rain tout en s'effor-çant de se rappeler les sensations qu'elles lui avaient communiquées, mais elle n'y parvint pas. Pourquoi la vie n'était-elle pas nette et bien organisée, pourquoi des épreuves, comme celle de Dane, devaient-elles interve-nir? Peut-être du fait qu'elle pensait à Dane, son humeur s'exaspéra au point qu'elle ne put supporter de rester assise un instant de plus; elle posa les mains sur les accotoirs de son fauteuil.

— Ça ne vous ennuierait pas que nous partions? demanda-t-elle. J'ai un mal de tête épouvantable.

Parvenus au coin du boulevard et de l'impasse où se situait l'appartement de Justine, Rain donna ordre à Fritz de faire le tour du pâté de maisons et la prit courtoisement par le coude pour la guider, ne l'effleu-rant que de façon très impersonnelle. Dans l'humidité glaciale du crachin londonien, ils avancèrent lentement sur les pavés, faisant naître alentour les échos de leurs bruits de pas. Bruits de pas tristes, solitaires.

— Eh bien, Justine, nous allons nous dire adieu, lais-sa-t-il tomber.

— Au revoir plutôt, répondit-elle avec entrain. Ça n'a rien de définitif, vous savez. Je reviendrai de temps à autre et j'espère que vous trouverez le temps de nous rendre visite à Drogheda.

Il secoua la tête.

— Non, c'est un adieu, Justine. Je ne pense pas que nous ayons encore besoin l'un de l'autre.

— Vous voulez dire que vous n'avez plus besoin de moi, rectifia-t-elle avec un rire relativement convaincant. Ça n'a pas d'importance, Rain! Inutile de me ménager, je sais encaisser!

Il lui prit la main, s'inclina pour y déposer un baiser, se redressa, sourit en l'enveloppant d'un long regard et s'éloigna.

Une lettre de sa mère l'attendait sur le paillasson. Justine se baissa pour la ramasser, laissa tomber sac et manteau sur le sol, se débarrassa de ses chaussures et passa dans la salle de séjour. Elle s'affala lourdement sur une caisse d'emballage, se mordit pensivement la lèvre, se figea avec une expression à la fois consternée et déroutée, porta les yeux sur une magnifique étude pour un portrait de Dane, exécutée le jour de son ordination. Puis, elle se surprit à caresser de ses orteils nus le tapis de kangourou, roulé et ficelé; ses traits se tirèrent en une grimace de dégoût et elle se leva vivement.

Une petite promenade jusqu'à la cuisine; voilà ce qu'il lui fallait. Elle gagna donc la cuisine, ouvrit le réfrigérateur, en tira un pot de crème et prit dans le congélateur une boîte de café filtre. Une main posée sur le robinet afin de laisser couler un filet d'eau froide sur le café solidifié, elle regarda autour d'elle, écarquillant les yeux, comme si elle n'avait jamais vu la pièce auparavant. Elle considéra les cassures du papier peint, le philodendron béat dans son panier qui pendait du plafond, le réveil représentant un chat noir qui remuait la queue et roulait des yeux devant le spectacle du temps si frivolement émietté. **EMBALLER BROSSES A CHEVEUX**, rappelait le tableau noir en lettres majuscules. Sur la table, une esquisse au crayon de Rain qu'elle avait tracée quelques semaines plus tôt. Et un paquet de cigarettes. Elle en prit une, l'alluma, posa la bouilloire sur la cuisinière, et se rappela la lettre de sa mère qu'elle tenait encore à la main. Autant la lire pendant que l'eau chaufferait. Elle s'assit devant la table de cuisine, balaya le dessin de Rain qui tomba sur le sol où elle le foula des deux pieds. Va te faire foutre aussi, Rainer Moerling Hartheim! Tu vois que je m'en tamponne, espèce de Teuton dogmatique à manteau de cuir! Tu n'as plus besoin de moi, hein? Eh bien, moi non plus!

Elle se pencha sur la lettre de Meggie.

Ma chère Justine,

Comme toujours, tu agis sans doute sous le coup d'une impulsion et avec ta précipitation habituelle; aussi, j'espère que ce mot te touchera à temps. Si, dans mes dernières lettres, quelque chose t'a poussée à prendre cette décision brutale, je t'en prie, pardonne-moi. Je n'avais pas l'intention de provoquer une réaction aussi radicale. Je suppose que je cherchais simplement un peu de gentillesse, mais j'oublie toujours que sous ton enveloppe coriace se cache beaucoup de douceur.

Oui, je suis seule, terriblement seule; pourtant, ce n'est pas en rentrant que tu pourrais y changer quoi que ce soit. Si tu veux bien y réfléchir un instant, tu te rendras compte que je dis vrai. Qu'espères-tu réaliser en rentrant à la maison? Il n'est pas en ton pouvoir de me rendre ce que j'ai perdu, et tu ne peux rien réparer non plus. Cette perte n'est pas seulement la mienne; elle est aussi la tienne, et celle de grand-mère et de tous les autres. Il semble que tu entretiennes une idée, tout à fait inexacte, selon laquelle tu en serais, tout au moins en partie, responsable. Ton impulsion soudaine me fait l'effet d'une sorte d'acte de contrition. C'est là de l'or-gueil et de la présomption, Justine. Dane était un adulte, pas un bébé impuissant. Je l'ai bien laissé partir, moi. Si, comme toi, je m'étais abandonnée aux remords, je me débattrais dans une torture mentale en me reprochant de l'avoir autorisé à mener la vie qu'il souhaitait. Mais je ne reste pas là à me blâmer sans cesse. Aucun de nous n'est Dieu, et je crois que la vie m'a réservé plus de possibilités de le comprendre que toi.

En rentrant à la maison, tu m'offres ta vie en sacri-fice. Je n'en veux pas. Je ne l'ai jamais voulu. Et mainte-nant, je le refuse. Tu n'es pas à ta place à Drogheda, tu ne l'as jamais été. Si tu n'es pas encore parvenue à savoir où est ta place, je te propose de t'asseoir immé-diatement et de commencer à y réfléchir sérieusement. Parfois, tu es vraiment d'une insondable sottise. Rainer est un homme très bien, mais je n'ai jamais encore rencontré personne qui puisse être aussi altruiste que lui. En mémoire de Dane, cesse de te conduire comme une enfant, Justine.

Ma chérie, une lumière s'est éteinte. Pour nous tous, une lumière s'est éteinte, et tu n'y peux absolument rien, le comprends-tu? Je ne cherche pas à te tromper en prétendant que je suis parfaitement heureuse. La condition humaine ne le permet pas. Mais si tu crois qu'ici, à Drogheda, nous passons nos jours à pleurer et à gémir, tu as tort. Nous savourons nos jours et l'une des raisons de cet état de choses est que notre lumière brille encore pour toi. La lumière de Dane a disparu à jamais. Je t'en prie, ma chère Justine, essaie de le com-prendre et de l'accepter.

Reviens à Drogheda si le cœur t'en dit; nous serions ravis de te revoir. Mais pas définitivement. Tu ne serais jamais heureuse si tu restais ici pour toujours. Ce ne serait qu'un sacrifice de ta part, inutile et sans objet.

Dans le genre de carrière que tu as embrassée, tu devrais payer très cher ton éloignement du théâtre, serait-il limité à une seule année. Reste à ta place, fais dignement ton chemin dans le monde que tu as choisi.

La douleur. C'était comme au cours des quelques jours ayant suivi la mort de Dane. Même douleur futile, dévastatrice, inévitable. Même impuissance angoissée. Non, évidemment, elle n'y pouvait rien. Aucun moyen de réparer, aucun moyen.

Gueule un bon coup! La bouilloire sifflait déjà. Chut, bouilloire, chut! Quel effet ça fait d'être l'enfant unique de maman, bouilloire? Demande à Justine, elle le sait. Oui, Justine sait ce qu'est un enfant unique. Mais je ne suis pas l'enfant qu'elle veut, cette pauvre vieille femme fanée, cloîtrée dans le lointain domaine. Oh, m'man! Oh, m'man... Crois-tu que si c'était humainement possible, je ne le voudrais? Des lampes neuves pour remplacer les vieilles, ma vie pour la sienne! Ce n'est pas juste que Dane ait été celui qui devait mourir... Elle a raison. Mon retour à Drogheda ne changerait rien au fait que lui ne pourra jamais revenir. Bien qu'il y repose à jamais, il ne reviendra jamais. Une lumière s'est éteinte, et je ne peux pas la rallumer. Mais je comprends ce qu'elle veut dire. Ma lumière brille toujours en elle. Mais pas à Drogheda.

Fritz vint ouvrir, dépouillé de sa belle livrée de chauffeur bleu marine, sanglé dans un élégant gilet de maître d'hôtel. Pendant qu'il souriait, s'inclinait rapidement et claquait des talons à la bonne vieille mode allemande, une pensée traversa Justine : avait-il aussi deux fonctions à Bonn?

— Etes-vous seulement l'humble domestique de Herr Hartheim, Fritz, ou son chien de garde? demanda-t-elle en lui tendant son manteau.

Fritz demeura impassible.

— Herr Hartheim est dans son bureau, miss O'Neill.

Assis, il contemplait le feu, un peu penché en avant, Natasha dormait devant l'âtre. Quand la porte s'ouvrit, il leva les yeux, mais ne dit mot, ne parut pas heureux de la voir.

Justine traversa la pièce, s'agenouilla devant lui et lui posa la tête sur les genoux.

— Rain, je suis désolée d'avoir gâché toutes ces années, murmura-t-elle. Et je ne peux pas réparer.

Il ne se leva pas, ne l'attira pas à lui; il s'agenouilla à côté d'elle, sur le sol.

— Un miracle, dit-il.

— Vous n'avez jamais cessé de m'aimer, n'est-ce pas? s'enquit-elle en souriant.

— Non, *herzchen*, jamais.

— J'ai dû vous faire beaucoup souffrir.

— Pas comme vous le pensez. Je savais que vous m'aimiez et je pouvais attendre. J'ai toujours cru qu'un homme patient était obligé de gagner en fin de compte.

— Alors, vous avez décidé de me laisser me débattre toute seule. Vous n'étiez pas le moins du monde inquiet quand je vous ai annoncé que je rentrais à Drogheda, n'est-ce pas?

— Oh, que si! S'il s'était agi d'un autre homme, j'aurais pu combattre. Mais Drogheda? Un adversaire redoutable. Oh, si, j'étais inquiet!

— Vous saviez que je devais partir avant que je vous en parle, n'est-ce pas?

— Clyde a vendu la mèche. Il m'a téléphoné à Bonn pour me demander si je pouvais vous faire revenir sur votre décision d'une façon quelconque. Je lui ai conseillé de vous donner le change pendant une semaine ou deux pour me laisser le temps de voir ce que je pourrais faire. Pas dans son intérêt, *herzchen*. Dans le mien. Je n'ai rien d'un altruiste.

— C'est ce que maman prétend. Mais cette maison! L'aviez-vous déjà il y a un mois?

— Non, d'ailleurs elle n'est pas à moi. Pourtant, puisque nous aurons besoin d'une maison à Londres si vous devez poursuivre votre carrière théâtrale, je ferais bien d'essayer de l'acheter. Enfin... à condition qu'elle vous plaise. Je vous laisserai même vous charger de sa décoration, si vous me promettez formellement de ne pas la barioler en rose et orange.

— Je ne m'étais jamais rendu compte que vous aviez l'esprit tortueux à ce point! Pourquoi ne m'avez-vous pas tout simplement dit que vous m'aimiez encore? Je le souhaitais tant!

— Non. C'était assez évident pour que vous vous en rendiez compte par vous-même. Il fallait que vous vous en aperceviez toute seule.

— Je dois être aveugle; je n'ai rien vu toute seule, il m'a fallu de l'aide. Ma mère a fini par m'obliger à ouvrir les yeux. Une lettre d'elle m'attendait chez moi; elle me conseillait de ne pas rentrer.

— Votre mère est une femme merveilleuse.

— Je sais que vous l'avez rencontrée, Rain... Quand?

— Je suis allé la voir il y a environ un an. Drogheda est un domaine magnifique, mais qui ne vous convient pas, *herzchen*. Le but de mon voyage était de le faire comprendre à votre mère. Vous n'imaginez pas à quel point je suis heureux qu'elle ait fini par s'en apercevoir, bien que je ne pense pas avoir trouvé des arguments très convaincants.

Elle leva les doigts, les lui posa sur la bouche.

— Moi aussi, je doutais, Rain. J'ai toujours douté. Peut-être douterai-je toujours.

— Oh, *herzchen*, j'espère que non! Pour moi, il ne pourra jamais y avoir une autre femme. Seulement vous. Le monde entier le sait depuis des années. Mais les mots d'amour n'ont aucun sens. J'aurais pu vous les crier à perdre haleine sans pour autant dissiper vos doutes. Aussi n'ai-je pas clamé mon amour, Justine, je l'ai vécu. Comment pouviez-vous douter des sentiments de votre plus fidèle chevalier servant? (Il soupira.) Enfin, au moins, ça n'est pas venu de moi. Peut-être continuerez-vous à vous satisfaire de la parole de votre mère.

— Je vous en prie, ne dites pas ça, pas sur ce ton! Mon pauvre Rain, j'ai dû user votre patience jusqu'à la corde. Ne soyez pas blessé si c'est venu de m'man. Ça n'a pas d'importance! Je me suis agenouillée devant vous avec humilité.

— Dieu merci, l'humilité ne durera pas! dit-il gaiement. Vous retomberez sur vos pieds demain.

La tension commença à la déserter; le plus difficile était passé.

— Ce qui me plaît le plus chez vous, Rain, c'est que vous m'en donnez tant pour mon argent que je ne vous rattrape jamais tout à fait.

— Eh bien, considérez l'avenir ainsi, *herzchen*. Le fait de vivre sous le même toit que moi vous donnera peut-être la possibilité de comprendre comment vous pourrez y arriver. (Il lui embrassa les sourcils, les joues, les paupières.) Je ne vous voudrais pas autrement que vous êtes, Justine. Ne changez pas d'un iota, ni d'une tache de rousseur ni d'une cellule de votre cerveau.

Elle lui glissa les bras autour du cou, enfonça les doigts dans la masse compacte des cheveux argentés.

— Oh, si vous saviez combien j'ai attendu ce moment! murmura-t-elle. Je n'ai jamais oublié.

Le câble était ainsi rédigé : SUIS DEVENUE MADAME RAINER MOERLING HARTHEIM STOP CEREMONIE PRIVEE VATICAN STOP BENEDIC-TIONS PONTIFICALES A GOGO STOP VIVE LES MARIES EXCLAMATION VIENDRONS POUR LUNE

DE MIEL RETARDEE DES QUE POSSIBLE MAIS
DESORMAIS FOYER EN EUROPE STOP TENDRES-
SES A TOUS ET DE RAIN AUSSI STOP JUSTINE.

Meggie posa le formulaire sur la table et son regard
alla se perdre au delà de la fenêtre, vers les roses
automnales qui s'épanouissaient à profusion dans le
jardin. Parfum des roses, vibrations des roses. Et les
hibiscus, les buddleias, les eucalyptus, les bougainvillées
qui regardaient le monde de si haut, les poivriers.
Comme le jardin était beau, vivant. Voir les bourgeons
et boutons se développer, éclater, se flétrir; et de nouvelles promesses arriver pour continuer le même cycle
sans fin, incessant.

C'en était fini de Drogheda. Oui, il était temps, grand
temps. Que le cycle se renouvelle avec des inconnus. Je
me suis tout infligé à moi-même, je ne peux blâmer
personne. Et je ne regrette rien.

L'oiseau à la poitrine percée d'une épine suit une loi
immuable; il ne sait pas ce qui l'a poussé à s'embrocher
et il meurt en chantant. A l'instant même où l'épine le
pénètre, il n'a pas conscience de la mort à venir; il se
contente de chanter et de chanter encore jusqu'à ce
qu'il n'ait plus de vie pour émettre une note de plus.
Mais nous, quand nous nous enfonçons des épines dans
la poitrine, nous savons. Nous comprenons. Et pourtant, nous le faisons. Nous le faisons.

... Et la vie continue (1869★★★★)
par Dino Risi
*Les aventures drôles et colorées
d'une famille italienne.*

L'exorciste (630★★★★)
par William Peter Blatty
*A Washington, de nos jours, une
petite fille vit sous l'emprise du démon.*

Fanny Hill (711★★★)
par John Cleland
Un classique de la littérature érotique.

La Promise
(1892★★★)
par Vonda N. McIntyre
*Une version modernisée du mythe
célèbre.*

Georgia (1395★★★)
par Robert Grossbach
*Une fille, trois garçons, ils s'aiment
mais tout les sépare. Inédit.*

Goonies (1911★★★)
par James Kahn, présenté par Steven Spielberg
*Des adolescents doivent trouver un
trésor pour sauver leur village.*
(déc. 85)

Gremlins (1741★★★)
par Steven Spielberg
*Il ne faut ni les exposer à la lumière,
ni les mouiller, ni surtout les nourrir après minuit. Sinon...*

Il était une fois en Amérique
(1698★★★)
par Lee Hays
*Deux adolescents régnaient sur le
ghetto new-yorkais puis, un jour,
l'un trahit l'autre.*

Jonathan Livingston le goéland
(1562★)
par Richard Bach
Une leçon d'art de vivre. Illustré.

Joy (1467★★) et
Joy et Joan (1703★★)
par Joy Laurey
*Une femme aime trois hommes... et
une femme.*

Kramer contre Kramer (1044★★★)
par Avery Corman
*Abandonné par sa femme, un homme
reste seul avec son tout petit garçon.*

Ladyhawke (1832★★)
par Joan D. Vinge
*Une femme-faucon aime un homme-
loup.*

Laura (1561★★★)
par Vera Caspary
*Peut-on s'éprendre d'une morte sans
danger ?*

Love story (412★)
par Erich Segal
*Le roman qui a changé l'image de
l'amour.*

Mad Max 2 (1533★★)
par Hayes, Miller et Hannant.
Mad Max 3 (1864★★★)
par Joan D. Vinge
*La violence déchaînée d'un univers
post-holocauste atomique.*

Le magicien d'Oz (The Wiz)
(1652★★)
par Frank L. Baum
*Dorothée et ses amis traversent un
pays enchanté. Illustré.*

Marianne, une étoile pour Napoléon
(601★★★★ et 602★★★★)
par Juliette Benzoni
*Le soir de ses noces, femme outragée, veuve, criminelle, elle découvre
l'amour dans les bras d'un inconnu :
Napoléon.*

Massada (1303★★★★)
par Ernest K. Gann
*L'héroïque résistance des Hébreux
face aux légions romaines.*

Le monde vert (520★★★)
par Brian W. Aldiss
Dans les frondaisons d'un arbre gigantesque, des colonies de créatures humaines tentent de survivre.

La mort aux enchères (1461★★)
par Robert Alley
Un psychiatre soupçonne d'un crime la cliente dont il est épris.

La mort en direct (1755★★★)
par D.G. Compton
L'homme-caméra suit chaque phase de l'agonie de Catherine.

La nuit du chasseur (1431★★★)
par Davis Grubb
Il poursuit ses victimes en chantant des psaumes à la gloire du Seigneur.

L'œil du tigre (1636★★★)
par Sylvester Stallone
La gloire est au bout des gants de Rocky.

Officier et gentleman (1407★★)
par Steven Phillip Smith
Nul ne croit en Zack, sauf lui-même.

Outland... loin de la Terre (1220★★*)
par A. D. Foster
Sur l'astéroïde Io, les crises de folie meurtrière et les suicides sont quotidiens. Inédit, illustré.

Philadelphia Experiment (1756★★)
par Charles Berlitz
L'armée américaine a réellement tenté des expériences d'invisibilité.

Les Plouffe (1740★★★★)
par Roger Lemelin
Une famille québécoise aux aventures bouffonnes et tendres.

Les prédateurs (1419★★★★)
par Whitney Strieber
Elle survit depuis des siècles mais ceux qu'elle aime meurent lentement.

La quatrième dimension (1530★★*)
par Robert Bloch
Le domaine mystérieux de l'imaginaire où tout peut arriver. Inédit.

Racines (968★★★★ et 969★★★★)
par Alex Haley
Le triomphe mondial de la littérature et de la TV fait revivre le drame des esclaves noirs en Amérique.

Ragtime (825★★★)
par E.L. Doctorow
Un tableau endiablé et féroce de la réalité américaine du début du siècle.

Razorback (1834★★★★)
par Peter Brennan
En Australie, une bête démente le poursuit.

Rencontres du troisième type (947★★)
par Steven Spielberg
Le premier contact avec des visiteurs venus des étoiles.

Riches et célèbres (1330★★★)
par Eileen Lottman
Le succès, l'amour, la vie, tout les oppose ; pourtant, elles resteront amies. Inédit. Illustré.

Scarface (1615★★★)
par Paul Monette
Pour devenir le roi de la pègre il n'hésite pas à tuer.

Shining (1197★★★★)
par Stephen King
La lutte hallucinante d'un enfant médium contre des forces maléfiques.

Star Trek II : la colère de Khan (1396★★★)
par Vonda N. McIntyre
Le plus grand défi lancé à l'U.S. Enterprise. Inédit.

Achevé d'imprimer sur les presses de l'imprimerie Brodard et Taupin
58, rue Jean Bleuzen, Vanves. Usine de La Flèche,
le 1er octobre 1985
6877-5 Dépôt légal octobre 1985. ISBN : 2 - 277 - 21022 - 6
1er dépôt légal dans la collection : janvier 1980
Imprimé en France

Editions J'ai Lu
27, rue Cassette, 75006 Paris
diffusion France et étranger : Flammarion